La productividad y el riesgo psicosocial o derivado de la organización del trabajo

Dr. Ricardo Fernández García

Químico

La productividad y el riesgo psicosocial o derivado de la organización del trabajo

© Ricardo Fernández García

ISBN: 978-84-9948-146-3
Depósito legal: A-880-2010

Edita: Editorial Club Universitario Telf.: 96 567 61 33
C/ Decano n.º 4 – 03690 San Vicente (Alicante)
www.ecu.fm

e-mail: ecu@ecu.fm

Printed in Spain
Imprime: Imprenta Gamma Telf.: 965 67 19 87
C/ Cottolengo, 25 – San Vicente (Alicante)
www.gamma.fm
gamma@gamma.fm

Cómo decirte, amor,
cuánto te debo,
si ni siquiera tú
sabes cuánto me das.

Para ti, Inmaculada.
Eres mi alegría de vivir.

ÍNDICE

Prefacio

Existen muchas empresas que día a día pierden liderazgo y competitividad en el mercado, debido a que cuentan con organizaciones deficientes u obsoletas que lastran su rentabilidad y a la vez causan un impacto negativo al desarrollo y motivación de las personas que la conforman.

No entienden que el Capital Humano es lo más importante de una organización, ya que es su nervio vital. Una empresa puede tener la mejor infraestructura, tecnología, planta industrial o el equipo más moderno pero esto no será suficiente para continuar y tener una garantía de éxito en el mercado.

Solamente las personas, con sus conocimientos, habilidades, actitudes y aptitudes, son capaces de impulsar o destruir una organización. Es por tanto imprescindible un compromiso permanente de los miembros de la organización para lograr sus objetivos. Recordemos que la motivación es una característica de la psicología humana que contribuye al grado de compromiso de la persona.

Las organizaciones no son como máquinas compuestas por partes que se pueden aislar unas de otras. Nuestro personal no es un recurso de la organización, es la organización. Nosotros no somos un recurso de nuestra familia, somos un miembro de la misma.

Si fuésemos recursos, entonces los humanos no sentiríamos, ni opinaríamos, ni nos moveríamos o desarrollaríamos. Los recursos son bienes, medios utilizados para conseguir nuestros fines u objetivos.

El valor de las personas es irreemplazable y su incidencia en las empresas es trascendental. No olvidemos que toda organización no dispone de personas, sino que se encuentra formada por personas.

Concepto de sostenibilidad o el necesario equilibrio entre medio ambiente, productividad y trabajador

El objetivo fundamental de la empresa es mejorar su rentabilidad. Nadie reduce su capacidad de producción para mejorar el bienestar de los trabajadores o el medio ambiente ya que está abocado al fracaso.

Figura 1.- Los tres vectores que rigen una sociedad

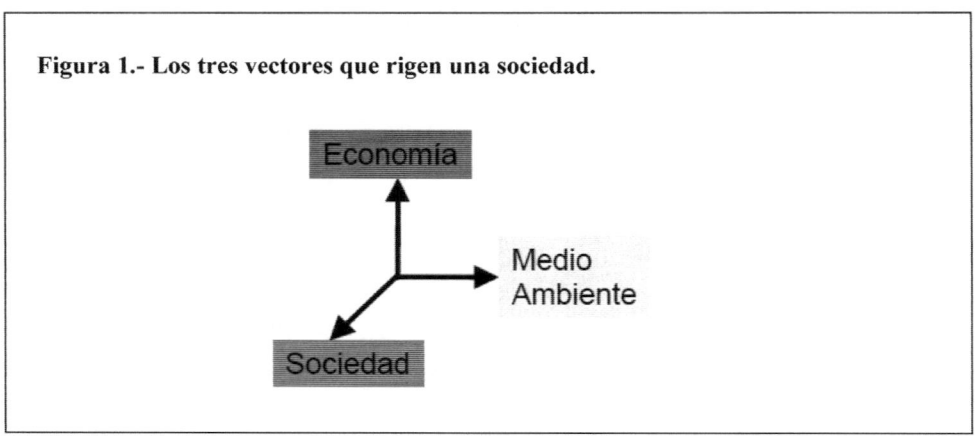

Figura 1.- Los tres vectores que rigen una sociedad.

Cualquier mejora que se haga en términos preventivos o de medioambiente ha de mejorar la productividad o la calidad o ambas. Esto es lo que se ha venido a llamar sostenibilidad.

Figura 2.- Concepto de equilibrio

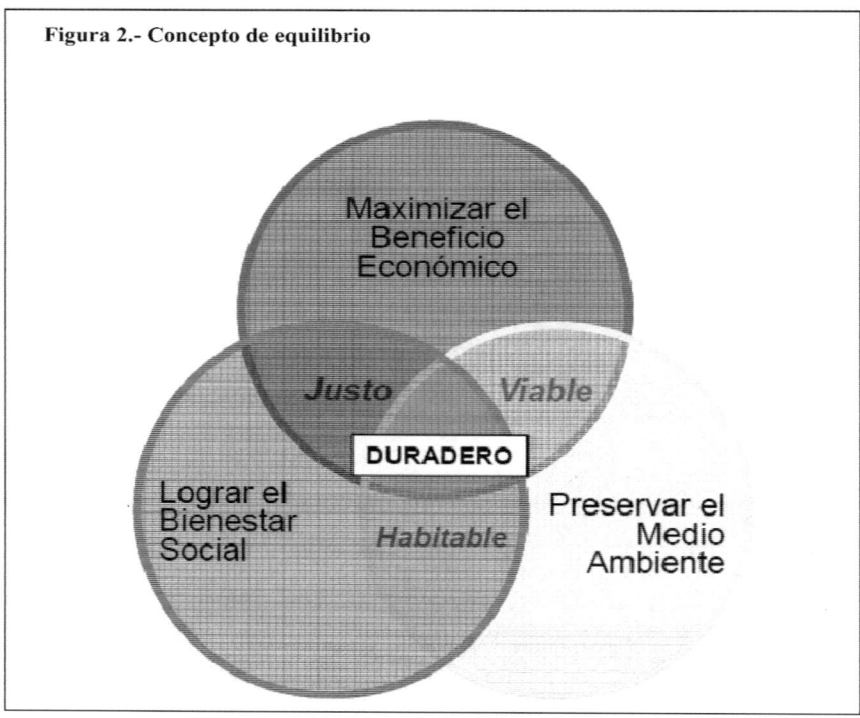

Figura 2.- Concepto de equilibrio

Como se ha indicado la sostenibilidad tiene una triple dimensión: económica, social y medioambiental.

- **La sostenibilidad económica** significa que las generaciones futuras sean más ricas, tengan una mayor renta per cápita y calidad de vida. Cierto es que algunas de las tecnologías fueron mal vistas al principio porque eliminaban puestos de trabajo; quizá algunas sí, pero el ordenador sustituyó a la máquina de escribir e hizo que los trabajadores utilizasen de forma más eficiente su tiempo...

- **La sostenibilidad social** pretende que las generaciones futuras tengan más oportunidades que las generaciones anteriores. Para ello hay que mejorar la prevención de riesgos laborales, la distribución de la renta, la racionalización de horarios, favorecer la conciliación laboral o el apoyo a los dependientes.

- **La sostenibilidad medioambiental** pretende legar a las generaciones futuras un entorno natural igual o mejor que el actual. Implica reducir las emisiones contaminantes, una mayor eficiencia en el uso del agua, el suelo o los recursos naturales

Ninguna empresa puede ser productiva si:

- El trabajador está desmotivado o está, por ejemplo, bajo el efecto del estrés.

- Si tiene a sus trabajadores infrautilizados.

Aunque es claro el concepto "natural" de la prevención y **es imprescindible definir más y mejor sus beneficios de cara al empresario**.

.- Los factores psicosociales

Podemos definir los factores psicosociales como aquellas condiciones presentes en el trabajo, relacionados con la organización, el contenido y la realización del trabajo que pueden afectar tanto el bienestar y la salud (física, psíquica o social) de los trabajadores como al desarrollo del trabajo así como a la productividad empresarial.

Las principales consecuencias negativas sobre la persona son el estrés y la insatisfacción laboral y se observan en parámetros como la cantidad y calidad de trabajo realizado, la rotación laboral o el absentismo.

Podemos englobar factores psicosociales en el mundo laboral en cuatro grandes grupos:

- **Los factores relativos a la tarea, a la adecuación entre el trabajo y la persona.** El trabajo ha de tener un sentido para quien lo realiza y ha de estar en consonancia con sus capacidades y expectativas. En este apartado suelen incluirse aspectos como la identidad de la tarea, su contenido, el estatus y las exigencias tanto cuantitativas como cualitativas.

- **Los factores relativos a relaciones interpersonales.** De un lado unas buenas relaciones en el trabajo son fuente de satisfacción a la vez que ofrecen recursos para solventar posibles problemas, presentándose en este caso como posibles moderadoras en situaciones de tensión. Por otra parte, cando no son adecuadas, pueden ser fuente de conflicto, y por tanto pueden ser consideradas como factor de riesgo.

- Un tercer grupo de factores está relacionado con **los aspectos organizativos**. La estructura organizativa y los procesos formales e informales son factores clave tanto para alcanzar los objetivos de la empresa como por su influencia en la salud y el bienestar de los trabajadores. Aquí suelen incluirse factores tales como la definición de funciones, la comunicación y la participación.

- Por último debemos referirnos al **tiempo de trabajo**, es decir, todo aquello que, en la prestación laboral, recoja de una forma u otra la dimensión temporal: horarios, pausas durante la jornada, ritmo, prolongación de jornada…

Sin lugar a dudas, en los últimos años hemos asistido a profundos cambios en la manera de trabajar (introducción de nuevas tecnologías, nuevas relaciones contractuales, reducción de la estabilidad en el empleo, intensificación del trabajo, cambios sustanciales en los horarios de trabajo…) que han conllevado un aumento de las tensiones psicológicas en el trabajo. Prueba de ello es que es cada vez más habitual en las políticas de Recursos Humanos.

De forma lógica, la Ley de Prevención de Riesgos Laborales considera que la organización del trabajo forma parte de las condiciones de trabajo que influyen en la salud y seguridad de los y las trabajadoras, entre otros mecanismos a través de la exposición nociva a los riesgos psicosociales. Por ello, las características de la organización del trabajo deben ser evaluadas, controladas y modificadas si generan riesgos.

Pero esta evaluación y tratamiento es todavía una asignatura pendiente en muchas organizaciones. Según los datos de la V Encuesta Nacional de Condiciones de Trabajo los estudios o programas de intervención sobre el estrés se han realizado sólo en un 2,8% de las empresas hallándose a la cola de las actividades preventivas. Y esto a pesar de que un 83,8% de los servicios de prevención propios cuentan con la especialidad de Ergonomía y Psicosociología aplicada.

Las reacciones individuales ante estos factores son muy variables, pues dependen de cómo se viva la interrelación individuo/condiciones de trabajo. Así pues, una misma situación puede afectar de distinta manera a las personas atendiendo a su capacidad de adaptación y tolerancia. Las personas, según sus características individuales (edad, sexo, aptitudes, experiencia, expectativas, entorno sociocultural, personalidad, etc.) son más o menos vulnerables ante una misma situación. Por ello, al analizar estos aspectos es importante ayudarse de alguna técnica de valoración que tenga en cuenta las opiniones de los interesados, tales como entrevistas, encuestas o reuniones de grupo.

Podríamos concluir señalando que aunque es cada vez mayor la concienciación frente a estos riesgos, todavía queda mucho camino por recorrer. Espero que este libro sirva para ello.

1.- Riesgo psicosocial. Definición, efectos, consecuencias. Su prevención

El simple repaso de las noticias de la prensa diaria nos permite leer, cada vez con mayor frecuencia, titulares como:
* El 58% de las empresas en todo el mundo han incrementado el nivel de estrés en los dos últimos años.
* Más del 89% de los empleados no se sienten motivados.
* Un 63% de la población encuestada afirman que el mal funcionamiento del ordenador les genera estrés.

Los grandes cambios demográficos, tecnológicos y económicos acaecidos en las últimas décadas han provocado profundas transformaciones para trabajadores, como empresas que han generado la aparición de riesgos relacionados con la salud mental.

En efecto, el estrés, el acoso o el malestar psíquico que sufren muchos trabajadores y trabajadoras son resultado de una mala organización del trabajo y no de un problema individual, de personalidad o que responda a circunstancias personales o familiares concretas de cada trabajador.

Aún son muchos los que no quieren reconocer que los riesgos psicosociales suponen en el ámbito laboral una de las grandes lacras del último tercio del siglo XX y de principios del presente. Sus efectos negativos pueden resultar irreparables si no se previenen adecuadamente.

Para que el trabajo sea productivo para el empresario y satisfactorio para el trabajador:
* Debe tener sentido para la persona que lo ejecuta.
* Debe exigirle algo más que un mero esfuerzo físico, tener un mínimo de variedad, que ponga en juego tanto la iniciativa como su creatividad para que pueda dar respuesta a nuevas situaciones que aporten a la tarea un cierto grado de autonomía, responsabilidad y capacidad de decisión.
* Debe proporcionar el reconocimiento social de la tarea de cada persona.
* Debe permitir que cada individuo haga compatible un equilibrio entre su faceta laboral, familiar y social.

Sin embargo, el sistema de organización del trabajo más exitoso, que ha permitido aumentar el desarrollo tecnológico vivido a lo largo del siglo XX, ha sido el desarrollado por Taylor basado en la división del trabajo en tareas elementales, que le llevaron a definir la Organización Científica del Trabajo. Esta teoría concibe el estímulo económico como única motivación del trabajador, lo que supone convertir al trabajador en un apéndice de la máquina, reduciendo el trabajo a un conjunto de movimientos simples, elementales, repetitivos y carentes de significado para la persona que lo realiza. Esta fragmentación tuvo como resultado la **deshumanización del trabajo**.

Esta "deshumanización de trabajo" tiene una serie de inconvenientes:
- El individuo pierde el control de su trabajo.
- Se reducen las posibilidades de que la persona aplique sus habilidades o conocimientos.
- El trabajo pierde significado.
- El trabajador apenas puede intervenir en los asuntos de la organización.
- Muchas veces el individuo trabaja solo.

Todos estos fenómenos pueden convertir el trabajo en algo monótono y aburrido, sin ningún interés para la persona que lo realiza generando una disminución de la eficacia y la productividad así como dificultades para adaptarse a los cambios

Aunque ciertamente existen características individuales que hacen que la respuesta ante condiciones de trabajo iguales sean diferentes, la psicosociología depende principalmente de toda una serie de factores relativos a la Organización. Entre estos tenemos:
- Factores de la Organización Temporal.
  o La jornada de trabajo.
  o El ritmo de trabajo.
- Factores que dependen de la tarea y que definen el papel de del individuo dentro de la organización.
  o Automatización
  o Comunicación y relaciones.
  o Estilo de mando.
  o Otros, como contenido del trabajo, estatus, posibilidad de promoción, etc.

Desde entonces múltiples han sido los estudios sobre el trabajo que han ayudado a superar la concepción tayloriana tratando de aumentar la motivación y el significado del mismo.

Nuestra Ley de Prevención de Riesgos Laborales entiende como Riesgo Psicosocial cualquier posibilidad de que un trabajador sufra un determinado daño en su salud física o psíquica derivado, bien de la inadaptación de los puestos, métodos y procesos de trabajo a las competencias del trabajador, bien como consecuencia de la influencia negativa de la organización y condiciones de trabajo, así como de las relaciones sociales en la empresa y de cualquier otro "factor ambiental" del trabajo.

Por tanto los **factores psicosociales** son todos los factores relativos a la organización del trabajo que son decisivos para la realización personal del trabajador. Son las interacciones que se producen entre:

- **el trabajo,** entendiendo por trabajo la labor que se realiza, el entorno en que ésta tiene lugar y las condiciones en que este está organizado,
- **y las personas,** tanto en su mundo laboral (sus capacidades, necesidades…) como extralaboral derivada de su cultura, sus necesidades y sus condiciones de vida fuera del trabajo.

Estas interacciones influyen en el rendimiento, en la satisfacción y por tanto en la salud.

Atendiendo a este amplio y genérico criterio legal no es posible determinar un catálogo cerrado y excluyente de riesgos, si bien son características nocivas de la organización del trabajo, que podemos identificar a través de cinco dimensiones:

- **exceso de exigencias psicológicas**: cuando hay que trabajar rápido o de forma irregular, cuando el trabajo requiere que escondamos los sentimientos, callarse la opinión, tomar decisiones difíciles y de forma rápida;
- **falta de influencia y de desarrollo**: cuando no tenemos margen de autonomía en la forma de realizar nuestras tareas, cuando el trabajo no da posibilidades para aplicar nuestras habilidades y conocimientos o carece de sentido para nosotros, o cuando no podemos adaptar el horario a las necesidades familiares, o no podemos decidir cuándo se hace un descanso;
- **falta de apoyo y de calidad de liderazgo**: cuando hay que trabajar aislado, sin apoyo de los superiores o compañeros y compañeras en la realización del trabajo, con las tareas mal definidas o sin la información adecuada y a tiempo;
- **escasas compensaciones**: cuando se falta al respeto, se provoca la inseguridad contractual, se dan cambios de puesto o servicio contra nuestra voluntad, se da un trato injusto, o no se reconoce el trabajo, si el salario es muy bajo, etc.
- **la doble presencia**: el trabajo doméstico y familiar supone exigencias cotidianas que deben asumirse de forma simultánea a las del trabajo

remunerado. La organización del trabajo en la empresa puede impedir la compatibilización de ambos trabajos, a pesar de disponer de herramientas y normativa para la conciliación de la vida laboral y familiar. Las mujeres básicamente siguen realizando y responsabilizándose del trabajo doméstico y familiar, por lo que este efecto es más prevalente en este colectivo.

Entre los Riesgos Psicosociales tenemos el estrés laboral, el *burnout*, el *mobbing*, el acoso sexual y la violencia física. Hablamos de los llamados factores psicosociales que, en general, son fáciles de ver pero difíciles de acotar, fáciles de comprender y de reconocer, pero difíciles de definir.

1.1.- Conceptos previos

1.1.1.- Concepto de trabajo

Como se ha indicado, el trabajo ha tenido siempre dos características fundamentales: la tecnificación y la organización.

Con la Revolución Industrial comenzó un proceso mucho más acelerado de la tecnificación del trabajo, lo cual ocasionó cambios en la organización. En efecto, las máquinas aumentaron extraordinariamente la capacidad de producción, lo que motivó que los trabajadores se adecuaran a las exigencias de la máquina en aras de la productividad.

Esta situación conlleva unas menores exigencias físicas, pero la forma en que el trabajo se organiza lleva en muchos casos a una parcialización tal de este que le despoja de todo incentivo que no sea el económico, y al mismo tiempo un cambio en las exigencias: los esfuerzos físicos disminuyen, pero cada día son mayores los esfuerzos mentales en el trabajo.

No se puede reducir el trabajo a un número de horas o de piezas pagadas, ya que es a través de la modificación del medio ambiente como el ser humano se encuentra a sí mismo y puede desarrollar su creatividad, su iniciativa, su relación con el exterior, etc.

El ser humano es un ser social, que para desarrollarse como tal necesita relacionarse con otros, y esto significa también que el trabajo es un hecho social.

Por lo tanto, no podemos limitarnos a reducir la jornada de trabajo como única fuente de reducir los riesgos, lo que hay que conseguir es lograr un trabajo con un grado de tecnificación que nos libere del máximo de los riesgos que atentan contra nuestra integridad física y mental, y al mismo tiempo conseguir que se organice el trabajo de una forma coherente con las necesidades personales y sociales de los individuos.

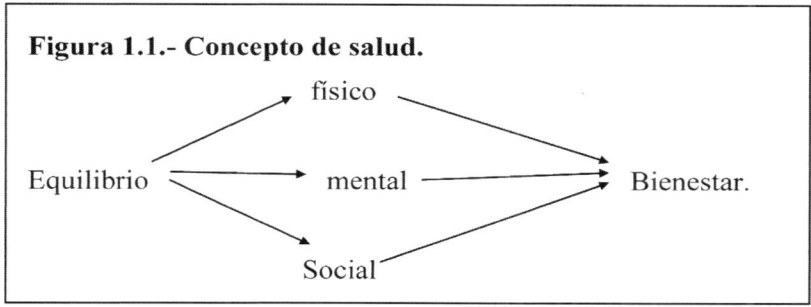

Figura 1.1.- Concepto de salud.

1.1.2.- Concepto de salud

Existen diferentes concepciones sobre la salud. Desde el punto de vista preventivo nos guiaremos por la definición de la **Organización Mundial de la Salud (OMS)** que considera a la Salud como el estado de bienestar físico, metal y social completo, es decir, "toda la persona" (ver figura 1.1). Cabe resaltar la interpretación claramente positiva del concepto de salud en lugar del típicamente negativo de "ausencia de enfermedad" propio del sistema sanitario.

La salud es el resultado de un proceso de desarrollo individual de la persona, que se puede ir logrando o perdiendo en función de las condiciones que le rodean, es decir, de su entorno y de su propia voluntad.

1.1.3.- Relación entre trabajo y salud. Elementos que condicionan la Salud

El trabajo constituye para el hombre una necesidad económica, una vocación, un estímulo, un derecho y un deber para satisfacer sus necesidades y mantener una vida digna.

Por ello trabajo y salud son actividades íntimamente relacionadas, ya que el trabajo es toda actividad mediante la cual el hombre desarrolla sus capacidades físicas e intelectuales, con el objetivo de cubrir dichas necesidades y conseguir una mayor calidad de vida, pero a la vez constituye una fuente de riesgo para la salud que tiene su origen en las condiciones en que el trabajo se realiza.

Como iremos viendo, desde el punto de vista preventivo, un trabajo queda condicionado por:
- Su naturaleza.
- Su entorno.

- Sus características condiciones de trabajo o condiciones ambientales y técnicas que lo enmarcan.

Existen profesiones más predispuestas para desarrollar estrés o cualquier otro riesgo psicosocial: médicos, enfermeras, policías, bomberos, artificieros, controladores aéreos, mineros, etcétera, aunque cualquier trabajador, en algún momento de su vida laboral, puede padecerlo.

1.1.4.- Diferencia entre cansancio, agotamiento y apatía

Hay una diferencia importante entre lo que es cansancio, agotamiento y apatía.

- El **cansancio** se presenta cuando se nota que falta energía para hacer un trabajo, pero existe voluntad de hacerlo y se realiza, a ritmo más lento y de forma más penosa. Se genera debido a un trastorno del sistema muscular.
- El **agotamiento** o **fatiga** aparece cuando se nota que falta energía para hacer un trabajo y, aunque exista voluntad de hacerlo, el cuerpo no responde. Se genera por un trastorno de los sistemas nervioso y muscular.
- La **apatía** aparece cuando no se tiene ganas de hacer las cosas y tiene su origen en un trastorno de los sistemas nerviosos.

Cuando el cansancio aparece al comienzo del día normal puede sugerir alguna enfermedad subyacente. El cansancio desde la mañana, incluso ya al despertarse, puede indicar una depresión psíquica. Aunque estos síntomas no siempre son determinantes.

Finalmente, cabe señalar que el cansancio se suele presentar en situaciones normales de la vida por causa de aburrimiento, infelicidad, desilusión, carencia de sueño o trabajo duro.

1.1.5.- Condiciones de trabajo

La constante e innovadora mecanización del trabajo, los cambios de ritmo de producción, la competitividad profesional, los horarios de trabajo, la evolución tecnológica, las aptitudes personales, las exigencias, etc., generan una serie de condicionantes que pueden afectar a la salud. Son las denominadas **Condiciones de Trabajo**. Bajo este concepto se incluye un amplio abanico de factores ligados a:

- la propia tarea realizada por el trabajador,
- los medios que utiliza,

- la organización del proceso de fabricación.

Se puede definir el término **Condición de Trabajo** como el conjunto de variables que definen la realización de una tarea en un entorno, determinando la salud del operario en función de tres variables: física, psíquica y social, a las que hace referencia la definición de la Organización Mundial de la Salud sobre el concepto de Salud.

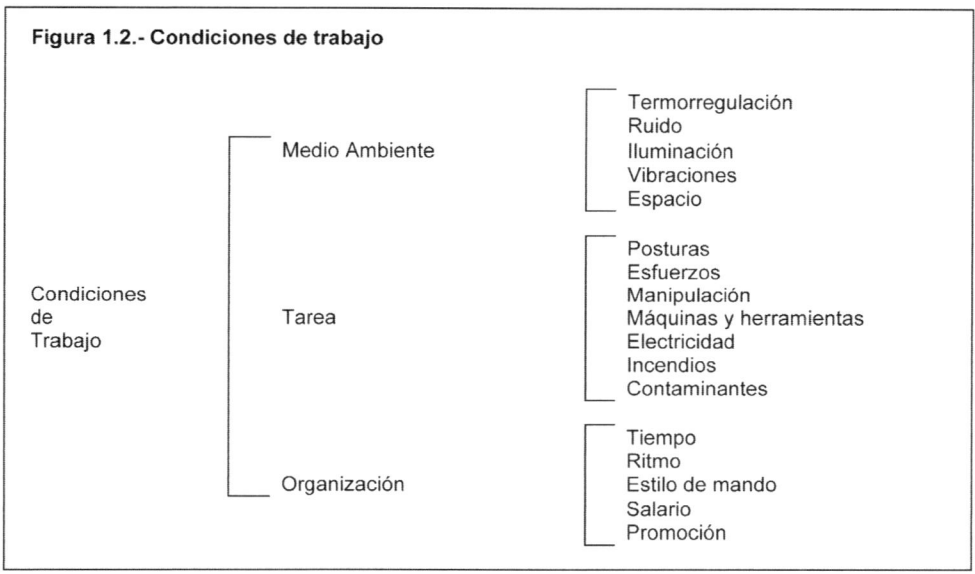

Figura 1.2.- Condiciones de trabajo

1.1.6.- Trabajo organizado

El ser humano está en contacto con la naturaleza, forma parte de ella, siendo esta el "Medio Ambiente Natural" que le rodea. Para vivir y mantener la salud, el individuo tiene que satisfacer unas necesidades, y esta satisfacción la consigue apropiándose de la naturaleza que le rodea y trasformándola.

A través de la Historia de la Humanidad, la forma de trabajar varía según las épocas y según los pueblos, pero podríamos decir que en esta evolución, el trabajo ha tenido siempre dos características fundamentales: la tecnificación y la organización.

Por tecnificación se entiende el hecho de que el hombre inventa herramientas y máquinas que le permiten llevar a cabo esta transformación del medio ambiente de forma cada vez más cómoda. Con las máquinas y las herramientas, las personas consiguen aumentar su fuerza, pero esta fuerza, que es útil, puede, cuando no está adecuadamente controlada, volverse contra ellas, amenazando su integridad física, y causándoles accidentes y enfermedades. El trabajo humano se diferencia del trabajo animal por la tecnificación, es decir, por el uso de herramientas y máquinas.

Respecto a la organización, podemos decir que el ser humano vive en sociedad, vive con otras personas, y la experiencia le ha enseñado a planificar el trabajo, asignando tareas determinadas a individuos concretos para así conseguir el mismo resultado con menor esfuerzo que actuando por su cuenta. Así surge lo que conocemos como División del Trabajo.

Al igual que la tecnificación, la División del Trabajo puede generar riesgos para la salud y puede potenciar los riesgos de la tecnificación.

A este sistema de trabajo la llamaremos trabajo organizado. El mal funcionamiento de este sistema, además de aumentar y potenciar los riesgos de los daños físicos por la falta de control técnico sobre el trabajo, va a producir un desequilibrio de los trabajos que se traducirá en insatisfacción, falta de interés por el trabajo, etc. Nos encontramos con la paradoja de que el trabajo, uno de cuyos objetivos es proveer a la fuerza de trabajo de unos medios de subsistencia monetarios y sociales, puede contribuir al mismo tiempo a atentar contra aquello que en principio quiere mejorar. Por ello es necesario evitar y controlar cualquier desajuste entre las necesidades y su vía de satisfacción, para lo que habrá de crear cauces de comunicación y participación que permitan y favorezcan el máximo acoplamiento en el proceso.

Para conocer cuáles son los riesgos que el trabajo tiene para la salud, hemos de tener muy claro que es la salud, ya que la idea de estar sano también evoluciona y es diferente según las épocas y los pueblos.

Dada la complejidad del tema, se subdividen los factores de riesgo en cinco grupos:

- Los factores de riesgo debidos a las condiciones de seguridad → Riesgo de accidente.
- Los factores de riesgo derivados del medio ambiente físico de trabajo o debidos a la presencia de contaminantes físicos y biológicos. Efecto sobre el organismo → Riesgo de enfermedad.
- Control sobre la persona →Salud laboral.
- Los generados por las interacciones hombre-máquina → Riesgo ergonomía.
- Los causados por las exigencias físicas y mentales de la tarea o la forma en que está organizado el trabajo → Riesgo psicosociológico.

En este libro nos centramos en el riesgo psicosocial, cuyo objetivo, recordemos, es lograr un trabajo:

- con un grado de tecnificación que nos libere al máximo de los riesgos que atentan contra nuestra integridad física y mental,
- organizado de una forma coherente con las necesidades personales y sociales de los individuos.

1.1.7.- Concepto de carga de trabajo. Carga física y la carga mental

Podemos definir la carga de trabajo como el conjunto de requerimientos físicos y mentales a los que se ve sometido el trabajador a lo largo de la jornada laboral.

Los requerimientos físicos suponen la realización de una serie de esfuerzos; así todo trabajo requiere por parte del operario un consumo de energía tanto mayor, cuanto mayor sea el esfuerzo solicitado. Las consecuencias perjudiciales del trabajo físico que con más frecuencia se dan en los trabajadores son la fatiga muscular, las lumbalgias y las lesiones de extremidad superior. En general las causas que están implicadas en la aparición de estas alteraciones son la realización de grandes esfuerzos, estáticos o dinámicos, la adopción de posturas forzadas, la repetitividad de un movimiento, la falta de pausas, etc.

Por otro lado, definimos la carga mental como la que viene determinada por la cantidad de información que el trabajador debe tratar por unidad de tiempo. Ello implica recibir una información, analizarla e interpretarla y dar la respuesta adecuada. Entendemos este proceso como la percepción de una serie de informaciones a las que el trabajador debe dar respuesta para la realización de su trabajo. Para que la carga mental no sea excesiva debe diseñarse la tarea de manera que se asegure que la información se percibe claramente, se entiende y se interpreta de manera unívoca y además se facilite la respuesta del trabajador. Es decir: debe realizarse un correcto diseño del puesto de trabajo, de los mandos y de las señales, así como de los códigos que se utilizan.

1.1.8.- Concepto de presión, carga y fatiga mental

La norma ISO 10075:1991 "Principios ergonómicos relativos a la carga mental de trabajo" diferencia entre *stress* (presión) y *strain* (tensión) mental.
- **La presión mental** *(mental stress)* es el conjunto de todas las influencias que inciden en un ser humano. Se refiere por tanto a los factores externos o exigencias que afectan mentalmente a las personas.
- **La tensión mental** *(mental strain)* es el efecto inmediato de la presión mental en el individuo, no el efecto a largo plazo. A esta tensión es a la que hacemos referencia cuando se habla de carga mental. Viene determinada

por la interacción entre las exigencias de la tarea (presión mental) y las características del individuo.

La misma norma ISO 10075 define la **fatiga mental** como una alteración temporal de la eficiencia funcional, física y mental, resultante de la intensidad, duración y patrón temporal de una tensión mental precedente.

De igual forma habla de las consecuencias de la tensión mental en donde aparecen unos efectos facilitadores y unos efectos perjudiciales.

Los efectos facilitadores son los que retrasan o reducen la aparición de los efectos perjudiciales. Entre ellos tenemos:

- **El efecto de calentamiento.** Una consecuencia frecuente de la tensión mental es que inmediatamente después de que la actividad ha comenzado se produce una reducción del esfuerzo requerido para realizar la actividad en relación con el esfuerzo exigido inicialmente.

- **La activación.** La tensión mental puede llevar a diferentes grados de activación o de eficiencia funcional mental y física, dependiendo de su duración e intensidad. Hay un campo en el que la activación es óptima, es decir, ni demasiado baja ni demasiado alta, asegurando la mejor eficiencia funcional. Debería tenerse en cuenta que un incremento demasiado súbito de la tensión puede conducir a una sobreactivación nociva.

Los efectos perjudiciales que aceleran o aumentan la aparición de los efectos perjudiciales son: la fatiga y los estados similares a la fatiga.

1.1.9.- El estrés en la empresa

Un entorno especialmente relacionado con el estrés es la empresa. La razón es que es éste un lugar en que existe un conflicto permanente entre la necesidad de resultados y los recursos necesarios para obtener dichos resultados, fundamentalmente tiempo y dinero. Existe una gran presión sobre los empleados, directivos y empresarios para dedicar más tiempo y dinero a fin de conseguir los resultados, tomar decisiones, cambiar para innovar... Y esto no es nada cómodo para la naturaleza humana, que reacciona con una gran variedad de síntomas derivados del alto grado de estrés que puede alcanzar.

La comunidad empresarial suele reaccionar de forma sintomática a la presión diaria para ser más productiva, más eficaz y a la necesidad permanente de cambiar e innovar para adaptarse más al entorno.

Pero no todo es únicamente una tarea relacional o humana. Los profesionales también tienen que tener profundos conocimientos empresariales, para entender y orientar los procesos reales comerciales y financieros. Si, por ejemplo, una fábrica está mal organizada y se produce un gran estrés entre sus componentes, no vale sólo con escuchar y atender a los trabajadores: también es necesario que se tomen las decisiones necesarias para que mejoren los procesos básicos, y con ello se liberen las energías improductivas en la plantilla.

Un caso específico de estrés es el del empresario que dirige su propio negocio. Además de los mismos síntomas que el resto de la comunidad empresarial, también tiene dos circunstancias adicionales: puede estar aislado culturalmente del resto de la plantilla, y además no puede abandonar su puesto de trabajo y cambiar de empleo fácilmente, pues tendría que vender la empresa, y ello hace que se vea obligado a sacarlo adelante como sea, muchas veces sin tener la preparación suficiente. En estos casos suele indicarse el uso de asesores empresariales externos, como apoyo a su labor.

1.2.- Efecto de los factores psicosociológicos.

En todo trabajo existe una serie de factores relativos a la organización del mismo que son decisivos para la realización personal del trabajador. Son los **factores psicosociales** o interacciones que se producen entre el trabajo (entendiendo por trabajo la labor que se realiza, el entorno en que ésta tiene lugar y las condiciones en que éste está organizada) y las personas (con sus capacidades, necesidades y condiciones de vida fuera del trabajo). Estas interacciones influyen en el rendimiento, en la satisfacción y, por tanto, en la salud.

Entre los factores psicosociales tenemos los factores objetivos o subjetivos.
- **Entre los objetivos** tenemos:
  - La prestación por el desempleo.
  - La evaluación de los riesgos psicosociales.
  - El "contrato o deber de empleabilidad individual" que incluye el deber de protección recogido en el estatudo de los trabajadores.
  - El apoyo mediante una empresa de recolocación.
- **Entre los subjetivos** tene,os, como luego veremos:
  - Cuando no se satisfacen las necesidades reclamadas externamente.
  - Cuando no se satisfacen demandas internas del trabajador.

Debemos de reconocer que las consecuencias negativas de los llamados factores psicosociales son, en general, fáciles de ver pero difíciles de acotar, fáciles de comprender y de reconocer, pero difíciles de definir.

1.2.1.- Efecto de los factores psicosociológicos

Los efectos perjudiciales son: la fatiga y los estados similares a la fatiga. Estos estados incluyen monotonía, vigilancia reducida y saturación mental.

• Monotonía: Estado de activación reducida, lentamente desarrollado que puede producirse durante tareas o actividades largas, uniformes y repetitivas, y que está principalmente asociado con somnolencia, cansancio, decrecimiento y fluctuaciones en el rendimiento, reducciones en la adaptabilidad y la capacidad de respuesta, así como un incremento en la variabilidad del ritmo cardiaco.

• Vigilancia reducida: Estado de actividad reducida lentamente desarrollado y que da lugar a un rendimiento reducido en la detección (por ejemplo cuando se vigilan pantallas de radar o paneles de instrumentos) en tareas de vigilancia que ofrecen poca variación.

• Saturación mental: Estado de rechazo nervioso y fuertemente emocional de una tarea o una situación repetitiva, en el que se experimenta una sensación de "marcar el paso sobre el mismo sitio" o "no llegar a ninguna parte". Los síntomas adicionales de la saturación mental son el mal humor, la reducción del rendimiento y/o el sentimiento de cansancio, y la tendencia a la evasión. La saturación mental a diferencia de la monotonía y la vigilancia reducida se caracteriza por un nivel de activación constante o incluso incrementado, asociado con una cualidad emocional negativa.

En estos casos la fatiga puede desaparecer tras la introducción de cambios en la tarea y/o el entorno/situación.

1.3.- Consecuencias de los trastornos psicosociales

Los efectos de los trastornos psicosociales incluyen trastornos:

• **Psicológicos:** ansiedad, depresión, insatisfacción y desmotivación laboral, problemas en las relaciones personales, baja autoestima, trastornos psicosomáticos, trastornos mentales, incapacidad para tomar decisiones y concentrarse, olvidos frecuentes, hipersensibilidad a la crítica y bloqueo mental. Así mismo a nivel conductual tendríamos: propensión a sufrir accidentes, drogadicción, arranques emocionales, excesiva ingestión de alimentos o pérdida del apetito, consumo excesivo de alcohol o tabaco, excitabilidad, conducta impulsiva, etc.

• **Fisiológicos:** trastornos cardiovasculares, digestivos: úlceras de estómago, trastornos músculoesqueléticos, respiratorios, alteraciones del sueño, cáncer, etc., efectos en los que el estrés tendría el papel de precursor.

- **Efectos sociolaborales:** absentismo, relaciones laborales pobres y baja productividad, alto índice de accidentes, disminución de la productividad, el rendimiento y la calidad, clima organizacional pobre, antagonismo e insatisfacción en el trabajo, así como alteraciones de la vida social y familiar.

1.4.- Los factores psicosociológicos y la prevención de riesgos laborales

Desde la entrada en vigor de la Ley 31/1995 de Prevención de Riesgos Laborales todas las empresas están obligadas a proteger la salud de sus trabajadores, entendiendo la salud según lo definido por la OMS como: El estado de completo bienestar físico, mental y social, y no solamente la ausencia de afecciones y/o enfermedades.

Para asegurar esta protección deben realizar una evaluación de riesgos de todos y cada uno de los puestos de trabajo de la empresa para prevenir los accidentes y las enfermedades profesionales, donde se incluye los riesgos psicosociales.

Los **factores psicosociales** son todos los factores relativos a la organización del trabajo que son decisivos para la realización personal del trabajador. Son las interacciones que se producen entre:

- **el trabajo,** entendiendo por trabajo la labor que se realiza, el entorno en que ésta tiene lugar y las condiciones en que esta está organizada
- **y las personas,** tanto en su mundo laboral (sus capacidades, necesidades…) y extralaboral derivado de su cultura, sus necesidades y sus condiciones de vida fuera del trabajo.

Estas interacciones influyen en el rendimiento, en la satisfacción y por tanto en la salud.

Más concretamente, la evaluación psicosocial, a partir del concepto amplio de bienestar y confort, debe exigirse en principio A TODAS LAS EMPRESAS cualquiera que sea su actividad, ya que uno de los principios preventivos recogidos en el artículo 15, apartado 1 de la Ley de Prevención de Riesgos Laborales señala la necesidad de:

- **a) Adaptar el trabajo a la persona**, en particular en lo que respecta a la concepción de los puestos, así como a la elección de los equipos de trabajo y de producción con miras en particular a atenuar el trabajo monótono y repetitivo y a reducir los efectos del mismo en la salud.
- **b) Planificar la prevención** buscando un conjunto coherente que integre en ella la técnica, la organización del trabajo, las condiciones del trabajo, las relaciones sociales, y la influencia de los factores ambientales en el trabajo.

No obstante, dado que la primera obligación de las empresas conforme al mismo artículo y apartado (a) de la citada Ley es la de **evitar los riesgos**, y que se deberán evaluar los riesgos no evitados, la obligación de la empresa es **identificar y analizar la posible existencia de riesgos psicosociales.** Si existen, hay que proceder a su evaluación.

Está claro, por tanto, que dicha exigencia deberá atemperarse en función del tipo de empresa, de este modo es preciso establecer los criterios o indicadores que deben guiar en la selección de los distintos niveles de exigencia, esto es, un nivel básico o de identificación y análisis, y un nivel avanzado o de evaluación propiamente dicha.

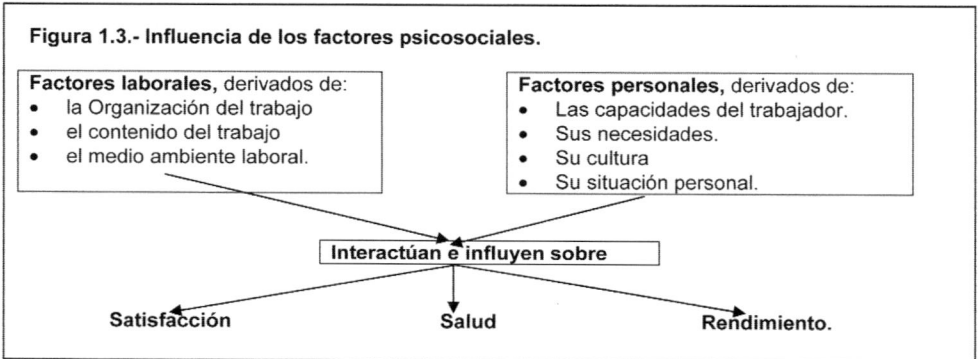

Existen una serie de métodos generales para evaluar los factores de riesgo psicosocial. Pueden agruparse en dos categorías:

- **Los métodos cuantitativos,** que consisten en cuestionarios y encuestas, y que son los más utilizados.
- **Los métodos cualitativos,** que consisten en entrevistas y grupos de discusión. Estos últimos se utilizan para estudios individuales o grupos pequeños, o como complemento a métodos cuantitativos.

1.4.1.- Necesidad de la evaluación de los riesgos psicosociales

Con base en lo prescrito por la Ley de Prevención de Riesgos Laborales, en su artículo 16, una evaluación de riesgos de carácter psicosocial en el lugar de trabajo puede ser necesaria a partir de diferentes situaciones; entre ellas:

- Como **requisito legal,** se plantea la necesidad de detectar los posibles riesgos psicosociales existentes en una situación de trabajo, con el objetivo de establecer medidas de mejora de la salud y de la seguridad de los trabajadores.

• Cuando, como consecuencia de una evaluación global anterior, se quieren **evaluar de forma más específica** los factores psicosociales en determinadas actividades, grupos de trabajo o grupos de riesgos específicos.

• Para **comprobar que unas determinadas medidas preventivas existentes son las adecuadas**, por ejemplo, para verificar si las acciones llevadas a cabo tras una evaluación de riesgos son las idóneas.

• A partir de la **constatación de una serie de anomalías o disfunciones**, que nos hagan sospechar que existen problemas de tipo psicosocial, por ejemplo, gran cantidad de quejas, aumento del absentismo, disminución de la productividad, etc., en toda la empresa o en alguna sección o departamento específico.

• **Siempre que en el lugar de trabajo vaya a introducirse una innovación** que pueda alterar significativamente la situación actual, sean nuevos procesos de producción, nuevos equipos materiales o humanos, cambios en la organización del trabajo, etc.

1.5.- Teoría de los dos factores de Frederick Herzberg

Frederick Herzberg, en sus estudios sobre la motivación en el puesto de trabajo, identificó dos tipos de factores bien diferenciados entre sí: los que generaban satisfacción y los que generaban insatisfacción.

Generalmente las personas nos fijamos más, y recordamos mejor, aquello que nos disgusta o nos ha disgustado en el pasado más reciente. Y había una serie de factores que aparecían una y otra vez entre los que producían malestar en el trabajo, como eran: remuneración, dirección y relaciones humanas, normas y procedimientos de gestión de la empresa, supervisión técnica y condiciones de trabajo.

Como casi siempre recordamos las malas experiencias, surgieron los denominados **factores de insatisfacción o higienizantes** (ver figura 1.4). Se llamaron así porque ejercían el mismo papel que la higiene en la salud: no producían satisfacción pero permitían prevenir la insatisfacción.

Observó igualmente que hay otras situaciones proveedoras de estimulación y alegría en el trabajo. Son aquellas que se relacionan con el reconocimiento personal y profesional en la empresa, la propia tarea, la promoción, el ejercicio de tareas con responsabilidad, el logro de ciertos objetivos, etc. Herzberg denominó a estos **factores satisfactores o motivadores** (Figura 1.4).

Figura 1.4.- factores higiénicos y factores motivadores

Factores higiénicos y **factores motivadores**

La *teoría de los dos factores*, del profesor Herzberg, diferencia entre las situaciones que provocan insatisfacción (factores higiénicos) en los trabajadores y las que resultan estimulantes (motivadores).

HIGIÉNICOS

MOTIVADORES

La teoría de los dos factores, del profesor Herzberg, diferencia entre las situaciones que provocan insatisfacción (factores higiénicos) en los trabajadores y las que resultan estimulantes (motivadores).

Observemos que:

• **los factores motivadores** siempre están ligados a la tarea que se ejerce, a su discurrir en cada momento, al grado de responsabilidad que supone su ejercicio, al éxito del logro y la alegría del reconocimiento y, sin embargo,

• **los factores de insatisfacción o higienizantes** son ajenos a la tarea y siempre tienen que ver con el entorno en el que ésta se desarrolla: jefes, normas, seguridad laboral, liderazgo bien entendido, etc.

Una de las conclusiones más valiosas a las que llegaron Herzberg y su equipo era que, para una gran mayoría de personas, los aspectos que producen satisfacción no son los mismos que aquellos que producen insatisfacción. Para él "el opuesto de la satisfacción profesional no sería la insatisfacción sino ninguna satisfacción".

Es casi tanto como decir que, independientemente de su denominación, se trata en realidad de dos variables diferentes, con sus propios factores de generación, impulso o reducción.

Curiosamente observamos, por ejemplo, que el salario es un factor de insatisfacción. En efecto, el dinero sólo resulta motivador en el momento y en el corto plazo en que se produce el aumento de sueldo. Pero luego es rápidamente asumido como natural, con pensamientos del tipo: "es normal que me paguen esto con lo que yo trabajo a cambio", o "existen muchas otras personas que ganan más que yo y son mucho menos productivas". De tal forma que la remuneración económica sólo se recuerda como factor negativo (cuando la cantidad percibida es francamente insuficiente) y casi nunca como factor positivo.

Resumiendo, la tarea de un buen gestor debe ser doble:

• Procurar suministrar a los trabajadores los elementos que generan su satisfacción (motivadores) y reducir en lo posible los que originan su insatisfacción (higienizantes).

• De esta manera, los trabajadores mostrarán una motivación más alta en su tarea, lo que redundará en una mayor implicación en los contenidos y requisitos de la misma.

Para los prevencionistas, la lectura es clara. Dado que la prevención se sitúa en el rango de los factores higiénicos, debemos proporcionar a nuestros trabajadores las condiciones de trabajo adecuadas hasta un nivel de suficiencia. Con eso, lograremos su satisfacción. Sin embargo, aunque nuestro objetivo profesional sea alcanzar la excelencia preventiva, será difícil encontrar un reconocimiento adecuado.

1.5.1.- Factores de satisfacción y factores de insatisfacción

En otros términos, la teoría de los dos factores de Herzberg afirma que:

• La satisfacción en el cargo es función del contenido o de las actividades retadoras y estimulantes del cargo que la persona desempeña: son factores motivacionales o de satisfacción.

• La insatisfacción en el cargo es función del contexto, es decir, del ambiente de trabajo, del salario, de los beneficios recibidos, de la supervisión, de los compañeros y del contexto general que rodea el cargo ocupado: son los factores higiénicos o de insatisfacción.

Para proporcionar motivación en el trabajo, Herzberg propone el "enriquecimiento de tareas", también llamado "enriquecimiento del cargo", el cual consiste en la sustitución de las tareas más simples y elementales del cargo por tareas más complejas, que ofrezcan condiciones de desafío y satisfacción personal, para que así el empleado continúe con su crecimiento personal.

Figura 1.5.- Factores motivacionales y factores higiénicos.

FACTORES MOTIVACIONALES (De satisfacción)	FACTORES HIGIENICOS (De insatisfacción)
Relacionado con el contenido del cargo, es decir, como se siente el Individuo en relación con su CARGO	Relacionado con el contexto del cargo, es decir cómo se siente el individuo en relación con su empresa.
• El trabajo en sí. • Realización. • Reconocimiento. • Progreso profesional. • Responsabilidad. • Logros • Independencia laboral • Responsabilidad • Promoción	• Sueldo y beneficios • Política de la empresa y su organización • Relaciones con los compañeros de trabajo • Ambiente físico • Supervisión • Status • Seguridad laboral • Crecimiento • Madurez • Consolidación

Figura 1.6.- Enriquecimiento vertical y horizontal del cargo

Enriquecimiento vertical del cargo

Enriquecimiento horizontal del cargo

Según Herzberg, el enriquecimiento de tareas trae efectos altamente deseables, como el aumento de motivación y de productividad, reduce el absentismo y la rotación de personal. Sin embargo, según los críticos, notan una serie de efectos indeseables, como el aumento de ansiedad, aumento del conflicto entre las expectativas personales y los resultados de su trabajo en las nuevas tareas enriquecidas; sentimiento de explotación cuando la empresa no acompaña lo bueno de las tareas con el aumento de la remuneración; reducción de las relaciones interpersonales, dado a las tareas dadas.

Herzberg concede poca importancia al estilo de administración y lo clasifica como factor higiénico, lo cual también ha sido blanco de severas críticas. Es una teoría interesante para los casos de reorganización que tengan como objetivo el aumento de productividad, y en la que no haya necesidad de valorar la situación global.

1.6.- El factor humano como elemento clave en la productividad

Si una organización desea que el personal desempeñe un trabajo con altos niveles de calidad y se incremente considerablemente la productividad, es imprescindible que aprendan a administrar, además de gentes, mentes, es decir, gestionar exitosamente la inteligencia emocional; ya que ella influye grandemente en la productividad. En otras palabras, tenemos que conducir a nuestro personal siguiendo siempre las normas establecidas por la empresa, entre las que se incluyen las de seguridad y salud laboral, motivarlos y sobre todo enseñar cómo hacer las cosas de una forma óptima.

Difícilmente podremos incrementar la productividad del personal si no están satisfechas adecuadamente:

• Las necesidades intrínsecas individuales, lo cual exige un mejor conocimiento de sus más cercanos colaboradores así como un buen programa de capacitación y desarrollo adecuado y sus posibilidades de promoción.

• Los elementos motivacionales no satisfactorios, como es el aspecto económico.

1.7.- Efectos producidos por las exigencias psicológicas

Los riesgos psicosociales, en general, son fáciles de ver pero difíciles de acotar, fáciles de comprender y de reconocer, pero difíciles de definir. Entre ellos tenemos:

• **Estrés Ocupacional.** Aparece cuando las exigencias del entorno laboral superan la capacidad de las personas para hacerles frente o mantenerlas bajo control. No es una enfermedad pero, si se sufre de una forma intensa y continuada, puede provocar problemas de salud física y mental: ansiedad, depresión, enfermedades cardiacas, gastrointestinales y músculo-esqueléticas.

• *Burnout* **o Síndrome del Quemado.** No existe una única definición de *Burnout*, pero sí hay un consenso a la hora de considerarlo como "la respuesta o resultado de la exposición del trabajador a un proceso de estrés laboral crónico". Aunque puede darse en cualquier profesión, existe una mayor prevalencia en aquellas profesiones que tienen un contacto continuo con usuarios, clientes…, tales como: profesionales de la educación, de la sanidad, trabajadores de servicios sociales, administraciones públicas, hostelería… Se considera como una posible respuesta al impacto acumulativo del estrés laboral crónico, pudiendo culminar en un desgaste profesional, pero no siempre se alcanza este resultado.

- ***Mobbing* o Acoso Psicológico Laboral.** Se puede entender el Acoso Psicológico como una situación en la que una persona o un grupo de personas ejercen una violencia psicológica extrema, de forma sistemática, durante un tiempo prolongado, sobre otra persona en el lugar de trabajo. Esta forma de violencia psíquica suele representar una estrategia para conseguir la "autoexclusión del trabajador" del trabajador víctima, provocando que abandone el puesto de trabajo de forma "voluntaria", en "silencio", o que se aísle del grupo.

- **Violencia en el Trabajo** Cuando hablamos de Violencia en el Trabajo nos referimos a agresiones físicas, verbales, actitudes intimidatorias o amenazantes, acoso psicológico laboral…, son algunos ejemplos de comportamientos violentos que pueden producirse en el entorno laboral, y que tienen o pueden tener graves consecuencias para la salud de los trabajadores y para la propia organización. No podemos olvidar la **violencia contra gerentes o directivos** generados por reestructuraciones no valoradas socialmente. Incluye el *bossnapping* o secuestro de directivos.

- **Acoso sexual.** Comprende toda conducta de naturaleza sexual u otros comportamientos basados en el sexo que afectan a la dignidad de las mujeres y de los hombres en el trabajo, incluida la conducta de superiores y compañeros, que resulta inaceptable por:

    o Ser indeseada, irrazonable y ofensiva para la persona que es objeto de la misma.

    o Porque la negativa o el sometimiento de una persona a dicha conducta por parte del empresario o trabajadores se utiliza de forma explícita o implícita como base para una decisión que tenga efectos sobre el acceso de dicha persona a la formación profesional y al empleo, sobre la continuación en el mismo, el salario o cualquier otra decisión relativa al empleo.

    o Por crear un entorno laboral intimidatorio, hostil y humillante para la persona que es objeto de la misma

- **Acoso institucional.** Viene provocado por un sistema de empleo precario, temporal, de descenso del nivel de calidad, de retribuciones en constante evaluación. Todo eso genera desmotivación, inseguridad, baja autoestima, depresión. Es una especie de acoso donde el propio sistema, amparado por la legalidad, saca lo máximo de ti, aun por encima de tus posibilidades. A diferencia del *mobbing* donde hay una intención de hacer daño al trabajador, en el caso del acoso institucional no hay voluntad de hacer daño, pero acabas con los mismos síntomas.

- **Ansiedad.** Se trata de un efecto psicológico que siempre acompaña a los estados de estrés, pero no constituye su causa. Asimismo, incluso desaparecido el factor que desencadena el estrés, la ansiedad es posible que se mantenga como secuela. La ansiedad es un síntoma de un estado de estrés.

El estrés laboral y el *burnout* son efectos producidos por las exigencias psicológicas del entorno, mientras que el acoso psicológico, acoso moral o *mobbing*, el acoso sexual y la violencia física son causas de unas formas características de estrés laboral.

Según la última encuesta de condiciones de trabajo, un 9% de los trabajadores sufría hostigamiento psicológico. Otros estudios elevan esta cifra hasta incluso el 11,5%.

Por ello, ante una intervención en una situación de trabajo, hay que tener en cuenta tanto el contenido y el entorno en el que se desarrolla el trabajo como la persona, con sus características individuales y su entorno extralaboral.

1.8.- Coste de los factores psicosociológicos

Entre los signos que indican la existencia de problemas psicosociológicos tenemos:

- Disminución de la calidad en el producto o servicio ofrecido.
- Falta de cooperación entre compañeros.
- Aumento en las peticiones de cambio de puesto de trabajo.
- Rotación del personal.
- Necesidad de una mayor supervisión del personal.
- Empeoramiento de las relaciones humanas.
- Aumento del absentismo.

Respecto a los costes económicos, la Comisión Europea estima que entre el 50% y 60% del absentismo, han sido relacionados con el estrés laboral. Además, incluyendo los costes sanitarios asociados, se calcula que el coste anual para la UE estaría en torno a los 20.000 millones de euros. Si a esto se le añade la pérdida de productividad, la mayor fluctuación de personal y la menor capacidad de innovación (que son tres ejemplos de los efectos secundarios del estrés laboral), la cifra real probablemente será bastante superior.

Otro dato recogido por la Agencia Europea de Seguridad y Salud en el Trabajo (AESST), es no considerar comercialmente viable a una organización o departamento que tenga más del 40% de su personal con problemas de estrés.

Estos costes podemos subdividirlos en:

- **Costes directos:**
  o Tratamiento de las enfermedades
  o Absentismo
  o Incapacidad permanente
  o Accidentes de trabajo
- **Costes Indirectos u ocultos:**
  o Quiebra de las relaciones humanas.
  o Descenso de la productividad y de la calidad.
  o Reducción de la creatividad.
  o Disminución del rendimiento debido a la rotación de puestos de trabajo.
  o Aparecen condiciones favorables para generar accidentes e incidentes (no existen daños personales pero sí materiales).

1.8.1.- El estrés causa más del 50% de las jornadas laborales perdidas

El estrés, la depresión y la ansiedad son motivo frecuente de bajas de más de 14 días de duración en sectores como la Administración Pública, la sanidad o la educación.

Los expertos señalan que en los últimos 15 años se han incrementado notablemente los riesgos de tipo psicosocial en el trabajo.

El estrés ocupa el segundo lugar en el *ranking* de problemas de salud en el trabajo y afecta a más del 22% de los trabajadores de la Unión Europea. Los expertos estiman que entre el 50 y el 60% de las jornadas laborales perdidas están motivadas por esta causa.

Un reciente informe de la Agencia Europea pone de manifiesto que este incremento está ligado a las nuevas formas de contratación (contratos precarios); a la inseguridad laboral; a la intensificación del trabajo, con plazos cada vez más cortos y un ritmo más acelerado; a la violencia y el acoso que afectan a todos los sectores y que generan pérdida de autoestima, depresión, ansiedad y que pueden conducir al suicidio; o a la dificultad de conciliar vida laboral y personal por un volumen de trabajo excesivo y unos horarios inflexibles.

Distintos estudios de la EU-OSHA muestran que también en otros sectores de actividad como construcción o agricultura que, "a priori", parecen no estar tan sometidos a esas presiones laborales, se da una incidencia significativa de casos de depresión.

Por otra parte, y según un reciente estudio elaborado en España por el Instituto Nacional de Seguridad e Higiene en el Trabajo, el 22,5% de los trabajadores consideran que el trabajo está afectando a su salud, y el 28% de éstos señalan el estrés como causa determinante. El porcentaje sube hasta el 45,7% en el caso de los trabajadores de la Administración Pública y la Educación.

Cuando el estrés en el ámbito laboral tiene una duración corta, por ejemplo cuando se realiza un trabajo concreto con unos plazos limitados, no suele suponer un problema, e incluso puede ayudar a las personas a desarrollar al máximo su potencial. Recordemos que el estrés se convierte en un riesgo para la seguridad y la salud cuando se prolonga en el tiempo.

2.- Organización del trabajo. Conceptos y modelos

Si deseamos una alta productividad no podemos descuidar el factor humano y su salud. Bajo estas premisas el trabajo ha de poner en juego la iniciativa y la creatividad de la persona, así como su capacidad de decisión; y debe ofrecer la posibilidad de relacionarse con los demás.

Actualmente, muchos de los factores asociados a un trabajo penoso o de gran esfuerzo físico van desapareciendo gracias al desarrollo de las nuevas tecnologías; pero, en contrapartida, aparecen nuevos factores de tensión relacionados, principalmente, con el contenido del trabajo y la posibilidad de participación del trabajador: el trabajo es desarrollado por la maquinaria, dejando a la persona una función de control de los procesos.

Cuando se valoran las condiciones de trabajo deben considerarse los factores que están relacionados con el contenido de la propia tarea y la organización de la misma, atendiendo a que dichos factores influyen en la salud de los trabajadores.

El trabajo ha de posibilitar la participación y la comunicación de los trabajadores; la organización debe facilitar vías de participación, a fin de conseguir una mayor implicación del trabajador en los objetivos de la empresa, una mayor responsabilidad y, por tanto, una mayor satisfacción. Las personas, como seres sociales que somos, necesitamos el contacto con los demás y sentir la pertenencia a un grupo; por ello, unas buenas relaciones laborales son un factor clave para satisfacer esta necesidad.

La comunicación es una necesidad humana que cumple, por una parte, la función de relación, pero que debe también ser una vía de facilitación del trabajo. Por ello, el trabajo, a su vez, ha de facilitar la comunicación personal y en lo que se refiere a instrucciones, aclaración de dudas o petición de ayuda…

Otro aspecto importante es el trabajo a turnos y nocturno, ya que pueden desembocar en serias alteraciones del equilibrio físico, psíquico o social de las personas. Es importante que, cuando el trabajo implique la existencia de este tipo de organización del tiempo, se diseñen los horarios adaptándose lo más posible a las exigencias del organismo y a las necesidades personales de los trabajadores.

Las reacciones individuales ante estos factores son muy variables, pues dependen de cómo se viva la interrelación individuo/condiciones de trabajo. Así pues, una misma situación puede afectar de distinta manera a las personas atendiendo a su capacidad de adaptación y tolerancia. Las personas, según sus características individuales (edad, sexo, aptitudes, experiencia, expectativas, entorno sociocultural, personalidad, etc.) son más o menos vulnerables a una misma situación. Por ello, al analizar estos aspectos es importante ayudarse de alguna técnica de valoración que tenga en cuenta las opiniones de los interesados, tales como entrevistas, encuestas, reuniones de grupo, etc.

Veremos las hipótesis psicológicas fundamentales que sobre la naturaleza de la persona formulan algunas de las teorías de la organización y las relaciones existentes entre la organización y la persona que ejerce su actividad en ella.

2.1.- Teorías de la organización del trabajo

A través de la Historia de la Humanidad, la forma de trabajar varía según las épocas y según los pueblos, pero podríamos decir que en esta evolución, el trabajo ha tenido siempre dos características fundamentales: la tecnificación y la organización.

Por **tecnificación** se entiende el hecho de que el hombre inventa herramientas y máquinas que le permiten llevar a cabo esta transformación del medio ambiente de forma cada vez más cómoda. Mediante las máquinas y las herramientas, las personas consiguen aumentar su fuerza, pero esta fuerza, que es útil, puede, cuando no está adecuadamente controlada, volverse contra la persona, amenazando su integridad física, y causándole accidentes y enfermedades.

Respecto a la **organización**, podemos decir que el ser humano vive en sociedad, vive con otras personas, y la experiencia le ha enseñado a planificar el trabajo, asignando tareas determinadas a individuos concretos para así conseguir el mismo resultado con menor esfuerzo que actuando por su cuenta. Así surge lo que conocemos como **División del Trabajo.**

Al equilibrio entre tecnificación y organización se denomina **trabajo organizado**. El mal funcionamiento de este, además de aumentar y potenciar los riesgos de los daños físicos, puede producir un desequilibrio que se traducirá en insatisfacción o falta de interés por el trabajo.

Veamos las diferentes teorías y modelos de organización del trabajo.

2.1.1.- Organización Científica del Trabajo (Taylor)

La hipótesis de Taylor combina dos cosas: el estudio de las aptitudes fisiológicas de la persona y el de los aspectos económicos, en la relación que existe entre el individuo y la organización.

Busca la forma más racional de lograr unos objetivos dados, a través de una definición de la división del trabajo, de la estructura de la autoridad y de la comunicación y toma de decisiones. Taylor considera al individuo como:

* Incapaz, desmotivado, perezoso y desprovisto de iniciativa.
* Irracional en sus decisiones, carente de autodisciplina y de autocontrol e indefinible de antemano en sus sentimientos.
* Se siente inclinado exclusivamente hacia el interés propio y hacia la obtención del máximo beneficio personal, y sus fines personales se oponen casi siempre a los de la organización.
* Está orientado básicamente hacia las recompensas y las retribuciones materiales y económicas.

Esta doctrina acerca de la naturaleza de la persona se basa en una especie de teoría de clases que divide a las personas que participan en el proceso laboral en dos grupos distintos: el primero está formado por los trabajadores cuya motivación y orientación son meramente materialistas, el segundo grupo está formado por los directivos de la organización, por los jefes de servicio y por los gerentes, constituye una elite que está destinada a guiar la masa y a organizar su trabajo.

.- Principios laborales:

* Especializar al operario en el menor número de trabajos posible para poder producir con mayor eficacia.
* Vincular la retribución directamente con el rendimiento prestado (salario a destajo).
* Ajustar el tiempo de fabricación del producto y de la realización de las maniobras con la mayor precisión posible a las limitaciones fisiológicas del personal trabajador.

Por tanto, además de las directrices requeridas que regulan la división del trabajo se precisa una autoridad encargada de establecer el plan global, de fijar los objetivos de la organización y de la producción y de vigilar toda etapa individual de producción.

Estas directrices no sólo incluyen recomendaciones, sino también prescripciones sobre la manera en que se ha de dividir y estructurar el trabajo.

.- Resultado:

El objetivo y la misión de la dirección de una organización consisten en lograr una realización eficaz del trabajo. Los principios de gestión necesarios para ello son la planificación, la organización, el control y la motivación. En este caso no se toman en consideración las expectativas, los objetivos y las necesidades del trabajador.

La autoridad y el control están asignados a los directivos siendo la función más importante del operario la obediencia. La dirección de la organización establece en un sistema rígido cómo se divide y subdivide el trabajo, quién ha de recibir órdenes y a quién corresponde dictarlas, y solo ella decide las formas de motivación con las que se intenta conseguir un incremento del rendimiento laboral.

2.1.2.- Escuela de Relaciones Humanas (Elton Mayo)

Las expectativas del trabajador aumentaron en la misma medida en que la organización le impuso mayores exigencias. Pero esta nueva situación obligó a revisar las hipótesis sobre la naturaleza humana y a reflexionar sobre ellas. Los psicólogos y sociólogos empezaron a interesarse más por la conducta de la persona en el lugar de trabajo, y a investigar científicamente su motivación, sus expectativas, sus necesidades y sus objetivos. Había nacido un nuevo enfoque de la organización, basado en las teorías de las relaciones humanas o del grupo.

.- Consideran:

• Que la cantidad de trabajo realizado no está determinada solamente por la capacidad y la energía fisiológica del trabajador, sino por una especie de capacidad social (importancia de las normas sociales, influencia del grupo informal, relación del superior con sus subordinados...).

• Que los incentivos no materiales ejercen una influencia muy importante sobre la motivación y la satisfacción del trabajador.

• Que los trabajadores no reaccionan como individuos, sino como grupo frente a la dirección de la organización y con respecto a sus normas y recompensas.

• Que el mando debe concentrar su esfuerzo e interés ante todo en el trabajador y sólo en un segundo término en el trabajo.

• Que en este contexto, la comunicación, las relaciones interhumanas y la participación en la toma de decisiones constituyen los sistemas de recompensa no materiales más importantes de una organización, mediante los cuales se puede suscitar el interés del individuo y lograr su compromiso con los objetivos y los asuntos de la organización.

Según esta teoría, la **naturaleza de la persona trabajadora** se caracteriza por:

- La motivación del individuo está determinada por necesidades sociales, no por el sistema de retribuciones materiales.

- Su deseo de integrarse en la organización viene dado por sus relaciones con otras personas en el lugar de trabajo.

- Su reacción ante las influencias, las normas y los estándares sociales típicos del grupo al que pertenece (la denominada organización informal) con mucha mayor fuerza que ante los sistemas de recompensa y retribución materiales y de control de la organización.

- Su deseo de tratar de recobrar y de recuperar sus necesidades en las relaciones sociales que se establecen dentro de la organización.

Como consecuencia de estas características plantean que la función de la gerencia debe ser una función de mediación, integración y coordinación entre los diferentes niveles de la organización, así como de escucha, intervención y esfuerzo para comprender las expectativas, las necesidades y los sentimientos personales del trabajador.

Se considera una persona como motivada socialmente, cuando trata de participar en los procesos de decisión y trata de integrarse en la organización a fin de colaborar en la consecución de sus fines.

2.1.3.- Organización Burocrática (Max Weber)

Los teóricos de la Organización Burocrática cuestionan las conclusiones planteadas por los defensores de la Escuela de Relaciones Humanas al considerar que no han investigado suficientemente los factores de influencia realmente existentes en el grupo informal de trabajo y la importancia psicológica o social de los mismos para el individuo. No disponen de suficientes estudios para demostrar la existencia de este grupo informal en la organización y probar la importancia relativa del mismo para el individuo.

Además, consideran que el desarrollo de los grupos sociales en el lugar de trabajo puede hacer más agradable la jornada laboral del individuo, pero no puede contribuir a hacer menos rutinarias sus tareas.

Los teóricos de la organización burocrática consideraban que la burocracia debía ser una estructura racional y formal en la cual estarían perfectamente definidos los papeles de los ejecutivos y trabajadores. La regirían normas impersonales y legales, en vez de criterios personales y subjetivos. Sería un sistema ordenado y lógico, cuyos miembros conocerían sus funciones y sus normas, sin que hubiera trasgresión alguna.

Postulan, además, que la organización más satisfactoria es también la más eficaz, lo que a su vez significa que debería ser posible establecer un equilibrio perfecto entre los objetivos de la organización y las necesidades del individuo. El hecho de conseguir ambos propósitos al mismo tiempo (los objetivos personales y los de la organización), tiene la ventaja de evitar conflictos entre los valores de la organización y sus objetivos y los del individuo.

Weber establece la siguiente tipología de autoridad:
- La autoridad tradicional.
- La burocracia.
- La carismática

El trabajador puede aceptar como legítima la autoridad de la organización si las disposiciones y las normas se sienten y entienden sobre las bases de "así se ha realizado siempre el trabajo", de la conformidad personal con las reglas de la organización o, finalmente, de la identificación personal con la personalidad del superior.

En esencia, el cambio del estilo organizativo consistió en descentralizar la empresa en sus componentes y operaciones mediante una rígida jerarquía de control. Weber describió cuatro dimensiones en que descansaba el funcionamiento de la burocracia: división del trabajo, delegación de autoridad, alcance del control y estructura.

La organización burocrática está perfectamente programada, no hay nada que no haya sido planificado y calculado de antemano y para lo que la organización no haya tomado sus medidas y elaborado sus normas.

Pero precisamente estas características confieren al sistema burocrático de organización, una sensibilidad considerable frente a influencias y cambios externos e internos, ya que las reglas y normas son demasiado rígidas para hacer frente de una manera eficaz a los problemas en cualquier situación imaginable.

La teoría de la estructura presenta otras dos limitaciones muy importantes que se refieren al individuo empleado en la organización burocrática:
- la falta de atención hacia las diferencias interindividuales y
- el insuficiente concepto de motivación que constituye la base de esta teoría.

2.1.4.- Teoría de la Psicología Industrial (Argyris)

A los defensores de la teoría del individuo, les interesan los factores psicológicos que en el lugar de trabajo influyen sobre el rendimiento laboral y sobre la calidad del trabajo de la persona. Los problemas que estos teóricos plantean para su discusión son de naturaleza muy práctica y se resumen concisamente en el postulado de "la persona idónea en el puesto idóneo". Consideran que la **naturaleza** de la persona trabajadora está formada por:

• **Motivos.** Los motivos humanos consisten en necesidades dispuestas en forma jerárquico-piramidal. En la medida en que están satisfechas las necesidades que se encuentran en el lugar más bajo de esta jerarquía (fisiológicas, de seguridad, sociales), se motivan, se actualizan y tienden a su satisfacción las necesidades situadas en el nivel inmediatamente superior (necesidades de autorrealización).

• **Objetivos.** La persona aspira a que se la considere como un individuo maduro en el proceso laboral y a perfeccionarse en el puesto de trabajo. Para garantizar esto, es necesario concederle suficiente autonomía e independencia, darle oportunidades para el desarrollo de perspectivas a largo plazo, ofrecerle posibilidades para desarrollar capacidades y aptitudes especiales con arreglo a su talento.

• **Control intrínseco.** La persona está en lo esencial controlada y motivada intrínsecamente. Los sistemas de recompensa y de retribución y los mecanismos de control externos, es decir, establecidos e impuestos por la organización tienden a coartar la personalidad individual y su desarrollo.

• **Ninguna contradicción.** Entre el deseo individual de autorrealización y el propósito de lograr el rendimiento más eficaz de la organización, no existe ningún conflicto necesario o contradicción.

Sus postulados:

• En las organizaciones existe una incongruencia entre las necesidades y expectativas del individuo y las exigencias de la organización formal. Las consecuencias de esta incongruencia son las frustraciones, los fracasos y los conflictos.

• Los principios formales de una organización conllevan el hecho de que el individuo se sienta arrastrado dentro de cada uno de los planos de la organización a luchas de competencia y de rivalidad con colegas, superiores y subordinados que perjudican las relaciones interhumanas y crean hostilidades entre los trabajadores.

• Los trabajadores reaccionan frente a las exigencias, métodos y objetivos de la organización adoptando una conducta "informal" y realizando acciones informales que se rigen por las circunstancias y por las posibilidades de que dispone el individuo.

• La conducta de adaptación del trabajador tiene un efecto acumulativo. El efecto acumulativo de la conducta de adaptación aumenta el grado de dependencia y de sometimiento del individuo en la organización formal y se traduce en apatía y en una mayor tasa de rotación de la plantilla.

Según las ideas de los teóricos del individuo, la organización debería procurar primeramente que los trabajos y los procesos laborales ofrecieran a los individuos verdaderas exigencias técnicas que se adaptaran a las facultades, aptitudes y capacidades de rendimiento, de forma que el trabajador pueda ver un sentido en estos procesos laborales y los perciba como un reto a sus aptitudes mentales y físicas.

Los individuos deben estar motivados ante todo por la ejecución del trabajo mismo, es decir, intrínsecamente, deben progresar mediante el desempeño eficaz de su función y se les debe confiar suficiente responsabilidad para que puedan realizar de forma autónoma sus tareas, sin motivaciones ni controles extrínsecos.

Las objeciones que se han planteado a esta teoría son que no se reconocen diferencias entre los individuos. Existe la personalidad individual pero sólo dentro de una pauta uniforme de motivación y de necesidad.

Las diferencias individuales sólo se admiten si se acepta la hipótesis de la persona como constante, de tal forma que todos los individuos dentro de una organización tienen que abrigar las mismas expectativas, deben manifestar las mismas necesidades y adoptar los mismos sistemas de valores.

2.2.- Modelos de organización del trabajo

El desarrollo industrial va unido, inicialmente, al avance tecnológico y a la incorporación de los conocimientos científicos al sistema productivo. La importancia de los avances técnicos no debe hacernos olvidar que el trabajo es una actividad humana organizada y que los cambios que en él se producen son unas veces causa y otras consecuencia de las formas de organizarlo.

La evolución tecnológica y la organizativa están íntimamente unidas, y así hay épocas, como sucedió al inicio de la industrialización, en que la técnica estimuló y obligó a que se produjera un cambio organizativo y otras, como la actual, en que los modelos organizativos son quienes definen, en gran medida, la forma de utilizar las tecnologías disponibles.

La evolución de los modelos de organización del trabajo no es lineal ni uniforme, ni su extensión de unos países a otros se produce siguiendo las mismas pautas. A pesar de ello, es frecuente considerar que el punto de partida radica en el paso de una producción artesanal, con un modelo organizativo preindustrial, a la producción industrial "en masa" cuyo esquema organizativo sería el taylorismo.

En la actualidad y con las variantes inherentes a la adaptación temporal, geográfica y social, nos vamos a centrar en dos modelos, aparentemente, antagónicos.

2.2.1.- Modelo de producción en masa

La producción en masa unida al taylorismo y fordismo que la hicieron posible. Se distinguía por una serie de características:
- Separación radical entre la concepción y la ejecución del trabajo.
- Especialización de funciones y fragmentación de tareas.
- Parcelación de los tiempos de ejecución.
- Motivación exclusivamente económica.
- Preponderancia de la autoridad.

Este modelo plantea varios problemas:
- Excesiva rigidez y dificultad para adaptarse a los cambios tecnológicos y tendencias de mercado.
- Dificultad para crear motivación en los trabajadores, generando, en cambio, alienación e insatisfacción.
- Dificultad para incorporar adecuada y eficazmente las nuevas tecnologías. A veces se habla de neotaylorismo para referirse al intento de mantener el mismo esquema organizativo con su incorporación, aunque parece difícil obtener de ellas el mismo rendimiento que desde otro modelo más ágil y abierto.

2.2.2.- Modelo *just in time*

El modelo *Just in time* o de producción ajustada está muy unido al modelo japonés, que ha transformado sustancialmente el mundo del trabajo, especial-mente, en la industria del automóvil, extendiendo sus principios a otros ámbitos productivos con gran rapidez.

Este modelo se caracteriza por:
- **Búsqueda permanente de la mejora continua.** Para ello hay que implicar a los trabajadores en la detección de errores y problemas y en la localización de sus causas, para su corrección posterior. Ello requiere la existencia de unos trabajadores que estén los suficientemente formados y motivados.

- **El objetivo es la Calidad Total.** En torno a ello se puede decir que lo que antes era el control de calidad como una función externa añadida, debe convertirse en calidad total, que es una parte imprescindible del trabajo bien hecho.
- **Aplicación intensiva del modelo "justo a tiempo"** *(just-in-time)*, eliminando los almacenamientos innecesarios e improductivos de materias primas y productos terminados. Si la producción está bien organizada, los materiales llegarán al puesto de trabajo cuando son necesarios, no antes.
- **Trabajo en grupo,** con un buen sistema de información sobre el trabajo y sus resultados.

Flexibilidad funcional que hace posible adaptarse con rapidez a los cambios y exigencias del mercado.

2.3.- Directivos y organizaciones psicosocialmente tóxicos

Jack Welch, presidente de General Electric, distingue 4 tipos de *managers* o directivos:

- Los directivos sin resultados, ni equipos de personas movilizados o motivados,
- los directivos movilizadores de sus equipos aunque sin resultados,
- los directivos movilizadores de sus equipos y con resultados, y
- los directivos con resultados, pero tóxicos para sus equipos humanos a los que terminan quemando para conseguir aquellos.

Según Welch, ni los primeros ni los últimos tienen cabida en el mundo empresarial actual por el coste humano y económico que significa la devastación organizativa que generan a su alrededor.

Una buena dirección o un buen jefe es una persona que es capaz de hacer que su equipo tenga un rendimiento óptimo y a la vez desarrolle a las personas que lo componen. En otras palabras, aquel que es percibido por sus colaboradores como alguien que les motiva, ayuda e ilusiona.

Uno malo es el que crea un clima en el que la gente no se siente cooperadora y rutiniza el trabajo. El culpable de que la gente que lleva tiempo en la empresa siga repitiendo tareas y no aprenda a hacer cosas de un nivel superior, que no promocione. En otras palabras, quien no ha ejercido de dinamizador sino de controlador.

Es necesario recordar una vez más que a dirigir también se aprende. El *management* o la habilidad para dirigir personas no es algo con lo que se nace, sino una destreza laboral que ha de estudiarse, aprenderse y entrenarse de forma específica. El ser nombrado jefe o directivo de un grupo de trabajadores no produce de manera milagrosa la repentina capacitación de éste como conductor de personas.

2.3.1.- Qué se quiere decir cuando se habla de una empresa u organización tóxica

Bajo el nombre de empresa tóxica se describe a una organización poco efectiva y de resultados insatisfactorios en la cual los empleados se desempeñan en un estado de tensión continua y el estrés es habitual. En un medio así prevalece la insatisfacción, no se desarrollan vínculos entre los compañeros de trabajo y el ambiente es destructivo. Sin duda estaríamos ante una organización poco productiva.

Para que una empresa se vuelva tóxica es necesaria la mayoría de las siguientes condiciones:

- una fuerte interdependencia entre sus integrantes,
- un importante número de personas cuyas necesidades personales no coinciden con las de la organización,
- una comunicación pobre,
- una intensa identificación con la organización,
- una fuerte presión externa que amenace los trabajos de sus integrantes.

Un ambiente laboral "irrespirable" es algo que se nota y que, lógicamente, repercute negativamente en la salud y en la productividad de los trabajadores.

Los líderes, sin duda, intervienen en los niveles de estrés, en el síndrome de *burnout*, la ansiedad, la salud psicológica y el bienestar físico que padecen sus trabajadores.

Un líder tóxico es aquel que quiere conseguir beneficios rápidos a costa del desgaste y la destrucción del empleado. Sin duda el miedo al fracaso y su aversión al riesgo les condicionan. Les es difícil delegar.

Su pieza por excelencia es un trabajador innovador, emprendedor, dinámico, un verdadero activo para la empresa, pero un riesgo para sus propios cargos.

Por otro lado, tenemos toda una generación de jóvenes que están en un entorno laboral precario. Jóvenes que tienen una formación superior a la que se demanda para el puesto de trabajo. A la vez son una amenaza para compañeros y jefes de más edad y con una formación menor. Y por ello tienen más riesgo de padecer acoso moral.

Si bien en la empresa privada el acosador busca que la persona se marche "machacada" de su puesto y que lo abandone voluntariamente, o bien que la víctima tenga bajas laborales continuadas para que el hostigador tenga la excusa perfecta para acabar con él profesionalmente, en el caso de las administraciones públicas el problema se complica porque no se puede despedir a la persona y es muy raro que un funcionario público renuncie a su cargo. Por lo tanto se mantiene en su puesto de trabajo más tiempo. Si bien esto se puede resolver con un traslado voluntario de la persona a otro departamento, lo más frecuente es que al trabajador haya entrado en una baja continuada y le den una incapacitación laboral, a veces absoluta.

2.3.2.- Los empleados tóxicos, una amenaza real dentro de las empresas

Cuando atacan los "empleados tóxicos", casi nadie está a salvo. Jefes, compañeros y toda la organización sufren las consecuencias de aquellos que deciden hacer la vida imposible al prójimo. Podemos agrupar a estos empleados en 7 grandes categorías:

• **Los provocadores de conflictos.** Un 90% de los jefes afirman haberse enfrentado con empleados muy conflictivos que generaban una y otra vez situaciones desesperantes.

• **Los vagos y holgazanes.** Sin duda la supervivencia de la empresa, y por tanto de sus puestos de trabajo, depende hoy más que nunca de obtener una gran productividad, de que el equipo rinda a alto nivel y de ese modo rentabilizar al máximo los costes. Eso lo sabe bien cualquier jefe, y la mayoría de los empleados. Aunque aparentemente la solución es fácil, despedirlos, las cosas luego no son tan sencillas, pues en algunos casos esos mismos empleados han conseguido ocupar cargos sindicales que les blindan, perjudicando a su vez gravemente la imagen del sindicato que queda deteriorada al ser representado por un empleado tan impropio, en otros sus despidos son enormemente costosos o pueden perjudicar a la obtención de ciertas bonificaciones sociales que quedan interrumpidas cuando se despide a alguien en una compañía, y a menudo el jefe se encuentra con que simplemente no tiene autoridad para despedir al empleado en cuestión.

• **Los incompetentes.** Varias son las dificultades que se tienen para apartar a estos personajes del equipo. Cuando se propone el despido surgen frases como "aguanta, que ahora no es buen momento" o "sabemos que es muy flojo, pero te lo tienes que quedar porque no podemos cambiarlo", y a eso hay que añadir que esos mismos superiores no rebajan los objetivos ni perdonarán retrasos o disminución de resultados.

• **En los que se había depositado su confianza y que han decepcionado por fraude, mentiras o robos.** Cuando le toca vivir algo así el directivo siente una profunda decepción que le lleva a dejar de confiar en los demás, pierde la fe en la gente y se hace mucho más difícil mantener el ánimo y la propia motivación para esforzarse por estar a la altura del cargo de jefe en cuanto a la forma de tratar a los demás, de cuidar la motivación del equipo, la comunicación y todas estas cosas que conlleva el puesto.

*   **Los empleados que pierden el tiempo intencionadamente,** con lo que eso supone para la descoordinación del equipo, el pésimo ejemplo, las situaciones de tensión y enfrentamiento, la injusta sobrecarga de trabajo para los demás y el inevitable deterioro del ambiente que genera.

*   **Los empleados que tratan de pelear contra sus superiores,** de complicarles las cosas a propósito, como si asumieran de partida que el jefe fuera el enemigo a batir. El origen puede ser una mala experiencia con un jefe anterior, o por una mala actitud personal, o incluso por haber recibido una educación antiempresarial.

*   **Los empleados soberbios, arrogantes e impertinentes.** Reconozcamos que no sólo hay directivos con este perfil.

2.3.3.- Efecto sobre los trabajadores y la empresa

Las estadísticas dicen que entre los efectos de una organización tóxica tenemos que:

*   uno de cada seis trabajadores ha sufrido *mobbing* en los últimos seis meses.

*   el **estrés laboral** se ha convertido en un factor de riesgo psicosocial que sólo en la Unión Europea afecta a 41 millones de empleados. Al otro lado del Atlántico, la Asociación de Asistencia Profesional al Empleado de EE. UU. afirma que las peticiones de los trabajadores para participar en programas de ayuda para problemas mentales o personales han aumentado un 10%.

Todos estos factores negativos tienen un coste para las compañías en gastos médicos, accidentes, problemas de seguridad, estado de ánimo de los empleados o, incluso, desperdicio del talento.

Este problema depende también del sector laboral, acrecentándose en el sector sanitario o de la educación. Así, por ejemplo, entre el colectivo de las enfermeras, pueden llegar al 33%. Es decir, una de cada tres enfermeras ha sido en el último año víctima de un problema de *mobbing*.

2.3.4.- Cómo protegerse desde un punto de vista personal y organizacional de un liderazgo tóxico

.- Prevención desde el punto de vista personal

Cuando un trabajador intuye que algo va mal, que su control sobre la situación laboral no es del todo satisfactorio, que comienza a presentar problemas de ansiedad, y lo achaca a una posible situación de acoso laboral, debe tantear a los departamentos de personal y de recursos humanos o al comité de empresa para saber si tienen alguna política para atender las quejas de los empleados o si alguna persona o sección se ocupa de la mejora continuada de las condiciones de trabajo.

En caso de que esto sea negativo, o si después de recurrir a estos estamentos la situación empieza a empeorar, el trabajador debe asumir, con bastantes probabilidades de acertar, que se encuentra en una situación de serio peligro, y que cualquier cosa que haga por muy lógica y razonable que parezca empeorará las cosas y será tenida en su contra. En esta situación el trabajador requiere de ayuda especializada, de terapia de grupo o individual donde se puedan aplicar procedimientos que le ayuden a contrarrestar y salir de esta situación, antes de que su control sobre la situación empeore y tenga que salir de la situación laboral.

Entre los procedimientos para salir de la situación de *mobbing* el profesor González de Rivera plantea siete pasos que se deben realizar de manera sucesiva y tantas veces como sean necesarios hasta la superación del mismo y para que la persona pueda volver de nuevo bien a su puesto de trabajo, en las mejores condiciones.

• **Tomar posesión de tu vida en general y de la situación de acoso en concreto.** Se debe asumir la responsabilidad de nuestra existencia. Es importante darse cuenta de que no es lo mismo ser responsable que ser culpable. Tu jefe y los que le sostienen tienen la culpa de lo que te ocurre, pero tú tienes la responsabilidad de salir bien de todo ello. Esperar ayuda de los acosadores es el primer gran error de un acosado. Suplicar, exigir, amenazar o lo que sea a otros para que dejen de maltratarte, sólo empeora las cosas.

• **Mantener la calma.** Mantener la clama necesita un método. No se trata simplemente de aguantarse y hacer como que no pasara nada, sino de activar y entrenar los circuitos mentales que generan calma para contrarrestar el estrés que produce el acoso.

• **Minimizar el daño.** Cuando uno se deja llevar por la pena, el estrés y la rabia, la vida se complica y los disgustos se multiplican. Si se ha aprendido a mantener la calma, nos daremos cuenta de que hay en tu vida mucho sufrimiento innecesario, por ejemplo, todo el que nos producimos quejándonos y rumiando agravios. No nos hagamos más daño, no nos enfademos con nuestra pareja, no discutamos con nuestros amigos, no nos pasemos la noche maquinando venganzas. Si hay que sufrir, que sea lo mínimo.

- **Entender la situación.** Los acosadores siempre son envidiosos, controladores y mediocres, y los intereses que estos individuos tienen escapaban a tu compresión. Lo que crees que es una virtud o mérito tuyo a ellos les molesta. Es posible que al comprender estas dinámicas de los acosadores te vengan ataques de furia por lo que hiciste, en tal caso intenta mantener la calma ejercitando la relajación. Quizás estés "emparedado" entre un subalterno que quiere quitarte de encima y un jefe que se está dejando seducir y manipular.

- **Decidir. ¿A dónde se quiere llegar? ¿Cómo se quiere que sean para uno las cosas? ¿Qué esperamos de nuestro trabajo?** Una vez que sepamos lo que queremos, hay que construir un plan. Es importante que nos preguntemos si lo que realmente queremos es el mal del acosador o nuestro propio bien. Por favor, no suframos una transformación negativa.

- **Ser proactivo, no reactivo.** Ser proactivo indica responsabilizarse de manera consciente y deliberada de lo que uno hace y decide. Ser reactivo indica reaccionar ante el ambiente, sin racionalizar y estudiar la situación, como si fuéramos actos reflejos. Es la respuesta lógica y natural pero no la más afortunada ante lo que nos está pasando.

- **Ser agente de cambio social.** Surge el deseo de favorecer el desarrollo y la felicidad de los demás tratando de atenuar, contrarrestar y eliminar la contaminación psíquica de los entornos en los que te mueves.

.- Prevención desde el punto de vista organizativo

Las formas de prevenir el *management* tóxico desde el punto de vista de la organización pasan por:

- Declarar las intenciones de la organización acerca de sus objetivos empresariales, de su visión y actitud general hacia las personas y de cómo estas son valoradas por la organización.

- Desarrollar procedimientos para garantizar un entorno laboral libre de los riesgos laborales procedentes de la violencia psicológica.

- Aplicación proactiva de políticas para prevenir el enrarecimiento del clima laboral e incentivar la colaboración, la cooperación y la confianza en las relaciones interpersonales.

- Formación de los directivos y mandos intermedios en liderazgo, dirección de personas, resolución de conflictos, comunicación, habilidades sociales, desarrollo de recursos humanos y prevención del estrés.

- Reducir la precarización e inseguridad laboral como forma de evitar síndromes de supervivencia organizacionales.

- Proporcionar información relevante, clara y específica a los trabajadores de las actividades que deben desarrollar, los objetivos que deben alcanzar, y los medios de que disponen para ello. Dar prioridad a los estilos negociadores sobre la imposición de los objetivos.

- Proporcionar un *feed-back* objetivo y constructivo sobre el desempeño mediante sistemas de evaluación objetivables y de carácter previo en cuyo diseño e implementación los propios empleados participen de manera activa.

- Formar a los empleados en la prevención de riesgos laborales, y en especial en la dinámica y el desarrollo de los riesgos psicosociales, y en sus estrategias de afrontamiento.

- Intentar optimizar las capacidades de cada empleado mediante una asignación racional de los recursos humanos, dando prioridad al enriquecimiento del trabajo mediante tareas significativas y desarrollando la formación en el puesto de trabajo.

- Proporcionar sistemas de promoción no perversos basados en el mérito y no en la política, el "amiguismo", el nepotismo o el favoritismo. Diseñar sistemas de sucesión y desarrollo de carreras a largo plazo.

- Desarrollar la comunicación interna como forma de constituir en la empresa comunidades de aprendizaje basadas en la creación y la transferencia del conocimiento en lugar de la retención privativa de la información. Incentivar de manera proactiva el compartimiento del conocimiento.

- Incentivar y acompañar el esfuerzo de los trabajadores por adquirir competencias y empleabilidad mediante la formación, la rotación interna, la participación y la contribución significativa al trabajo.

- Determinarse a rechazar la violencia psicológica de raíz, sin atender a quién sea la víctima o el ofensor ni cuál sea su rango jerárquico.

- Desterrar la Dirección Por Amenazas (DPA) y la gestión mediante el miedo o el terror. Sancionar a los mandos que las utilicen de manera recurrente.

- Incentivar el diálogo a todos los niveles de la organización como forma principal y prioritaria de gestión empresarial.

- Desplegar una política activa de formación de mandos y directivos en actitudes y técnicas para el diálogo y la comunicación integral.

- Desarrollar el valor Confianza como base de todas las relaciones interpersonales en la organización.

- Eliminar los sistemas de control paranoides basados en la presunción de animadversión o malevolencia por parte de los empleados. Permitir a la organización mostrar vulnerabilidad frente a sus empleados.

• Predicar con el ejemplo mediante prácticas éticas, no manipulativas y humanizadoras por parte de la Dirección de la empresa.

• Desarrollar programas de acogida e integración a los nuevos empleados con la explicación de las normas formales e informales y los valores culturales propios de la organización.

2.3.5.- El optimismo inteligente

El "optimismo inteligente" es un concepto que defiende que el líder o jefe debe trabajar para crear un ambiente positivo, ya que su actitud contagiará emociones positivas o negativas a los trabajadores, que afectarán directamente a los resultados y la productividad.

Los mejores líderes emocionan, inspiran pasión y entusiasmo en los demás. Esta energía que transmiten sale de su interior es la automotivación, indispensable para el desarrollo del liderazgo personal, es la que:

• Nos da la capacidad para no desfallecer ante los obstáculos, por difíciles que nos parezcan.

• Lo que nos impulsa a desarrollar la capacidad para entusiasmarnos con nuestras tareas diarias, hacerlas de la mejor manera y controlar los factores que nos desvían de nuestros objetivos, de esta forma mejoramos nuestro rendimiento y liderazgo personal.

Liderar un proyecto empresarial exige ser capaz de crear espacios donde las personas estén permanentemente dando lo mejor de sí mismos, y una de las competencias comunes a todos los líderes que lo consiguen es el Optimismo Inteligente.

Sin duda las empresas y organismos son en gran parte reflejo de los jefes, por lo que la persona que ostenta el liderazgo debe impulsar e infundir energía a las personas que tiene a su cargo. Saber motivar a los trabajadores es fundamental para crear ese ambiente positivo que garantizará unos mayores resultados.

2.3.6.- Autotest. ¿Es usted víctima de un jefe tóxico?

Averigüe si es víctima de un jefe tóxico que no valora su trabajo o le hace el vacío o le avasalla contestando al siguiente examen procedente del libro *Neomanagement: jefes tóxicos y sus víctimas*, de Iñaki Piñuel. Editorial Aguilar y Grijalbo.

Señale a continuación la frecuencia con que ocurren estas situaciones en tu lugar de trabajo con arreglo a la siguiente valoración:

0 puntos: Nunca
1 punto: Alguna vez que otra
2 puntos: Mensualmente
3 puntos: Semanalmente
4 puntos: Diariamente

Preguntas

1. Mi jefe restringe mis posibilidades de comunicarme, hablar o reunirme con él.
2. Mi jefe me ignora, me excluye o me hace el vacío.
3. Mi jefe finge no verme o me hace "invisible".
4. Mi jefe me avasalla impidiendo expresarme.
5. Mi jefe me obliga a realizar trabajos que van contra la ética.
6. Mi jefe evalúa mi trabajo de manera injusta o sin equidad.
7. Mi jefe me deja sin nada que hacer, a pesar de que haya trabajo.
8. Mi jefe me asigna tareas o trabajos absurdos o sin sentido.
9. Mi jefe me asigna tareas o trabajos por debajo de mi capacidad profesional o mis competencias.
10. Mi jefe me asigna tareas rutinarias o sin valor o interés alguno.
11. Mi jefe me abruma con una carga de trabajo que no puedo realizar.
12. Mi jefe me asigna tareas que ponen en peligro mi integridad física o mi salud.
13. Mi jefe me impide que adopte las medidas necesarias para realizar mi trabajo con las debidas condiciones de seguridad y salud.
14. Mi jefe me ocasiona gastos que me perjudican económicamente.
15. Mi jefe prohíbe a mis compañeros o colegas hablar conmigo.
16. Mi jefe minusvalora o echa por tierra mi trabajo, no importa lo que haga.
17. Mi jefe me acusa sin razón de errores, fallos, sin concretar en qué.
18. Recibo críticas y reproches de mi jefe por todo lo que hago o por las decisiones que tomo en mi trabajo.
19. Mi jefe amplifica o dramatiza sin venir a cuento errores sin importancia que cometo
20. Mi jefe me humilla, o desprecia o me hace de menos en público ante otras personas.
21. Mi jefe amenaza con usar contra mí instrumentos disciplinarios (rescisión de contrato, expedientes, despido, traslado forzoso...).
22. Mi jefe me asigna trabajos que me aíslan de mis compañeros de trabajo.

23. Mi jefe le da la vuelta a lo que digo, manipulando el sentido o la intención.

24. Mi jefe me "busca las cosquillas" para hacerme explotar.

25. Mi jefe me hace de menos como persona o como profesional.

26. Mi jefe me hace burlas o me ridiculiza.

27. Mi jefe me calumnia a mis espaldas con falsas acusaciones o rumores acerca de mi vida personal.

28. Recibo amenazas verbales o mediante gestos intimidatorios por parte de mi jefe.

29. Recibo amenazas por escrito o por teléfono por parte de mi jefe.

30. Mi jefe me chilla, me grita, o eleva la voz de forma intimidatoria.

31. Mi jefe me zarandea, o avasalla físicamente de forma intimidatoria.

32. Mi jefe "envenena" contra mí, manipulándolos, a las personas con las que trabajo.

33. Mi jefe inventa y difunde rumores y calumnias que perjudican mi imagen o reputación.

34. Mi jefe me quita o me retira la información necesaria para hacer bien mi trabajo.

35. Mi jefe bloquea o limita el desarrollo de mi carrera profesional o mis oportunidades de crecer o ascender en la organización.

36. Mi jefe me atribuye falsamente conductas ilícitas o antiéticas que perjudican mi imagen o reputación.

37. Recibo una presión exagerada para sacar adelante el trabajo por parte de mi jefe.

38. Mi jefe me asigna plazos de ejecución o cargas de trabajo que no son razonables o que son diferentes a los demás trabajadores.

39. Mi jefe modifica mis responsabilidades o las tareas a ejecutar sin decirme nada.

40. Mi jefe tira por tierra mi esfuerzo profesional.

41. Mi jefe intenta sistemáticamente desmoralizarme.

42. Mi jefe me pone trampas para hacerme caer en errores profesionales.

43. Mi jefe controla mi trabajo de forma especial para intentar "pillarme" o cazarme en algún error.

44. Mi jefe me lanza insinuaciones o proposiciones sexuales.

45. Mi jefe me agrede de forma intimidatoria (cachetes, golpes, empujones, patadas…).

Valoración.

Menos de 30 puntos: Tienes un riesgo psicosocial laboral moderado como consecuencia de la actuación de un jefe tóxico.

Entre 31 y 50 puntos: Riesgo laboral importante como consecuencia de la actuación de un jefe tóxico.

Entre 51 y 100 puntos: Riesgo laboral severo.

Más de 101 puntos: Tienes un riesgo laboral muy severo como consecuencia de la actuación de un jefe tóxico.

2.4.- Liderazgo y productividad

El término liderazgo, procedente del término inglés *lead* («dirigir», «guiar») y se puede definir como la cualidad o habilidad social que posee una persona o un grupo con capacidad, conocimientos y experiencia para dirigir a otras personas. No se debe confundir el liderar con el mandar, o los estilos de liderazgo con los estilos de mando; el liderazgo se suele asociar a la capacidad de una persona o grupo para generar y canalizar capacidades y entusiasmos en un proyecto, industria o empresa. Sin duda liderar el entusiasmo es mucho más productivo que gestionar la obediencia.

El estereotipo del liderazgo es el liderazgo carismático, aquel que tiene la capacidad de modificar hasta las escalas de valores, las actitudes y las creencias de los seguidores. Y es que el liderazgo carismático no genera tanto subordinados como seguidores, con los que el líder más que obligar o forzar las situaciones, aprovecha y canaliza los impulsos de los demás hacia unos objetivos compartidos.

Es evidente que este tipo de «líderes de líderes» escasea. Además, en la gestión de aspectos como la prevención se necesitan más bien "líderes del día a día" que sepan comunicar y promover algo tan básico, en el proceso de asumir responsabilidades en la empresa.

2.4.1.- Qué se espera de la personalidad de un líder

Un líder para la prevención debe tener, entre otras, confianza en sí mismo, educación, energía, entusiasmo, inteligencia, madurez emocional, adaptabilidad, presencia y sociabilidad.

Estos rasgos deben ir acompañados de unos conocimientos que le permitan:

* **Tener una adecuada capacidad de gestión.** Podemos definir la gestión de los riesgos como el proceso de planificación, organización y decisión sobre las distintas alternativas y responsabilidades que se plantean, junto a la

preparación de los análisis, informes y procedimientos de comunicación. En efecto:

    o En una organización o una empresa, "hacer cosas" es, sobre todo, gestionar decisiones y comportamientos, incluidos los propios.

    o En una empresa siempre hay riesgos (probabilidades), pero sobre todo existen "realidades" (problemas, daños, accidentes…). Aunque es lógico que se atienda prioritariamente a lo sobrevenido antes que a lo eventual, se debería intentar salir de este círculo nada virtuoso.

    o El tipo de prevención que la Ley de Prevención de Riesgos Laborales plantea es fundamentalmente una prevención sobre las causas más que sobre los daños o sobre las consecuencias de la falta de prevención.

    o Una adecuada gestión del riesgo implica conocer lo mejor posible cuando aparece el daño (factores e indicadores de riesgos).

- **Tener una visión del líder.** La visión del liderazgo debe ser global, holística, estratégica, sistémica, interrelacionada. Tiene que estar convencido estratégicamente de que no se deben seguir tratando los riesgos individuales por separado. Tiene que tener interés en cambiar, de algún modo, los esquemas mentales, de transformar las debilidades en fortalezas y las amenazas en oportunidades: la visión estratégica de la prevención en la empresa es hacer de la ventaja preventiva una ventaja competitiva.

- **Crear y creer en una misión.** Gestionar la prevención de los riesgos es gestionar las medidas preventivas para limitarlos. Es imprescindible tener la convicción, la cual se logra con el estudio, las comprobaciones y la experiencia. Por tanto, para forjar el compromiso preventivo se debe tener claro que el compromiso de la dirección es un factor limitante (ningún subordinado va a ir más lejos de lo que exija el mando) y que la Dirección esté comprometida con la Prevención. La integración de la prevención en la gestión de la empresa debe ir del compromiso de la gestión a la gestión del compromiso. Sin duda, el compromiso preventivo declarado debe ser el compromiso preventivo percibido y practicado.

- **Practicar y mantener un estilo.** Ejercer el liderazgo debe basarse en unas formas o estilo y apoyarse en unas habilidades sociales comunicativas, negociadoras, que podríamos resumirlas llamándolas asertivas. El líder y el mando deben saber que el derecho a mandar y a poder exigir ser obedecidos no se debe confundir nunca la autoridad con el autoritarismo. Es verdad que los principales factores relacionados con el liderazgo y el ejercicio nunca pueden disponerse para motivar laboralmente, pero, en cambio, es muy fácil, a poco que se haga mal, que sirvan para desmotivar y generar conflictos en las relaciones profesionales y personales.

2.4.2.- Estilos de mando y límites del *laissez faire... laissez passer* (dejar hacer, dejar pasar). En seguridad: trabajo prescrito frente a trabajo real y trabajo real frente a trabajo proscrito o inaceptable

Se suelen resumir los distintos estilos de dirección, o del ejercicio del mando, como la combinación de algunos de los cuatro principales patrones o modelos: el autoritario o autocrático, el paternalista, el dejar hacer, dejar pasar y el democrático o participativo.

Por otro lado, es sabido que las diferencias entre el "trabajo prescrito o el que debería ser" y el "trabajo real que es el que es". Sin duda trabajar "a reglamento" pone en crisis el sistema de trabajo lo mismo que funcionar "al tran-tran".

Los gestores deben aportar soluciones y poner en marcha iniciativas que no están en los procedimientos de trabajo para que el trabajo salga adelante. Es el "trabajo real". Pero es sabido también que en este "trabajo real", más allá de los procedimientos, se introducen muchos "improcedimientos", especialmente en el campo de la seguridad y salud, que tienden a ser consentidos mientras no produzcan accidentes.

En muchas ocasiones, paradójicamente, muchos mandos, como responsables directos y principales de la seguridad, tienden a practicar dos estilos de dirección antagónicos: el exigente o autocrático respecto al trabajo y el "consentido" o "dejar hacer, dejar pasar" en relación con la prevención de riesgos laborales cuando debería ser al revés y no debería consentirse.

Debe recordarse que de los principales factores personales u operativos que se suelen atribuir como "causas de los accidentes", tales como distracciones, imprudencias, ignorancias, impericias, prisas, etc., caen también bajo la responsabilidad directa de la empresa, bien en sus obligaciones "in vigilando" apoyadas en la potestad.

Así, el artículo 15.4 de la LPRL indica que "la efectividad de las medidas preventivas deberá prever las distracciones o imprudencias no temerarias que pudiera cometer el trabajador". En otras palabras, y sin minusvalorar la responsabilidad individual en el comportamiento profesional de cada uno, la mayoría de los factores citados (ignorancias, impericias, prisas o fatigas) también caen bajo la responsabilidad organizativa de la dirección y la línea de mando: seleccionando, formando, entrenando, supervisando, dimensionando y ajustando las cargas de trabajo de forma adecuada.

3.- Los factores psicosociales

Los Factores de Riesgo Psicosocial según la Agencia Europea de Salud y Seguridad en el Trabajo, pueden definirse como todo aspecto de la concepción, organización y gestión del trabajo así como de su contexto social y ambiental que tiene la potencialidad de causar daños físicos, sociales o psicológicos en los trabajadores.

Nuestra Ley de Prevención de Riesgos Laborales define un riesgo psicosocial como cualquier posibilidad de que un trabajador sufra un determinado daño en su salud física o psíquica derivado, bien de la inadaptación de los puestos, métodos y procesos de trabajo a las competencias del trabajador, bien como consecuencia de la influencia negativa de la organización y condiciones de trabajo, así como de las relaciones sociales en la empresa y de cualquier otro "factor ambiental" del trabajo.

Se entiende por agente estresor cualquier factor de riesgo que pueda desencadenar estrés. Son, por tanto, cualquier conjunto de situaciones físicas y/o psicosociales que se dan en el trabajo y que producen tensión u otros resultados desagradables para la persona.

Los aspectos que favorecen la aparición de este tipo de conductas suelen estar relacionados con la organización del trabajo y con la gestión que de los conflictos hace la organización. En relación con la organización del trabajo, algunas de las situaciones que pueden generar este riesgo psicosocial son:

- Empleo inseguro.
- Malas relaciones interpersonales.
- Canales inadecuados de comunicación.
- Flujos pobres de información.
- Deficiencias en la política de personal.
- Estilos de supervisión autoritarios.

Estos estresores dependen de:

- La valoración que la persona hace de la situación.
- Vulnerabilidad al mismo y características individuales.
- Las estrategias de afrontamiento disponibles a nivel:
  - Individual.

o Grupal.

o Organizacional.

Los agentes estresores pueden agruparse en dos grandes grupos:

- **Las demandas de trabajo:** Hacen referencia a todo tipo de exigencias y características del trabajo y de su organización, que pueden ser factores desencadenantes del estrés. En ella se incluyen tres subgrupos:

  o El contenido de las tareas.

  o El ambiente físico de trabajo.

  o La organización.

- **Las características de la persona:** Ciertas características personales y las relaciones interpersonales aumentan la posibilidad de padecer estrés laboral.

3.1.- Factores laborales o asociados a la demanda de trabajo

Dentro de este apartado se analizarán los estresores relacionados con:

- El contenido de las tareas.
- El ambiente físico de trabajo.
- La organización.

Dentro del modelo de Ajuste persona-puesto siempre aparecen dos aspectos básicos:

- **Las necesidades del trabajador:** Grado en que la necesidad de utilizar las aptitudes y capacidades es correspondido con lo ofrecido por el entorno de trabajo y las oportunidades de satisfacerlas que se encuentran en el mismo.

- **Las exigencias del entorno:** Grado en que las aptitudes y capacidades del trabajador satisfacen las exigencias del trabajo.

En el estrés no solo se tiene en cuenta las demandas del entorno, también influye la percepción que tiene la persona de esas demandas y el apoyo social con el que cuenta.

La organización del trabajo incluye básicamente tres factores:

3.1.1.- Los factores derivados de la organización del trabajo

Entre ellos tenemos:

- **La estructura jerárquica.** Es el lugar que ocupa cada persona dentro de la organización, forma en que se haya distribuido el poder y la toma de decisiones.

- **El estilo de mando.** Se refiere al estilo imperante en la empresa, puede ser:

o **Democrático.** Como veremos este tipo de dirección da lugar a un mayor grado de creatividad, responsabilidad y satisfacción.

o Por el contrario, un estilo **autoritario** suele crear tensiones, competitividad y falta de motivación.

o Igualmente el *Laissez Faire* suele provocar en el grupo una agresividad latente por la falta de directrices.

o El estilo **Paternalista** origina un buen clima laboral pero una baja productividad.

• **Comunicación.** La organización debe favorecer los flujos de comunicación desde los niveles inferiores hacia los niveles altos (dirección) y viceversa, desde los niveles altos (jefes) hacia los trabajadores. Igualmente debe favorecer la comunicación horizontal interpersonal y asegurar que la información llegue a todos.

• **Definición de competencias.** El trabajador debe conocer los objetivos y funciones de su puesto de trabajo, cuál es su papel en la organización, qué se espera de él/ella.

• **Formación y promoción.** Son las posibilidades de formación y promoción profesional: si ambos factores van unidos se eleva la motivación del trabajador.

• **Características del empleo.** Salario, estabilidad laboral, tipo y duración de la jornada, trabajo a turnos, nocturno.

• **La participación.** El sistema de trabajo debe favorecer la participación. Es importante que el personal aprenda a participar. Si el propio trabajo requiere de la colaboración de varias personas será mucho más fácil que esta se dé.

Figura 3.1.- Efectos de la carga mental de trabajo

Nivel del proceso de diseño	Efectos de la carga mental en el trabajo.			
	Fatiga	Monotonía	Hipovigilancia	Saturación
Tarea y/o puesto	• Asignación de tareas. • Evitar el trabajo simultáneo	• Asignación de tareas. • Variedad de tareas.	• Evitar la exigencia de una atención sostenida	• Prever objetivos intermedios. • Enriquecimiento de tareas.
Medios de trabajo	• Ausencia de ambigüedad en la presentación de la información	• Evitar tareas con ritmo impuesto por la máquina. • Dejar al operador trabajar a su ritmo. • Prever cambios en la forma de presentación de la señal.	• Buena visibilidad de la señal.	• Procurar que la tarea pueda completarse individualmente.
Ambiente	• Iluminación	• Temperatura, color	• Evitar una estimulación acústica uniforme	• Evitar condiciones ambientales uniformes. • Prever variaciones.
Organización	• Evitar la presión sobre los rechazos	• Rotación de tareas. • Presencia de compañeros,	• Ampliación de tareas. • Enriquecimiento de tareas.	• Enriquecimiento de tareas.
Organización temporal	• Pausas	• Pausas.	• Evitar el trabajo a turnos.	• Pausas.

3.1.2.- Los factores derivados del contenido o características de la tarea

• **La Carga de Trabajo** o volumen de trabajo al que tiene que hacer frente la persona. Está asociado al nivel de esfuerzo físico y mental y al ritmo de trabajo (presión temporal). Debe ser la adecuada, ya que tanto por exceso como por defecto pueden tener repercusiones negativas. La Carga Mental de Trabajo es la cantidad de energía y capacidad mental que tiene que poner en juego un trabajador para cumplir o realizar su tarea.

La actividad mental para realizar la tarea viene determinada por la cantidad de información que deba tratarse en un puesto de trabajo y por las características del individuo (edad, formación, experiencia, etc.).

La carga mental se analiza desde el punto de vista cuantitativo (cantidad de información), y el cualitativo (complejidad o no de la tarea a realizar).

La **sobrecarga de trabajo** se produce cuando el trabajador es sometido a una mayor exigencia que es incapaz de satisfacer. Se produce cuando el volumen o complejidad de la tarea y el tiempo disponible para llevarla a cabo está por encima de la capacidad del trabajador para responder a esa tarea.

En un puesto de trabajo pueden darse las siguientes situaciones:

o   **Sobrecarga cuantitativa:** Se realizan muchas operaciones en poco tiempo, debido al volumen de trabajo, a los apremios del tiempo o ritmo de trabajo elevado, dando lugar a la aparición de la fatiga mental.

o   **Subcarga cuantitativa:** Realizar poca cantidad de trabajo.

o   **Sobrecarga cualitativa:** Se produce una excesiva demanda intelectual o mental en relación con los conocimientos y habilidades del trabajador; por tanto, consiste en la dificultad excesiva de la tarea.

o   **Subcarga cualitativa:** Realizar tareas muy sencillas que debido a la falta de estimulación, aburrimiento y monotonía también puede producir estrés.

En resumen, la situación ideal se produce cuando hay un equilibrio entre las exigencias de la tarea y la capacidad del trabajador, teniendo en cuenta la carga física y mental de la actividad.

•   **El contenido de las tareas.** El contenido de la tarea es importante dado que se relaciona con el nivel de valoración social o calificación de la tarea tanto por sus compañeros, por la sociedad y por el que ejerce la tarea en sí. Tiene gran relevancia, pero no determina de forma clara un estado de estrés, dado que las mismas tareas son percibidas de forma distinta por cada persona e influyen también de modo diverso según el ambiente laboral y tipo de organización.

•   **El Control de la Tarea:** Se refiere al grado en que el ambiente laboral permite al individuo controlar las actividades a realizar y viene dado por el grado de autonomía, iniciativa y responsabilidad.

o   **Autonomía:** Es la mayor o menor dependencia jerárquica en el desempeño de las funciones ejecutadas. Se refiere al grado en que un trabajador puede planificar su trabajo, el método y el ritmo y controlar los resultados. La autonomía contribuye al sentimiento de responsabilidad del trabajador para con los resultados de su tarea. Si el trabajo proporciona al trabajador autonomía y responsabilidad, mayor será la probabilidad de que perciba que tiene control sobre el mismo. La falta de control, como un control excesivo y una responsabilidad alta, pueden llevar a situaciones de estrés.

o   **Iniciativa:** Se refiere al mayor o menor seguimiento o sujeción de directrices, pautas o normas en la ejecución de las funciones.

o   **Responsabilidad:** Relacionada con la mayor o menor autonomía en la ejecución de las funciones, el nivel de influencia sobre los resultados y la relevancia de la gestión sobre los recursos humanos, técnicos y productivos.

- **El ritmo de trabajo.** El tiempo necesario para realizar una tarea varía según los individuos y también para un mismo individuo depende del momento, la fatiga, etc. Cuando los expertos en métodos y tiempos asignan de forma estricta y constante una duración de ejecución a una tarea, si esta asignación se hace respondiendo únicamente a las exigencias de la máquina o del proceso productivo, se corre el riesgo, si esta duración es muy justa, de ocasionar una sobrecarga al trabajador, que se encontrará con dificultades para regular su actividad, lo que sin duda conlleva un incremento de los defectos de producción y en el riesgo de accidente.

- **La complejidad de la tarea.** Cuanto mayor sea el número de operaciones diferentes que haya que realizar en una tarea, mayor será el esfuerzo de memorización. Asimismo, para un número determinado de operaciones, si aumentamos la velocidad de realización de éstas, aumentará el esfuerzo mental necesario para controlar la actividad. El problema de la complejidad de una tarea viene determinado por el número de elecciones o alternativas que tiene lugar en un ciclo de trabajo. En este caso hay que diferenciar:

  o el número de elecciones rutinarias a realizar en el ciclo de trabajo.

  o el número de elecciones conscientes, es decir, aquellas en las que el individuo tiene que decidir entre varias alternativas y optar por una de ellas.

- **La automatización de los procesos.** En las últimas décadas, la aplicación de nuevas tecnologías, sobre todo en la industria y en los servicios, ha dado lugar a procesos de trabajo autorregulados casi en su totalidad, eliminando en gran medida la intervención humana, que ha quedado reducida a funciones de supervisión y control. Esta automatización ha implicado ventajas tanto en la cantidad y en la calidad del trabajo pues permite trabajar con menor esfuerzo físico y con menor riesgo de accidente. Pero por otra parte, ha conllevado una serie de inconvenientes respecto a la autonomía personal y a la capacidad de tomar decisiones. La organización y el ritmo de trabajo dependen de la máquina, quedando la tarea de la persona reducida a una serie de operaciones rutinarias y repetitivas y perdiéndose la visión del conjunto del sistema productivo.

- **El trabajo a turnos.** Las alteraciones de la salud de las personas que trabajan en horarios nocturnos o en turnos rotativos están ligadas esencialmente a un **sueño deficiente**.

3.1.3.- Los derivados de los factores "medioambientales" o relativos al puesto de trabajo

• **El ambiente físico de trabajo.** Los principales estresores asociados al ambiente físico son: el ruido, la vibración, la iluminación, los contaminantes, las condiciones climatológicas y la disponibilidad y disposición de espacio físico para el trabajo.

• **El ruido.** El ruido, como sonido no deseado, interfiere en la actividad mental, provocando fatiga, irritabilidad y dificultad de concentración. Genera distracción, impide el proceso de pensamiento normal, y genera sensaciones de frustración y problemas de concentración. Con intensidades de ruido muy altas se enmascaran otras señales relevantes (por ejemplo, indicadores de peligro, avisos verbales) contribuyendo a incrementar el riesgo de accidentes y reduciendo las posibilidades de comunicación en el puesto de trabajo.

• **La vibración.** Las vibraciones pueden ser molestas (por ejemplo, intentar concentrarse al lado de un martillo neumático en funcionamiento), o la sensación de inseguridad de pasar por un sitio que se mueve o vibra (porque pasa el tren o el metro por debajo o cerca), de ello se han constatado los efectos desagradables y molestos de las vibraciones e implicaciones negativas para el bienestar psicológico de los trabajadores expuestos a ellas.

• **La iluminación.** Trabajar en espacios con una iluminación adecuada facilita el realizar trabajos que exijan esfuerzo visual, o mantenimiento de la atención, en el tiempo prescrito evitando fatiga y errores. Por ende, los diferentes aspectos asociados a la iluminación (luminosidad, brillo y contraste) son relevantes tanto para el rendimiento como para la salud y el bienestar psicológico. Una iluminación inadecuada en el trabajo tiene consecuencias negativas para la visión, dolores de cabeza, fatiga visual, tensión y frustración por resultar el trabajo más molesto y costoso.

• **La temperatura.** La temperatura es otro factor estresante, debido a su influencia sobre el bienestar y el confort de la persona. Un exceso de calor puede producir somnolencia, aumentando el esfuerzo para mantener la vigilancia, y afectando negativamente a los trabajos que requieren discriminaciones finas y decisiones críticas. Al mismo tiempo, en condiciones de baja temperatura disminuye la destreza manual, lo que puede ser causa de accidente y de una peor calidad del trabajo, obligando al trabajador a aumentar la atención ante la probabilidad del riesgo.

• **Los contaminantes.** La presencia de contaminantes es un aspecto cada vez más controlado desde el ámbito de la higiene por sus graves afecciones sobre la salud, tomándose cada vez más medidas preventivas para evitar la exposición de los trabajadores. Pero también se convierte en un estresor relevante al ser consciente el operador de con qué trabaja. La incomodidad que produce el manejo de productos peligrosos o la forma en que el uso de los elementos protectores inciden sobre el rendimiento, el riesgo de accidentes o la satisfacción laboral, deben ser también investigadas.

- **Disponibilidad de espacio físico para el trabajo.** La falta de espacio físico, el tamaño excesivo de los espacios de trabajo o la inadecuación de los mismos a las condiciones de trabajo y a las características de los trabajadores lo convierten en un importante estresor.
- **Disposición del espacio físico para el trabajo.** Determinados diseños del lugar de trabajo y/o disposiciones espaciales en el trabajo en la fábrica o en las oficinas (directa atención al público, sin visión de otros operadores, sin orientación externa, distancia de otros puestos o centros de la empresa, vulnerabilidad, accesibilidad, tamaño del espacio, proximidad física de personas y máquinas, cerramiento físico del puesto, zonas de trabajo abiertas, ventanas cercanas, accesos a entornos naturales, alta densidad social, disposición interior, acceso a servicios y ocio, etc.) producen más estrés que otras por los comportamientos de territorialidad, la influencia de variables emocionales, los inconvenientes que introducen en el desempeño del trabajo y los costes en movimientos, esfuerzo y pérdida de tiempo que representan. Reconoceremos que no es lo mismo trabajar en una oficina de cara a una pared, aunque esté llena de pósteres y con armarios a los dos lados, que trabajar de cara a los compañeros y con posibilidad de ver el exterior.

Por ello el diseño de los espacios de trabajo debería tenerse más en cuenta y no sólo como cuestión de racionalización de los procesos industriales o como imagen de la empresa, sino pensando que es un elemento no principal pero sí relevante de insatisfacción en el trabajo.

3.2.- Aspectos asociados a la organización del trabajo y de la empresa

Una Organización es una estructura formal de coordinación planeada entre dos o más personas para alcanzar una meta común. Se caracteriza por tener relaciones de autoridad y cierto grado de división del trabajo.

El factor organizacional tiene una presencia continua en el desarrollo del estrés, evidentemente no siempre actúa como un estresor negativo, pero sí que es cierto que las organizaciones tanto familiares, sociedades limitadas, anónimas, grupos de profesionales, empresas unifamiliares, cooperativas, etc., juegan una papel fundamental dada la relevancia que adquiere la actividad laboral desempeñada y el tiempo dedicado a la misma.

Como factores destacados asociados a la organización destacan:

• Cultura de la organización y gestión. Su estructura y estilo de mando.

• El conflicto.

• La ambigüedad de rol.

• La comunicación.

• Las relaciones interpersonales en el trabajo.

• Promoción y desarrollo de la carrera profesional.

• Formación.

• Participación de los trabajadores.

• La introducción de cambios en el lugar de trabajo.

• La inestabilidad en el empleo.

• El tiempo de trabajo.

• La información y comunicación.

3.2.1.- Estructura de la organización

Existen modelos de dirección que promueven claramente la presencia de factores de riesgo, como pueden ser tanto las direcciones pasivas como las autoritarias. En cambio, las direcciones más participativas y transparentes facilitan la gestión de las reacciones y estados de estrés.

Podemos señalar cinco tipos básicos de organización:

• **Estructura simple:** Caracterizada por una división del trabajo mínima, tareas poco especializadas, estructura jerárquica pobre centrada en el director, relaciones personales fáciles y satisfacción laboral. El director es la persona que toma las decisiones y el control, quien decide y formula las estrategias y los planes, ya que existen muy pocos niveles jerárquicos. La coordinación se basa en la supervisión directa de las tareas. La comunicación es básicamente de tipo informal y se da a todos los niveles. Este tipo de estructura tiene como ventajas el que las relaciones personales son fáciles, sin muchas jerarquías, con trabajos poco fraccionados, etc., lo cual redunda en una mayor satisfacción de los empleados. Como desventaja, señalar que en este tipo de organización suele darse un mando autocrático o paternalista. La toma de decisiones está muy centralizada con los consiguientes problemas que de ello se derivan. Excesivamente centralizadas y pueden pecar de paternalismo o autoritarismo.

• **Estructura burocrática de carácter mecánico:** Las tareas están bastante definidas pero suelen tener poco contenido, ya que se trata de tareas simples y repetitivas. La estructura de poder y de toma de decisiones está centralizada, realizando una supervisión directa sobre las tareas. Los canales de comunicación suelen ser formales. Casi todo está reglamentado y normalizado. La empresa está organizada en amplias unidades de trabajo, y la producción suele ser en serie. Las ventajas de este tipo de organización desde una perspectiva psicosocial son nulas, ya que este tipo de organización suele conllevar insatisfacción laboral derivada de las tareas rutinarias y de la falta de participación en cuanto a la toma de decisiones, como consecuencia del tipo de control y jerarquización existente. Pueden generar insatisfacción laboral y sobrecarga en los directivos por la cantidad de decisiones que se ven obligados a tomar.

- **Estructura burocrática profesional:** Este tipo de organizaciones está compuesto por un conjunto de profesionales que disponen de una serie de conocimientos, habilidades y técnicas especializadas, por lo tanto, son ellos mismos los que ejercen el control sobre su propio trabajo y los que toman las decisiones que les atañen. Las ventajas de este tipo de organización son la existencia de cierto nivel de participación y autonomía. En cuanto a las desventajas, habría que citar problemas de coordinación entre sus miembros, derivados de la autonomía y descentralización.

- **Estructura divisional:** Se trata de un conjunto de entidades integradas en una estructura central, cuyos rasgos característicos son: descentralización del poder para esas entidades; estandarización de resultados, que facilita el control de la eficacia; y el papel fundamental de los directivos de las entidades. Cada entidad puede tener una estructura distinta, pero lo más común es que sea la burocracia de carácter mecánico. A causa del control ejercido por la estructura central sobre las entidades (sobre los resultados y en la definición de los objetivos), los directivos de las mismas centralizan y formalizan la estructura de la entidad, por lo tanto, hay una descentralización del poder general hacia las entidades, pero nada más. Las consecuencias que pueden derivarse sobre la salud de quienes trabajan en ellas están en función del tipo de estructura de cada entidad y del grado de autonomía que el directivo de cada una de ellas otorga a sus subordinados.

- **Estructura "adhocrática":** Se caracteriza por ser una organización cuyos miembros son profesionales especialistas, agrupados en unidades flexibles y que se reorganizan en pequeños grupos en función de las demandas. La toma de decisiones está distribuida entre todos los niveles jerárquicos y en todas las áreas de especialización. Los directivos coordinan proyectos y unidades, y están a su vez implicados en algún proyecto. No hay divisiones claras, puesto que muchos proyectos requieren una participación multidisciplinar. En cuanto a las ventajas de este tipo de organización, podemos decir que son todas las derivadas de la flexibilidad de su trabajo: mayores posibilidades de desarrollo profesional, un grado elevado de autonomía, etc. Las desventajas tienen que ver con la ambigüedad en el diseño de la organización, en el perfil de los puestos, en el desarrollo personal y en las relaciones humanas. Estas últimas están muy mediatizadas por la fuerte competencia entre los miembros de la organización.

3.2.2.- Estilos de mando

Como factor importante debe tenerse el **estilo de mando imperante en la organización,** por la influencia ejercida por el mismo sobre las actitudes y los comportamientos de los trabajadores. Cada estilo de mando tienen sus ventajas e inconvenientes, lo que determinará su idoneidad será su coherencia con lo que los miembros de la organización esperan de él. Los más conocidos son:

- **Estilo autocrático.** Se basa en el principio de autoridad. Considera que la mayor eficacia se consigue procurando que los trabajadores interfieran lo menos posible en la toma de decisiones. El jefe autocrático no considera el clima emocional que le rodea. Sus métodos de actuación consisten en dar órdenes que deben ser obedecidas, imponer al grupo sus opiniones, no informar de los objetivos globales sino sólo dar consignas inmediatas y mantenerse alejado del grupo. Las consecuencias de este estilo de autoridad son una relativa calidad en la producción pero a costa de tensiones, competitividad entre los miembros del grupo así como una falta de motivación de aquellos que tienen una mínima responsabilidad dado que no encuentran sentido al trabajo que realizan.

- **Estilo paternalista.** Se basa en la suposición de que la empresa u organización se justifica si permite el desarrollo personal de los individuos que la componen. Por tanto prevalecen los intereses personales por encima de las demandas de la organización. El jefe paternalista intenta eliminar los conflictos y el malestar del ambiente a toda costa. Confía en su diplomacia personal y emplea métodos de control muy generales y suaves. Como en el caso anterior, tampoco deja vías de participación a los trabajadores.

- **Estilo "Dejar hacer".** Este estilo de mando parte de la base de que exigiendo un mínimo esfuerzo para llevar a cabo el trabajo, se logra una situación adecuada. El jefe que aplica este tipo de liderazgo se abstiene de guiar, no da ningún tipo de consigna, deja que el grupo siga sus propias inclinaciones. Incapaz de asumir cualquier tipo de autoridad o control, intenta a toda costa no enfrentarse a situaciones conflictivas. La consecuencia es que en el grupo suele haber una cierta agresividad latente, aunque sin tensiones manifiestas, debido a que la falta de directrices hace que no se consiga el objetivo de trabajo o que éste sea de baja calidad.

- **Estilo democrático.** En este estilo de mando se valora tanto la tarea como el individuo: se conseguirá un objetivo si este tiene sentido para los miembros de un grupo y si estos trabajan con un cierto grado de satisfacción. El jefe de grupo no cree que sea él quien tenga la solución óptima por lo que, antes de tomar una decisión, consultará con los miembros del grupo asegurando que entre todos se busque y encuentre la solución más adecuada. Su función, más que en el control, se centra en la coordinación de los miembros del grupo y en su participación como un miembro más. En los grupos en los que se practica este estilo de mando suelen conseguirse los objetivos perseguidos, en un clima de compañerismo y de crítica constructiva del trabajo. Se consigue también una mayor identificación con la tarea y por tanto una mayor satisfacción en el trabajo.

3.2.3.- El conflicto

La combinación de lo esperado, el trabajador y la realidad de lo que le exige la organización dan como resultado un conjunto de fuerzas que se denominan conflictos de rol.

Así aparecen dos tipos de conflictos:
- **Conflictos objetivos:** Surgen al recibir órdenes contradictorias.
- **Conflictos subjetivos:** Provienen del conflicto entre los requisitos formales del rol y los propios deseos, metas y valores del individuo.

3.2.4.- La ambigüedad de rol

El rol en una organización es un conjunto de expectativas de conducta asociadas con su puesto, un patrón de comportamiento que se espera de quien desempeñe cada puesto, con cierta independencia de la persona que sea.

La ambigüedad de rol se refiere a la situación que vive la persona cuando no tiene suficientes puntos de referencia para desempeñar su labor o bien éstos no son adecuados. En definitiva, dispone de una información inadecuada para el desempeño de sus funciones y responsabilidades, bien por ser incompleta, bien por ser interpretable de varias maneras, o bien por ser muy cambiante.

La persona con ambigüedad de rol vive en la incertidumbre, no sabe qué se espera de ella, es decir, no tiene configurado con claridad cuál es su papel en la empresa. Tal información debería tratar sobre el propósito u objetivos de su trabajo, su autoridad y sus responsabilidades o su estilo de relación y comunicación con los demás.

3.2.5.- Relaciones interpersonales en el trabajo

Son valoradas positivamente pero también pueden convertirse en un factor de estrés. Las malas relaciones con los compañeros, con los superiores, con los subordinados, o la falta de cohesión del grupo, las presiones y el mal clima de trabajo así como los escasos contactos sociales y el aislamiento en el puesto de trabajo, llevan a un incremento del estrés entre los miembros de la organización.

Por el contrario las buenas relaciones interpersonales, las posibilidades de comunicarse y el apoyo social son factores importantes para amortiguar los efectos negativos del estrés laboral sobre la salud y el bienestar psicológico en el trabajo.

3.2.6.- Promoción y desarrollo de la carrera profesional

El desequilibrio entre las aspiraciones del individuo sobre su carrera profesional y el nivel real de sus logros se puede convertir en fuente de preocupación, ansiedad y frustración.

3.2.7.- Formación

La formación concebida como los conocimientos básicos necesarios para poder cumplir la prestación laboral pactada, la formación continua recibida, la experiencia obtenida.

3.2.8.- Participación de los trabajadores

Hemos de tener en cuenta a la hora de analizar las condiciones de trabajo, que estas permitan y favorezcan la participación de los trabajadores en el control de la tarea que realizan. La participación tiene que darse tanto con los propios compañeros como con sus superiores (comunicación ascendente) y los subordinados (comunicación descendente), pero para que esto ocurra es necesario que existan los caminos y vías adecuadas y que además sepamos andar por ellos. Pero es igualmente necesario que el propio sistema de trabajo favorezca la participación. En la medida en que el propio trabajo requiera de la colaboración de varias personas será mucho más fácil que se dé la participación. Igualmente es importante que el personal aprenda a participar.

La continuidad de la participación depende en gran parte de que los distintos grupos implicados vayan consiguiendo sus objetivos o intereses. La dirección puede fijar el contenido de la participación, pero los trabajadores aprobarán esta política en la medida en que tenga sentido para ellos. Por su parte el mando favorecerá la participación siempre que esta sea positiva para el proceso productivo y para la organización en general.

La participación no surge por generación espontánea sino que es el resultado del desarrollo de la organización y del grado de madurez del grupo. En ciertas organizaciones la participación tiene pocas posibilidades porque no es útil para el proceso productivo. Es el caso de empresas de producción en serie o en cadena donde normalmente existe una gran división del trabajo, con normas preestablecidas y tareas muy definidas. En el otro extremo se hallan aquellas organizaciones cuya estructura está determinada por la participación, sobre todo en empresas con procesos de producción flexibles que permiten efectuar tareas de control en las distintas unidades de trabajo. Cada empresa debe tener un estilo de mando coherente con su organización que responda a lo que los miembros del grupo esperan de él.

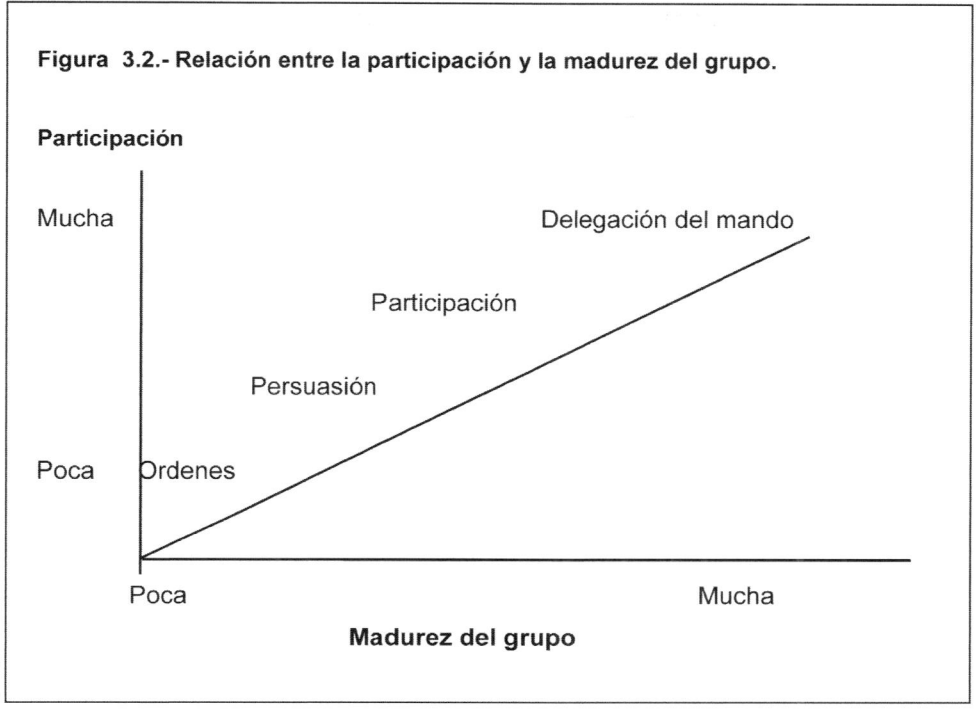

Figura 3.2.- Relación entre la participación y la madurez del grupo.

3.2.9.- Introducción de cambios en el lugar de trabajo

Las empresas constantemente introducen cambios en la forma y manera de producción. Cuando estos cambios no se preparan adecuadamente ni tecnológicamente ni psicológicamente y los trabajadores no reciben ni información ni formación anticipada y adecuada, se generan situaciones de estrés.

Sin duda al aplicar los cambios se deben estudiar y si es necesario aplicar medidas de apoyo hacia el trabajador.

3.2.10.- La inestabilidad en el empleo

Afecta a los trabajadores y a su bienestar ya que están dispuestos a aceptar un trabajo aunque las condiciones sean precarias. A las tensiones relacionadas con el trabajo se añade la incertidumbre, de cara al futuro, respecto a la seguridad en el empleo y al poder adquisitivo. En un plazo más inmediato se teme el cese del contrato, cambio de actividad, compañeros, mandos, los posibles traslados, fechas de vacaciones, etc. En estos últimos aspectos puede reducirse la incertidumbre a través de una buena comunicación que permita a los interesados conocer los posibles cambios con la suficiente antelación, de manera que les sea más fácil adaptarse a ellos.

3.2.11.- Tiempo de trabajo

La jornada de trabajo no tiene únicamente problemas en cuanto a su duración más o menos adecuada. En el mundo actual los horarios de entrada y salida del trabajo tradicionales hacen difícil compatibilizar el mundo laboral con el familiar. Son muchas las parejas en las que trabajan ambos cónyuges. Esto implica tener que realizar una serie de tareas domésticas antes de salir de casa, solucionar el transporte escolar de los hijos, etc., y ello complica la necesidad de disponer a lo largo de la semana de cierto tiempo libre.

Por otra parte, muchos trabajadores, sobre todo los jóvenes, deben simultanear su actividad profesional con su formación o con otras actividades que hoy se consideran socialmente normales para su desarrollo personal.

Es necesario por tanto un acuerdo entre las partes que satisfaga al mismo tiempo las necesidades de la empresa y las aspiraciones de los trabajadores, lo que está generando unas nuevas relaciones entre la empresa y sus trabajadores.

En resumen, la organización del tiempo de trabajo se está convirtiendo en una dimensión fundamental de la organización de la empresa. Igualmente la duración de la jornada (diaria, mensual, anual) estructura la vida de la gente, su descanso, su ocio, su participación social, repercute en su salud.

Veamos algunos factores:

* **Jornada de trabajo:** Una jornada excesiva produce desgaste físico y mental e impide al individuo hacer frente a las situaciones estresantes. El aumento de la jornada laboral significa restar tiempo a la vida social, familiar y al ocio y sobre todo al descanso.

* **Las pausas:** Permiten al trabajador recuperarse, es un medio de luchar contra la fatiga, está en relación con la duración de la jornada y al tipo de trabajo que se realiza. En las pausas se debe considerar el número a realizar, cuándo hay que hacerlas y la duración de las mismas.

* **El horario flexible:** Permite al trabajador organizar su tiempo de trabajo y adaptarlo a sus necesidades. Este sistema consiste en ofrecer diversos horarios de trabajo, pudiendo elegir el trabajador aquel que considere más conveniente.

3.2.12.- El trabajo nocturno. El trabajo a turnos

Los efectos negativos del horario de trabajo sobre la salud adquieren una dimensión especial cuando se trabaja de forma continuada de noche o en turnos rotativos. El trabajo a turnos exige mantener al organismo activo en momentos en que necesita descanso, y a la inversa. Además, los turnos colocan al trabajador y la trabajadora fuera de las pautas de la vida familiar y social. Todo ello provoca un triple desajuste entre el tiempo de trabajo, el tiempo biológico y el tiempo social.

En ambos casos las alteraciones del equilibrio biológico y social pueden dar lugar en los individuos afectados a problemas fisiológicos como insomnio, fatiga, trastornos digestivos y cardiovasculares, y a problemas psicológicos y sociales en su comportamiento y en su relación profesional y familiar tales como el aislamiento progresivo, irritabilidad, crisis conyugales, trastornos sexuales, etc.

Estos efectos negativos, sobre todo los de nivel fisiológico, suelen ser reconocidos, aunque es difícil evaluarlos de forma precisa de no ser por los indicadores clásicos de absentismo, índices de accidentalidad, etc.

Las alteraciones de la salud de las personas que trabajan en horarios nocturnos o en turnos rotativos están ligadas esencialmente a un **sueño deficiente**.

El sueño normal comprende fases de **sueño profundo** intercaladas con fases de **sueño paradójico**. Durante el sueño paradójico, que es cuando soñamos, descansamos mentalmente mientras que el sueño profundo nos descansa físicamente. Estas fases del sueño dependen de cuántas horas se duerme y qué horas se duerme, dándose la circunstancia de que el sueño paradójico se produce preferentemente entre la medianoche y las 8 de la mañana.

Junto con las perturbaciones del sueño, se constatan problemas a nivel de los ritmos biológicos. El ciclo vigilia–sueño de 24 horas o ciclo nictameral o circardiano regula el ritmo renal, el consumo de oxígeno... El trabajo a turnos altera estos ritmos, que vuelven rápidamente a la normalidad si se abandona este tipo de horario. Estas alteraciones biológicas pueden producir estrés en las personas afectadas.

Pero frente a esto, nos encontramos con el hecho de que muchos trabajadores optan por el trabajo a turnos porque les permite un mejor salario y les da oportunidad de tener un segundo empleo. También es habitual encontrarse con trabajadores que rehúsan un horario diurno o un horario rotativo, porque supondría cambiar unos hábitos que no desean abandonar.

3.2.13.- Información /comunicación

La comunicación es el resultado de un entendimiento mutuo entre comunicador y el receptor. El ser humano como ser social necesita comunicarse con los demás; por tanto, se ha establecido una relación entre el estrés laboral y la comunicación en el ámbito del trabajo.

El ser humano se diferencia de los animales por su capacidad de comprender la realidad que le rodea.

En todo proceso de comunicación existen los siguientes elementos:

- **Emisor**. Persona que transmite algo a los demás.
- **Mensaje**. Información que el emisor envía al receptor.
- **Canal**. Elemento físico que establece la conexión entre el emisor y el receptor.
- **Receptor**. Persona que recibe el mensaje a través del canal y lo interpreta.
- **Código**. Es un conjunto de **signos** sistematizado junto con unas **reglas** que permiten utilizarlos. El código permite al emisor elaborar el mensaje y al receptor interpretarlo. El emisor y el receptor deben utilizar el mismo código. La lengua es uno de los códigos más utilizados para establecer la comunicación entre los seres humanos.
- **Contexto**. Relación que se establece entre las palabras de un mensaje y que nos aclaran y facilitan la comprensión de lo que se quiere expresar.
- **Situación**. A veces hay situaciones **extralingüísticas** que nos ayudan a interpretar el mensaje.

El medio de trabajo permite mensajes útiles para la ejecución de las tareas, pero como cualquier otro medio social debe permitir que los individuos se interrelacionen entre sí.

Así pues podemos hablar de comunicación a un doble nivel:

- La que se establece para la realización correcta de la tarea.
- La que es posible durante el trabajo pero sin relación directa con el mismo.

Las posibilidades de comunicación dependerán:

- del tipo de trabajo,
- de la situación geográfica,
- del nivel de ruido,
- de lo alejados o cercanos que estén los puestos de trabajo,
- del grado de concentración requerida,
- de la posibilidad de hacer pausas, parar la máquina, de ser reemplazado,

- de si se dispone de un teléfono u otro sistema de comunicación en el puesto de trabajo,
- de la facilidad para hacer consultas y sugerencias,
- del grado de concentración de la tarea.

Dentro de la empresa la comunicación interpersonal es la más frecuente: órdenes directas, expresiones casuales, etc. En este tipo de comunicación se debe contar con la forma en que se recibe esta comunicación.

Las organizaciones deben propiciar la comunicación en tres canales diferentes:

- **Descendente:** Desde el jefe a los trabajadores. La ausencia de esta información puede causar estrés.
- **Ascendente:** De los empleados al jefe, es la que menos funciona.
- **Horizontal:** Es más satisfactoria para los trabajadores.

3.2.14.- Relaciones con los compañeros y los superiores

- **Relaciones con los compañeros.** Si las relaciones con los compañeros son malas éstas van a ser un estresor muy importante. Como consecuencia de esta mala relación su grupo de trabajo, sección, etc., no realizará su trabajo a pleno rendimiento.
- **Relaciones con los superiores.** Debe existir cordialidad entre trabajador y empresa, de forma que éste pueda exponer sus problemas del trabajo e incluso los extralaborales. Para ello los superiores deben intentar elevar la autoestima del trabajador e intentar evitar que se hunda en la problemática que plantea.

3.2.15.- Otros factores de la organización

Además de los aspectos de la organización que se han señalado, existen otros factores ligados a la organización que también han de tenerse en cuenta.

- **Productividad.** En la actualidad y debido a la gran competencia empresarial, el trabajador está sometido constantemente a estímulos externos para llegar a la productividad fijada o incluso mejorarla, y en cierta manera la maquinaria es la que impone el ritmo de trabajo, teniendo que acomodar la respuesta del individuo a este ritmo.
- **Salario.** Debe ser el suficiente para que un trabajador pueda vivir con comodidad y no estar pensando constantemente cómo conseguir unos mayores ingresos.

- **Horas extras.** Es la consecuencia de una falta de salario adecuado. Se realizan habitualmente para conseguir una mayor independencia económica y poder optar así a una mayor comodidad social.
- **Pluriempleo.** Conlleva un agotamiento tanto físico como psíquico que al final produce insatisfacción en su trabajo principal.
- **Estatus social.** El estatus se refiere a la consideración social. El trabajador se sentirá más o menos valorado según el prestigio que la tarea que se realiza tiene para los demás (compañeros, amigos, familia) y para uno mismo. Indicadores de estatus social podrían ser el salario, la ubicación del puesto de trabajo, el cargo dentro de la organización, etc.
- **La identificación con la tarea.** Se refiere a la imagen que el individuo tiene de su trabajo, según la valoración que dé a su tarea dentro del proceso productivo: es decir, de la importancia que su trabajo tiene dentro del contexto total en el que se desarrolla. Esta valoración depende de dos criterios: el lugar que ocupa el trabajador dentro del proceso y la importancia de la modificación efectuada por el trabajador. Si efectúa una modificación importante de una pieza o se lleva a cabo el ensamblaje o montaje de una parte del producto final, el trabajo mostrará un mayor interés para la persona que lo realiza.
- **La iniciativa.** Puede definirse como la posibilidad que tiene un individuo de organizar su trabajo. Se refiere a la posibilidad de que el trabajador pueda intervenir en la elección del método, la determinación del ritmo y el control del trabajo efectuado. La automatización y la producción masiva suelen dificultar el desarrollo de la iniciativa. Sin embargo, en muchas ocasiones cabe la posibilidad de intervenir en el orden de las operaciones a realizar e incluso en algunos casos es posible idear un nuevo procedimiento.

3.3.- Factores Personales. Influencia de la personalidad

Junto a la organización, el otro gran aspecto de análisis en materia de riesgos psicosociales es el trabajador, considerado individualmente y en sus relaciones sociolaborales. Los factores individuales son relevantes ya que aumentan la vulnerabilidad de la persona.

Entre los factores de personalidad que pueden influir en la capacidad para relacionarse con el entorno laboral están las habilidades sociales, concretamente la asertividad, que se puede definir como la aptitud para expresar opiniones y sentimientos, sean contrarios o no al interlocutor, en el momento oportuno, de la forma más adecuada y respetando los derechos del otro individuo.

3.3.1.- Personalidad del individuo

En la personalidad existen unas formas de comportamiento llamadas "patrones de conducta específicos". Existen dos tipos de conductas: A y B.

* **El patrón de la conducta TIPO A** se presenta en personas que necesitan constantemente conseguir logros cada vez más importantes. Necesitan sentir que poseen el control de todas las tareas en las que están presentes, son competitivos, agresivos, muy ambiciosos e irritables y están en alerta constante. No les gusta delegar responsabilidades y sienten gran preocupación por la puntualidad. Siempre quieren ser protagonistas. Son candidatos de padecer problemas cardiovasculares en una proporción seis veces mayor que en otras personas.

* **El patrón de conducta TIPO B** se presenta en personas que no son competitivas, poco ambiciosas, no agresivas, prefieren el trabajo en equipo, delegan responsabilidades, no les gusta vivir pendientes de horarios y disponen a menudo de su tiempo libre.

Otras clasificaciones de la personalidad son:

* **Cicloide o cíclica** (del griego *Kyklos* = círculo, y *eidos* = semejante). Se presenta en individuos que tienen grandes oscilaciones entre la exaltación y la depresión. Pasan de la alegría a la tristeza, de la actividad a la fatiga o del cariño al odio con gran facilidad.

* **Compulsiva.** La encontraremos en sujetos muy tenaces, críticos con su trabajo y su entorno, muy escrupulosos en el trabajo, llegando incluso a la obsesión. Podemos así mismo encontrar individuos que sabremos positivamente que van a padecer estrés:

   o Personas conflictivas: reaccionan con gran desadaptación ante cambios en funciones y herramientas.

   o Personas introvertidas: reaccionan intensamente ante cualquier problema.

   o Personas con ansiedad: estos individuos reaccionan internamente, no exteriorizando el problema.

   o Personas dependientes: ante la aparición de problemas para los que no están capacitados para resolver por sí mismos, éstos les causan gran estrés.

3.3.2.- Asertividad de la persona

En una situación de conflicto una persona asertiva es capaz de analizar el problema y proponer soluciones teniendo en cuenta los sentimientos y opiniones de los demás.

En efecto:

- **El trabajador pasivo** no defiende sus opiniones ni sus derechos, por lo que es vulnerable ante los compañeros y superiores. No sabe decir que no, con lo cual el conflicto a largo plazo se hace inevitable.

- **Por su parte, el trabajador agresivo** mantiene una conducta hostil, sus relaciones con los compañeros son difíciles, por lo que también en este caso es inevitable el conflicto. Ambos comportamientos perjudicarían seriamente la capacidad de gestión y negociación ante las dificultades, lo que disminuye las posibilidades de que los trabajadores se muestren comprometidos con su trabajo y con su empresa.

- **El trabajador asertivo,** ante el conflicto, facilita la comunicación y permite la consideración de mayor diversidad de soluciones, por lo que siempre es más constructivo y eficaz. Las personas asertivas son sinceras, honestas y comunicativas. Tienen confianza en sí mismas y, al mismo tiempo, fomentan la seguridad de quienes les rodean.

La asertividad puede ser una habilidad innata pero también es posible desarrollarla. Para ello, es habitual reproducir los estilos de comunicación que se han aprendido durante la infancia, a partir del comportamiento de las personas del propio entorno.

3.3.3.- Factores individuales

Las personas reaccionan de una forma diferente ante una misma situación laboral en función de sus vivencias, su capacidad de tolerancia o de adaptación, las cuales dependen en gran medida de factores individuales. Estas diferencias vienen marcadas por:

- **Personalidad.** Se refiere a la forma de ser de cada uno, a los rasgos que caracterizan a las personas; su historia personal, sus vivencias, sus comportamientos aprendidos que influyen sobre el modo en que el individuo actúa en situaciones cotidianas de la vida.

- **Percepción.** Proceso mental que utilizamos para organizar la información del entorno y que llegue a tener sentido. Está muy influenciada por la experiencia, la personalidad, la formación y explica las diferencias individuales que determinan cómo una persona percibe las condiciones de trabajo y los riesgos laborales.

- **Motivación:** Marca la pauta de la conducta del individuo cuando éste quiere lograr un objetivo: por ejemplo, si un trabajador presenta unas expectativas altas en cuanto a promocionar profesionalmente y en su empresa tiene posibilidades de hacerlo, realizará su tarea mejor y se encontrará más satisfecho con su trabajo. Por el contrario: Ausencia de incentivos = Desmotivación.

- **Edad:** A mayor edad se tienen más recursos para afrontar las situaciones estresantes del trabajo porque se tiene más experiencia. También las expectativas con la edad cambian y se priorizan otras cosas: "cambio de valores", etc.

- **Género:** La vulnerabilidad de la mujer a padecer en mayor medida los efectos de los riesgos psicosociales puede deberse más que a fenómenos fisiológicos a la situación social de la mujer: desigualdad y precariedad laboral, dificultades para acceder a puestos de responsabilidad y por tanto no poder alcanzar sus metas profesionales. Profesiones de asistencia a los demás, que presentan mayor vulnerabilidad al estrés. Por último, el fenómeno de la doble presencia: en casa y fuera de casa, lo que genera una sobrecarga de trabajo.

3.3.4.- Características de la tarea

Como se ha indicado, la evolución del trabajo industrial ha dado lugar a su transformación en tareas cortas y repetitivas y a una separación entre la realización del trabajo y su control. En la medida de lo posible el trabajo debería tener componentes de variedad, creatividad, iniciativa, que eviten la monotonía y favorezcan el crecimiento personal. Si el trabajo responde a estos criterios, la persona se considerará útil a la sociedad.

3.4.- Medidas preventivas ante los riesgos psicosociales

Una vez evaluados los riesgos hay que intervenir, desarrollar las medidas necesarias para su eliminación o control, mediante la planificación de la prevención. La intervención frente a los riesgos psicosociales implica introducir cambios en las estrategias de gestión de personal y producción para mejorar la organización del trabajo.

Las medidas preventivas deben tender de forma general a:

- Fomentar el apoyo entre los trabajadores y sus superiores en la realización de las tareas; por ejemplo, potenciando el trabajo en equipo y la comunicación efectiva. Ello puede reducir o eliminar la exposición al bajo apoyo social y bajo refuerzo.

- Incrementar las oportunidades para aplicar los conocimientos y habilidades y para el aprendizaje y el desarrollo de nuevas habilidades; por ejemplo, a través de la eliminación del trabajo estrictamente pautado. Ello puede reducir o eliminar la exposición a las bajas posibilidades de desarrollo.

- Promocionar la autonomía de los trabajadores y trabajadoras en la realización de las tareas, acercando tanto como sea posible la ejecución al diseño de las tareas y a la planificación de todas las dimensiones del trabajo, por ejemplo, potenciando la participación efectiva en la toma de decisiones relacionadas con los métodos de trabajo. Ello puede reducir o eliminar la exposición a la baja influencia.

- Garantizar el respeto y el trato justo a las personas, proporcionando salarios justos, de acuerdo con las tareas efectivamente realizadas y cualificación del puesto de trabajo; garantizando la equidad y la igualdad de oportunidades entre géneros y etnias. Ello puede reducir o eliminar la exposición a la baja estima.

- Fomentar la claridad y la transparencia organizativa, definiendo los puestos de trabajo, las tareas asignadas y el margen de autonomía. Ello puede reducir o eliminar la exposición a la baja claridad de rol.

- Garantizar la seguridad proporcionando estabilidad en el empleo y en todas las condiciones de trabajo (jornada, sueldo, etc.), evitando los cambios de éstas contra la voluntad del trabajador. Ello puede reducir o eliminar la exposición a la alta inseguridad.

- Proporcionar toda la información necesaria, adecuada y a tiempo para facilitar la realización de tareas y la adaptación a los cambios. Ello puede reducir o eliminar la exposición a la baja previsibilidad.

- Cambiar la cultura de mando y establecer procedimientos para gestionar personas de forma saludable. Ello puede reducir o eliminar la exposición a la baja calidad de liderazgo.

- Facilitar la compatibilidad de la vida familiar y laboral, por ejemplo, introduciendo medidas de flexibilidad horaria. Ello puede reducir o eliminar la exposición a la alta doble presencia.

- Adecuar la cantidad de trabajo al tiempo que dura la jornada a través de una buena planificación como base de la asignación de tareas, contando con la plantilla necesaria y con la mejora de los procesos productivos o de servicio, evitando una estructura salarial demasiado centrada en la parte variable, sobre todo cuando el salario base es bajo. Ello puede reducir o eliminar la exposición a las altas exigencias cuantitativas.

4.- Estrés en el trabajo

El estrés puede dinamizar la actividad del individuo provocando un aumento en la capacidad de los recursos en la tarea diaria, aumenta la atención, la memoria e incluso el rendimiento en el trabajo diario, es el denominado eustrés.

Sin embargo, cuando este proceso de activación es muy intenso o dura mucho tiempo, los recursos se agotan y llega el cansancio, así como la pérdida de rendimiento; por tanto, es necesario que exista un grado de activación acorde con la tarea a realizar. El problema aparece cuando esta activación supera la capacidad de la persona, en este momento la situación se vuelve en contra tanto de la persona como de la actividad que realiza.

4.1.- Introducción

El estrés es un mecanismo programado en los genes del hombre desde la prehistoria que permitía huir o luchar ante una amenaza.

Fisiológicamente, incrementa la producción de las dos hormonas necesarias para la actividad física, la adrenalina y el cortisol, elevando el ritmo cardiaco, la presión arterial y el metabolismo.

En algunos casos el estrés resulta beneficioso, ya que sirve de estímulo para afrontar nuevos retos. No obstante, a cierto nivel también puede provocar ansiedad y depresión, indigestión, palpitaciones y trastornos musculares.

El estrés es la respuesta psicofisiológica del individuo, ante determinados estímulos estresores.

Proviene de una situación ambiental o personal que influye sobre la persona planteándole demandas o exigencias que ésta no controla o no puede atender, representando esa falta de control una amenaza para la misma. Es decir, se produciría un desequilibrio entre las demandas del entorno y los recursos con que la persona cuenta para afrontarlas, percibiendo además que no atender esas demandas tiene consecuencias negativas para ella.

Actualmente se están generando una serie de condiciones que facilitan la manifestación de estrés en las personas. La especial organización de las comunidades y las crecientes demandas de los ambientes laborales pueden transformarse en estímulos estresantes desencadenantes de respuestas que pueden resultar nocivas para la salud humana.

Nuestro organismo se autorregula mediante procesos de retroalimentación, los cuales se ven seriamente desequilibrados cuando la exposición al estresor es prolongada en el tiempo. Debido a sus vivencias, las personas evalúan de manera diferente los estímulos estresores, los cuales pueden constituir, para algunos, alicientes o retos atractivos para su desarrollo mientras que, para otras personas, los mismos estímulos anteriores pueden ser percibidos como una amenaza importante e inhibitoria.

En el ámbito laboral parece necesario un nivel de tensión mínima para que el trabajador muestre al máximo sus capacidades, pero los desequilibrios de estos niveles pueden afectar drásticamente su rendimiento personal y los de la organización, junto con influir negativamente sobre su desarrollo personal, familiar y laboral.

Hoy en día se están generando factores nuevos o emergencias que pueden generar estrés laboral como la inseguridad laboral creciente (fin imprevisto del empleo y cambios de trabajo o empleo de 2 a 4 veces durante la vida laboral) lo que, por un lado, obstaculiza los proyectos de vida a largo plazo y por otro, genera dificultad para construir lealtades y compromisos con amigos y compañeros de trabajo, afectando el trabajo en equipo, la solidaridad y la confianza. Estas dificultades suponen una desarticulación entre el mundo personal, el familiar y el laboral, y la disminución de los significados, lo que implicaría una creciente pérdida de sentido o aumento de la percepción del absurdo, de la inquietud y de la incertidumbre, lo que se convierte en una variable más o menos permanente en los trabajadores.

4.2.- Definiciones

El estrés es el proceso que se inicia ante un conjunto de demandas ambientales que recibe el individuo, a las cuales debe dar una respuesta adecuada, poniendo en marcha sus recursos de afrontamiento.

Cuando la demanda del ambiente (laboral, social, etc.) es excesiva frente a los recursos de afrontamiento que se poseen, se van a desarrollar una serie de reacciones adaptativas, de movilización de recursos, que implican activación fisiológica. Esta reacción de estrés incluye una serie de reacciones emocionales negativas (desagradables), de las cuales las más importantes son: la ansiedad, la ira y la depresión.

Este estado no se genera de forma instantánea, sino que deriva de un proceso de exposición más o menos dilatado en el tiempo. Se caracteriza por altos niveles de excitación y angustia, con la frecuente sensación de no poder hacer frente a las demandas del trabajo.

4.3.- Modalidades del estrés

Los distintos tipos de estrés se asocian al criterio seguido para su ordenación y clasificación.

4.3.1.- Por su duración

Los tipos de estrés son:
• **Estrés agudo:** Surge ante una agresión violenta, ya sea física o emocional, limitada en el tiempo, donde se supera el umbral del sujeto, dando lugar a una respuesta intensa, rápida y probablemente violenta. Un ejemplo de este tipo de estrés puede presentarse cuando una persona es despedida o sufre una sanción.
• **Estrés crónico:** Aparece a lo largo de períodos prolongados de tiempo, de manera recurrente, continua, no necesariamente intensa, pero exigiendo una adaptación permanente. Surge por una exposición constante a factores estresantes externos o por prolongarse la respuesta al estrés. Es más frecuente en ambientes laborales inadecuados en situaciones de sobrecarga de trabajo o, al contrario, de ejecución extremadamente lenta y monótona, en formas de organización que alteran los ritmos biológicos de los trabajadores (trabajos nocturnos, actividad continuada…), para puestos de alta responsabilidad… También puede vincularse a condiciones de trabajo precarias en contextos de incertidumbre y/o faltas de expectativas de mejora.

4.3.2.- Con relación al efecto producido en la persona

En la sociedad en que vivimos es necesaria una cierta cantidad de estrés para estar alerta y ejercer nuestra profesión. El grado de estrés tiene que ser el suficiente para aumentar la satisfacción laboral, pero sin sobrepasarlo para no caer en la enfermedad.
Por ello se debe de distinguir entre eustrés y distrés:
• **Eustrés o estrés positivo**. Es la adecuada motivación necesaria para culminar con éxito una prueba o situación complicada. Genera un incremento del rendimiento y la salud. Es el generado ante un reto o un desafío, que genera

una sensación de logro y control. Por tanto es adaptativo, y estimulante, siendo necesario para el desarrollo de la vida en bienestar. Puede ser un elemento de ayuda, para afrontar nuevos desafíos. En la empresa puede convertirse en un factor para mejorar la productividad.

- **Distrés o estrés negativo.** Asociado a desajustes entre el trabajador y sus condiciones de trabajo provoca respuestas insuficientes o exageradas. Produce efectos negativos para el bienestar psicológico del trabajador y afecta al buen funcionamiento de la empresa. Es el generado por una sensación de fracaso ante un esfuerzo a realizar. Dañino y desmoralizante, produce sufrimiento y desgaste personal. Comienza cuando el estrés sigue aumentando en tanto la salud y el rendimiento disminuyen. Esta definición implica claramente una reacción del individuo ante una fuerza externa que le obliga a mantener un nivel de actividad muy superior al normal. De prolongarse puede llegar a consumir las energías que en un determinado momento creímos suficientes.

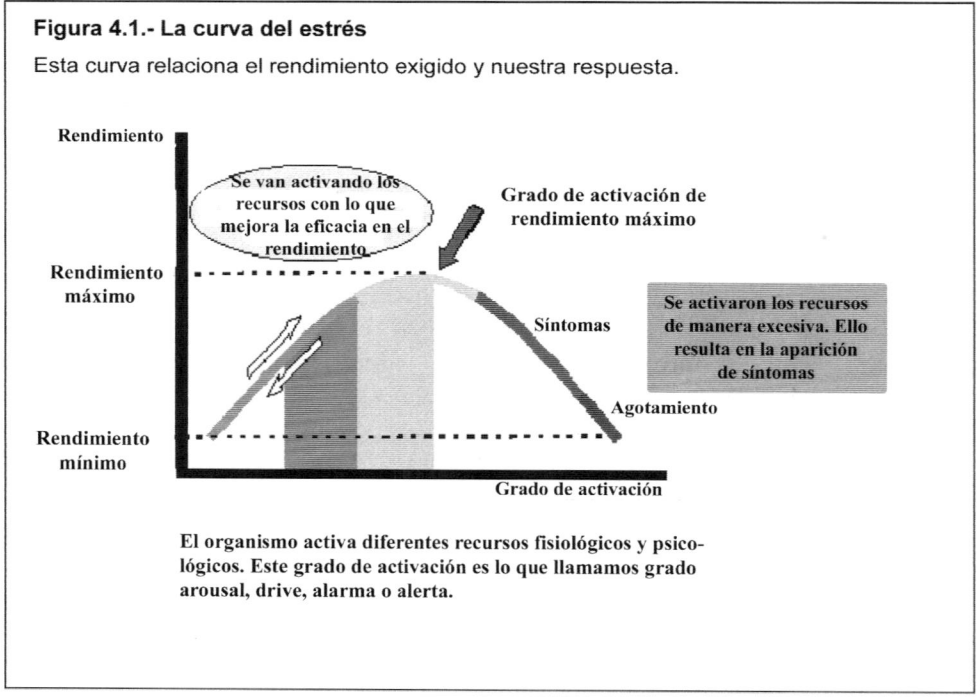

Figura 4.1.- La curva del estrés

Esta curva relaciona el rendimiento exigido y nuestra respuesta.

Por tanto, un poco de eustrés o estrés positivo es bueno. Hace que el cerebro se ponga en guardia, prepara el cuerpo para la acción defensiva, el sistema nervioso se despierta y las hormonas se liberan para avivar los sentidos, acelera el pulso, profundiza la respiración y tensa los músculos. Esta respuesta nos ayuda a defendernos contra situaciones amenazantes.

El problema surge:

- **Cuando no se satisfacen las necesidades reclamadas externamente.**
- **Cuando no se satisfacen demandas internas del trabajador.** Un ejemplo es el del trabajador que no es promocionado, y considera que dicha promoción no se ha dado por causas ajenas a su eficacia y eficiencia dentro de la empresa.

Si estas situaciones estresantes no se resuelven, el cuerpo se queda en un estado constante de activación, lo que aumenta la tasa del desgaste a los sistemas biológicos. Como resultado, disminuye la productividad y aumentan el riesgo de sufrir un accidente de trabajo o una enfermedad.

Además de las demandas externas, también existe un factor, que no suele considerarse en la mayoría de las organizaciones. Este factor hace referencia a las demandas internas del trabajador, es decir, el deseo de satisfacer ciertas necesidades para un desarrollo normal en todos los aspectos relacionados con la persona, a nivel físico, mental y emocional. Un ejemplo es el del trabajador que no es promocionado, y considera que dicha promoción no se ha dado por causas ajenas a su eficacia e eficencia dentro de la empresa.

Figura 4.2.- Relación entre trabajo y tipo de estrés.

Trabajo	Tipo de estrés
• Creativo • Autonomía • Científicos	+ Trabajo EUTRÉS
• Repetitivos • En cadena	+ Trabajo DISTRÉS
• Poca autonomía • Paro	Poco esfuerzo DISTRÉS
• Descanso • Psicofísico	No esfuerzo EUTRÉS

4.3.3.- Atendiendo al factor desencadenante principal

- **El síndrome de estrés postraumático:** Responde a un trastorno provocado en la persona por vivir un episodio especialmente dramático o intenso y súbito (decisiones empresariales, conductas agresivas, etc.).

- **El tecnoestrés:** Se asocia a los efectos provocados por los cambios acaecidos en el mercado de trabajo y en las organizaciones por el uso de nuevas tecnologías. Se puede revelar como una fuente de efectos negativos, al afectar al contenido y al ambiente de trabajo.

- **Estrés por razón de género:** Surge ante situaciones de desigualdad derivadas del factor sexo y/o género; así como a las mayores cargas que supone para la trabajadora asalariada el desempeñar mayoritariamente el trabajo familiar.

Figura 4.3.- Desequilibrio que genera el estrés

4.4.- Causas que pueden generar estrés

Pueden generar situaciones equivalentes al estrés otras situaciones. Entre ellas tenemos:

- El *Bournout* o **"síndrome de estar quemado por el trabajo":** Se considera como una posible respuesta al impacto acumulativo del estrés laboral crónico, pudiendo culminar en un desgaste profesional, pero no siempre se alcanza este resultado. En la cuarta unidad se analizará el *Bournout* con mayor profundidad.

- **La insatisfacción laboral:** Relacionada con al grado de bienestar que experimenta el trabajador a consecuencia de su trabajo.

- **Cansancio psíquico y/o fatiga profesional:** El trabajador considera que sus expectativas y aspiraciones no pueden ser satisfechas, con la convicción de que nunca se cumplirán sus deseos.

- **Ansiedad.** Se trata de un efecto psicológico que siempre acompaña a los estados de estrés, pero no constituyen su causa. Asimismo, incluso desaparecido el factor que desencadena el estrés la ansiedad es posible que se mantenga como secuela. La ansiedad es un síntoma de un estado de estrés.

4.5.- Fases del estrés

El estrés no aparece de manera repentina, se considera que existen tres fases.

• **Fase de alarma:** en el momento de enfrentarnos a una situación difícil o nueva, nuestro cerebro analiza los nuevos elementos, los compara recurriendo a la memoria de coyunturas similares y si entiende que no disponemos de energía para responder, envía órdenes para que el organismo libere adrenalina. El cuerpo se prepara para responder, aumentando la frecuencia cardiaca, la tensión arterial, tensando los músculos, lo cual es una reacción biológica que nos prepara a responder.

• **Fase de resistencia,** en la cual el individuo se mantiene activo mientras dura la estimulación y aunque aparecen los primeros síntomas de cansancio, se sigue respondiendo bien. Cuando la situación estresante cesa, el organismo vuelve a la normalidad.

• **Fase de agotamiento**, en la que si la activación, los estímulos y demandas no disminuyen, el nivel de resistencia termina por agotarse, generando problemas físicos y psíquicos.

4.6.- Evaluación de Factores Presentes en el Estrés Laboral

Se define el estrés como una reacción de la persona tanto en el ámbito fisiológico como psicológico, ante un estímulo configurado por la interacción de factores individuales, ambientales y sociales, y que conlleva un proceso de adaptación o desequilibrio del organismo.

A partir de esta definición, este estudio constituye una evaluación del estrés en la empresa, mediante la medición de cinco variables:
• Estrés Percibido
• Percepción de Apoyo Social Familiar
• Percepción de Apoyo Social de las Amistades
• Nivel de Sintomatología
• Nivel de Estrés generado por la Preocupación u Ocurrencia de Sucesos de Vida

Veámoslos.

• **Estrés Percibido.** Se refiere a la calidad del cambio, es decir, cómo percibe el sujeto el cambio en su vida o el modo como el trabajador percibe y organiza la información, el significado que le otorga éste al evento estresante y cómo, además, enfrenta la situación, si se ve sobrepasado o no por ésta y si se siente capaz de enfrentarla. Puede ser medido en función de eventos estresores objetivos como procesos de enfrentamiento, factores de personalidad u otras variables.

- **Apoyo social familiar y apoyo social de las amistades.** Las personas participan en una gran gama de interacciones sociales, que marcan su desarrollo psicológico; biológico y social. Sin embargo, estos contextos sociales definidos no necesariamente resultan ser generadores de bienestar puesto que existen ocasiones en las cuales tienden a generar malestar, crisis y conflictos que deterioran la calidad de vida en un sentido amplio. Las condiciones en las cuales se desarrolla el trabajo actualmente parecen no favorecer interacciones sociales prolongadas, capaces de generar este tipo de apoyo. Sin duda es muy útil la posibilidad de disponer de programas de intervención adecuados, para reforzar el apoyo social cuando no es posible reducir la exposición a eventos estresantes en el trabajo.

- **Apoyo Social Percibido.** Mientras la percepción de apoyo depende de la disponibilidad de estructuras de soporte en el ambiente, el soporte percibido y el soporte proporcionado por la red no son idénticos. En general se establece la distinción entre soporte de las amistades y soporte familiar, dado que se benefician del mismo por vías diferentes. Las relaciones de las amistades son frecuentemente de más corta duración que las relaciones familiares, y los factores de incidencia tienen que ver con situaciones de diferente naturaleza.

- **Nivel de Sintomatología.** La presentación de sintomatología constituye la primera reacción del trabajador como resultado del mecanismo de estrés, por lo que suele interpretarse como una señal clave que la persona presenta dificultades al enfrentarse a situaciones estresantes.

- **Sucesos y Preocupaciones de Vida.** Este tipo de factores se refiere a hechos de la vida cotidiana de un trabajador, quien se ve generalmente afectado por una serie de situaciones que de un modo positivo o negativo debe asumir: mueren familiares y amigos, problemas con los hijos, se pierde el empleo, se sufre un accidente laboral... Estamos ante experiencias objetivas que amenazan o rompen la actividad normal de un sujeto, provocando un reajuste o cambio significativo de su conducta, lo cual se encuentra íntimamente relacionado con otro aspecto, la diferencia de los grados de valoración e importancia entre los sucesos y preocupaciones de vida. Un ambiente laboral alterado y un trabajador mal adaptado suelen implicar un aumento del riesgo de accidentes en el trabajo y descenso de la productividad.

Observar el estrés como un fenómeno dinámico sin duda enriquece el análisis, dado que muestra los esfuerzos adaptativos del organismo por recuperar el equilibrio interrumpido o alterado. Además, permite incorporar el concepto de afrontamiento, esto es, el papel que cabe al trabajador dentro de la situación, teniendo presente los recursos necesarios para el afrontamiento, su costo, el cual puede incluir la enfermedad y el agotamiento y, por el contrario, sus beneficios, como la percepción del aumento de la propia competencia y el gozo por el triunfo frente a la adversidad.

Figura 4.4.- Síntesis de categoría de estresores

Factores Psicosociales	• Acontecimientos o Cambios Vitales, Generados en la propia esfera del trabajador o bien en su círculo cercano, • Eventos Socio-Culturales Eventos dentro del rango social, pero de un ámbito más amplio que implican un cambio cultural,
Factores Biológicos	• Procesos o necesidades de carácter fisiológico u orgánico.
Factores Físicos, Químicos y ambientales	• Aborda los estímulos dentro de los tres ámbitos mencionados. Estos elementos se encuentran muy relacionados con los factores biológicos, ya que en general, constituyen estímulos que desencadenan procesos fisiológicos.
Factores Psicológicos	• Esta categoría posee una característica específica, implica una valoración personal del fenómenos y de acuerdo con esta valoración cualquier estímulo puede transformarse en un estresor,
Factores Laborales	• Cualquier elemento o hecho relacionado con el trabajo puede resultar para alguien en determinado momento, productor de estrés.

4.7.- Consecuencias del estrés

4.7.1.- Consecuencias sobre la persona

Como ya se comentaba anteriormente, en la génesis del estrés interactúan las características del individuo con las circunstancias ambientales. Por ello, se debe tener en cuenta previamente que los factores humanos varían en función de la edad, las necesidades y expectativas y los estados de salud y fatiga.

Los efectos del estrés en la salud del trabajador dependen de diferentes factores o aspectos, como son:
• Percepción que el trabajador tenga del estresor.
• Capacidad que tenga el trabajador para controlar la situación.
• Preparación del trabajador para poder enfrentarse a los problemas.
• Influencia de los patrones de conducta, individuales y sociales.
• Tiempo que se tarde en reaccionar, bien porque no se reconozca la sintomatología (carencia de información), bien por temor a evidenciarla,

tanto por razones personales (miedos a mostrar debilidad ante los demás), como laborales (temor a sufrir consecuencias negativas).

Los síntomas físicos y psicológicos que los especialistas asocian a posibles señales de alerta son: dolores musculares y de cabeza, comerse las uñas, agotamiento e irritabilidad, cambios en el sueño, en la alimentación, en la vida sexual y en el estado de ánimo.

Las principales manifestaciones del estrés pueden ser clasificadas en tres niveles según su importancia de menor a mayor grado:

Nivel de importancia	Manifestaciones
Leve	• Irritabilidad y ansiedad. • Insomnio. • Posibles problemas de concentración, en ocasiones.
Moderado	• Aumento de las horas de absentismo al trabajo. • Sentir fatiga sin razón. • Indiferencia e indecisión. • Aumento en el consumo de alcohol, tabaco...
Severo	• Depresión. • Problemas de salud (cardiovasculares, digestivas...) • Aislamiento social y presencia de pensamientos autodestructivos.

La respuesta del organismo es diferente según se esté en una fase de alarma (donde hay una activación general del organismo y en la que las alteraciones que se producen son fácilmente remisibles, si se suprime o mejora la causa) o en una fase de agotamiento donde un estrés prolongado hace que los síntomas se conviertan en permanentes y desencadenen la enfermedad.

- **A nivel del sistema de respuesta fisiológica:** taquicardia, aumento de la tensión arterial y muscular, sudoración, alteraciones del ritmo respiratorio, sensación de nudo en la garganta, dilatación de pupilas, aumento de la glucemia en sangre, aumento del metabolismo basal, aumento del colesterol, inhibición del sistema inmunológico...

- **A nivel del sistema cognitivo:** sensación de preocupación, indecisión, mal humor, bajo nivel de concentración, desorientación, hipersensibilidad a la crítica, sentimientos de falta de control...

- **A nivel del sistema motor o conductual:** hablar rápido, temblores, tartamudeo, voz entrecortada, imprecisión, explosiones emocionales, consumo de drogas legales como tabaco y alcohol, exceso de apetito, falta de apetito, conductas impulsivas, risas nerviosas, bostezos...

- Entre las muchas enfermedades o alteraciones que el estrés prologado produce son las siguientes:
- **Trastornos Cardiovasculares:** Hipertensión Arterial, Enfermedad Coronaria, Taquicardia, Arritmias cardíacas episódicas, Cefaleas.
- **Trastornos Respiratorios:** Asma Bronquial, Síndrome de Hiperventilación, Alteraciones Respiratorias, Alergias.
- **Trastornos Gastrointestinales:** Ulcera péptica, Dispepsia funcional, Síndrome de colon irritable, Colitis Ulcerosa.
- **Trastornos Musculares:** Tics, Temblores y contracturas, Alteración de reflejos musculares, Lumbalgias, Cefaleas tensionales.
- **Trastornos Dermatológicos:** Prurito, Eccema, Acné, Psoriasis.
- **Trastornos Sexuales:** Impotencia, Eyaculación Precoz, Coito Doloroso, Vaginismo, Disminución del deseo.
- **Trastornos Endocrinos:** Hipertiroidismo, Hipotiroidismo, Síndrome de Cushing.
- **Trastornos Inmunológicos:** Inhibición del sistema inmunológico.

4.7.2.- Consecuencias familiares

Cuando el trabajador es absorbido por el trabajo no puede llegar a relajarse y transmite su tensión a la familia. Existe siempre un empobrecimiento de las relaciones apareciendo serios problemas de convivencia y de agresividad.

- **Relaciones conyugales.** Toda convivencia provoca siempre problemas más o menos importantes. Cuando trabajan los dos miembros de la pareja los problemas son más frecuentes: distintos horarios laborales, tareas domésticas, cuidado de los hijos, administración de la economía doméstica, etc.
- **Relaciones con los hijos.** Muchas veces por el tiempo que se invierte en el trabajo se descuidan las relaciones con los hijos. Al terminar la jornada laboral y llegar cansados no se dedica el tiempo suficiente en hablar, jugar y escuchar los problemas que pueden afectar a nuestros hijos; esto trae como consecuencia que la relación se "enfríe" disminuyendo el diálogo de los hijos con los padres.
- **Educación de los hijos.** Todos los padres quieren que sus hijos tengan el mejor futuro laboral. Esto conlleva ocasionar una ansiedad y una competitividad excesiva. La tensión a la que se somete a los hijos se traduce en ocasiones en enfrentamientos y discusiones con los padres.
- **Convivencia con los ancianos.** Si el trabajador tiene que convivir con una persona mayor su núcleo familiar pierde intimidad, lo que le impide

realizar muchas de las cosas que querría hacer para poderse relajar después de su trabajo.

- **Cuidado de familiares enfermos.** El ritmo de vida que marca el cuidado de una persona enferma resulta en ocasiones agotador. En estos casos se añade un nuevo trabajo, la asistencia y cuidado del enfermo, dejando en un segundo plano a "su familia", lo que le produce gran tensión y muchas veces termina enfermando el cuidador.

- **Convivencia con personas paradas.** En muchas familias existen personas que han perdido su empleo. El convivir con estas puede llegar a ser insoportable ya que la problemática que conlleva el paro "flota" en el ambiente familiar, produciendo un malestar generalizado en todos sus miembros. Este ambiente no deja relajarse al trabajador, ya que este problema persiste durante su jornada laboral e incluso en los momentos que tendrían que ser de ocio.

4.7.3.- Consecuencias para la empresa

Las consecuencias para una empresa en la que sus trabajadores están sometidos a distrés pueden ocasionar graves pérdidas económicas así como gran deterioro interpersonal. Recordemos que el nivel de estrés de una empresa sería la suma del estrés de sus trabajadores

Este estrés se traduce en:

- **Disminución de productividad.** El trabajador sometido a estrés no se siente parte integrante de la empresa, realiza lo mínimo imprescindible y siempre dentro de su jornada laboral, sin motivarse y preocuparse por aumentar la productividad.

- **Aumento del absentismo.** El absentismo es ilegal si no está justificada la ausencia, por eso el trabajador recurre a la enfermedad para justificar su ausencia, aumentando de esta manera las bajas laborales por enfermedades banales, luchando de esta manera contra los estresores que encuentra en su trabajo. El absentismo es una defensa más o menos pensada ante la insatisfacción. Cuando en una empresa aumenta el absentismo es indicador de que algo está ocurriendo entre el trabajador y su entorno.

- **Peticiones de cambio de trabajo.** Esta solicitud se hace con la intención de evitar las agresiones que sufre, o que piensa que sufre, en su puesto de trabajo. Se busca también la variedad de tareas, mejor ritmo de trabajo, mejores horarios, más autonomía.

- **Aumento accidentalidad** además de la falta de seguridad de las máquinas, material de protección inadecuado, existen otras condiciones que pueden aumentar la siniestralidad como:

- o ritmo de trabajo inadecuado.
- o mala promoción interna.
- o falta de comunicación.
- o aislamiento.

- **Falta de compañerismo.** Todavía existen modelos de empresa cuyo lema es «divide y vencerás» provocando que existan grandes diferencias entre trabajadores de similar categoría, promocionan a unos y en contrapartida decepcionan a otros creando roces entre los compañeros.

- **Falta de orden y limpieza.** La falta de tiempo por el ritmo de productividad afecta directamente al orden y a la limpieza, ésta se deja para más adelante, cuando se tenga tiempo. Esto evidentemente afecta a la productividad, a la accidentalidad, etc.

- **Aumento de quejas de clientes,** con el deterioro que se produce dentro de la empresa se empiezan a recibir quejas de los clientes, principalmente por la disminución en la calidad. Estas quejas externas son un buen termómetro para medir la insatisfacción de las distintas secciones.

- **Aumento de consumo de drogas.** Todo trabajador con aumento de tensión aumenta el consumo de drogas, tabaco, alcohol, tranquilizantes, etc., que antes consumía pensando que le eran relajantes.

- **Mayor necesidad de supervisión,** por la falta de organización en el trabajo aparece un mayor control de los trabajadores para que el trabajo se realice de forma preestablecida. Con esto se consigue desmotivación del trabajador porque se siente vigilado constantemente.

- **Aumento de quejas al servicio médico.** Entronca con el aumento de absentismo laboral, el médico de empresa recibe muchas más consultas de cuadros leves pero que requieren tratamiento, como gastritis, cefaleas, dolores musculares...

También se produce un deterioro del ámbito laboral, influyendo negativamente tanto en las relaciones interpersonales, como en el rendimiento y la calidad del trabajo. Al generarse enfermedades asociadas al estrés, estas generan absentismo laboral, bajas e incluso incapacitaciones.

5.- Causas que pueden generar situaciones de estrés

5.1.- Estrés laboral u ocupacional

El estrés en el trabajo se puede definir como las reacciones físicas y emocionales negativas que se generan cuando las exigencias del trabajo no igualan las capacidades, los recursos o las necesidades del trabajador.

Las causas principales de estrés surgen, según la Agencia Europea para la Seguridad y la Salud en el Trabajo, de un desajuste entre los trabajadores y sus condiciones de trabajo, el contenido del mismo o la manera en que está estructurada la organización destacando los factores siguientes:

- Exceso y falta de trabajo.
- Ausencia de una descripción clara del trabajo o de la cadena de mando.
- Falta de reconocimiento o recompensa por un buen rendimiento laboral.
- No tener oportunidad de exponer las quejas.
- Responsabilidades múltiples, pero poca autoridad o capacidad de tomar decisiones.
- Falta de control o de satisfacción del trabajador por el producto terminado fruto de su trabajo.
- Superiores, colegas o subordinados que no cooperan ni apoyan.
- Inseguridad en el empleo, poca estabilidad de la posición.
- Verse expuesto a prejuicios en función de la edad, el sexo, la raza, el origen étnico o la religión.
- Exposición a la violencia, a amenazas o a intimidaciones.
- Condiciones de trabajo físico desagradables o peligrosas.
- No tener oportunidad de servirse eficazmente del talento o las capacidades personales.
- Posibilidad de que un pequeño error tenga consecuencias serias o incluso desastrosas.

Por tanto, el estrés laboral es un desequilibrio entre la demanda y la capacidad de respuesta (del individuo), siempre que este fracaso tenga importantes consecuencias para la persona.

5.1.1.- Causas que generan estrés

Entre las **causas** que generan estrés tenemos:
- **Relacionadas con el contexto del trabajo**
  - **La cultura organizativa y la función encomendada.** Poca comunicación, bajos niveles de apoyo para la resolución de problemas y desarrollo personal, falta de definición de objetivos organizativos.
  - **El papel desempeñado en la organización.** Ambigüedad y conflicto del papel desempeñado, responsabilidad sobre personas.
  - **Desarrollo de la carrera profesional.** Estancamiento de la carrera e incertidumbre, con una promoción inferior o superior a la correspondiente, bajo salario, inseguridad del empleo, baja valoración social del trabajo.
  - **Libertad de decisión/control.** Poca participación en la toma de decisiones, falta de control sobre el trabajo.
  - **Relaciones interpersonales en el trabajo.** Aislamiento social o físico, poca relación con los superiores, conflictos interpersonales, falta de apoyo social.
  - **Relación hogar-trabajo.** Conflictos entre el trabajo y el hogar, poco apoyo en el hogar, problemas derivados de una doble carrera.
- **Relacionadas con el contenido del trabajo**
  - **Entorno del trabajo y equipo de trabajo.** Problemas relacionados con la fiabilidad, disponibilidad, idoneidad y mantenimiento o reparación tanto del equipo como de las instalaciones.
  - **Diseño de tareas.** Falta de variedad o ciclos de trabajo cortos, trabajo fragmentado o carente de significado, infrautilización de las cualificaciones, elevada incertidumbre.
  - **Carga de trabajo/ritmo de trabajo.** Sobrecarga o infracarga de trabajo, falta de control con respecto al ritmo, elevados niveles de presión de tiempo.
  - **Programa de trabajo.** Trabajo por turnos, programas de trabajo rígidos, horarios imprevisibles, largas jornadas de trabajo o a horas fuera de lo normal.

5.1.2.- El nivel de estrés en la empresa

El nivel de estrés de una empresa no es más que la suma total de los niveles de estrés de todos sus empleados. El entusiasmo, la alta productividad y creatividad, la innovación, un bajo absentismo y rotación son características de empresas dinámicas que funcionan con un alto grado de motivación, generando un estrés positivo.

Entre los signos que indican la existencia de estrés en las empresas aparecerían:

- Disminución de la calidad en el producto o servicio ofrecido.
- Falta de cooperación entre compañeros.
- Aumento en las peticiones de cambio de puesto de trabajo.
- Rotación del personal.
- Necesidad de una mayor supervisión del personal.
- Empeoramiento de las relaciones humanas.
- Aumento del absentismo.

5.1.3.- Prevención del estrés en el trabajador

Hay que tener en cuenta una serie de condicionantes que afectan al trabajador:

- **Horarios.** Adecuar horarios que repercutan lo mínimo en las labores externas al trabajo. Los horarios rotatorios es conveniente que se puedan predecir con tiempo suficiente y que sean estables.
- **Participación.** Es conveniente dejar que los trabajadores expliquen sus problemas laborales y que aporten ideas para su solución.
- **Carga de trabajo.** El desarrollo de un trabajo debe ser compatible con el trabajador y permitir una buena recuperación después de trabajos físicos o mentales muy exigentes.
- **Responsabilidades.** Dentro del desempeño del trabajo y especialmente en algunos puestos de mando, es muy importante saber cuáles son las responsabilidades de ese puesto, sus limitaciones, sus competencias, etc. No tener clara esta situación conlleva una falta de motivación, estar en tierra de nadie, y todo esto crea estrés.
- **Inestabilidad laboral.** Saber de forma clara la relación laboral con la empresa. Tipo de contrato, posibilidad de renovación, de ascenso, etc.
- **Reconocimientos psicomédicos** en personas que ocupan puestos de gran responsabilidad.
- **Reposo.** Suficientes horas de descanso seguidas. Evitar dormir poco o intentar compensarlo con siestas. La mayor problemática se da en los trabajos a turnos, ya que las horas de sueño y la calidad del mismo disminuyen; son convenientes técnicas de relajación para aprender a controlar las tensiones.
- **Ocio.** Muy necesario para huir de la problemática laboral. Estar ocupado en algo que nos entretiene y nos hace olvidar los problemas. El ocio nos ayuda a eliminar el estrés acumulado, buscar nuevos *hobbies* que permitan desconectar con el trabajo.

- **Planificación** anotando la organización de nuestros compromisos personales y laborales. No hay que fiarse de la memoria.
- **Delegar funciones** afianzando así la confianza y el trabajo en equipo.
- **Prioridades.** Saber qué trabajo tiene prioridad. Si no lo sabemos nos arriesgamos a realizar varios a la vez y que salgan mal.
- **Drogas.** Evitar las drogas sociales ya que su consumo va a causar más tensiones. Existe una relación directa entre el tabaco y el estrés ya que actúa como excitante, disminuye el sentido del olfato y el gusto, la memoria y el estado de vigilancia. También potencia la posibilidad de intoxicación por exposición a polvos, a plomo, mercurio, benceno, etc. En cuanto al alcohol también es una droga altamente estresante, repercute en la familia, trabajo y está relacionado en un alto porcentaje de ocasiones con accidentes de trabajo, especialmente los que acontecen "in itinere".
- **Dieta.** Tiene que ser equilibrada, siempre de acuerdo con el trabajo que tenemos que hacer. Nunca deben faltar azúcares, verduras, legumbres, frutas, carnes, etc.
- **Ejercicio físico.** Es un gran aliado para la prevención del estrés ya que mejora el sueño, normaliza la tensión arterial, estimula la circulación y mejora el rendimiento físico y psíquico. Es aconsejable que los deportes estén en concordancia con la edad y el estado de salud del trabajador.

5.1.4.- Prevención del estrés a nivel de empresa

Es muy importante tener en cuenta un buen diseño de los puestos de trabajo y la selección de los trabajadores para los mismos:
- Contratar personal con experiencia o formar adecuadamente al trabajador.
- Evitar los trabajos repetitivos.
- Rotación en los trabajos repetitivos.
- Promoción personal.
- Mejorar la higiene y seguridad informando al trabajador.
- Informar sobre el estado de la empresa.

5.2.- El *burnout*

El síndrome de estar quemado o *Burnout* se define como una sensación de fracaso y una experiencia agotadora que resulta de una sobrecarga por exigencias de energía, recursos personales o fuerza espiritual del trabajador.

Genera un estado de agotamiento integral (físico, mental y emocional), y se desarrolla a lo largo de un periodo de tiempo largo.

Es un tipo de estrés prolongado, de desgaste profesional, que aparece cuando el trabajador no puede ver cumplidas sus expectativas en relación con su trabajo, cuando ha perdido el control de la situación o no puede llevar a cabo sus ideas sobre el modo de realizar su tarea al no colaborar con él las demás personas de su entorno.

Su aparición puede deberse a multitud de causas. Entre ellas podemos citar el propio estrés laboral, que es el origen malas relaciones en el trabajo, poco apoyo social, carga de trabajo, problemas familiares, falta de motivación o trabajos con una alta demanda de participación emocional por parte del trabajador para con el usuario, que de forma continuada pueden desembocar en el síndrome del *burnout*.

A diferencia del estrés, el *burnout* no es una situación transitoria, sino un trastorno crónico con sintomatología que se produce en los trabajos que exigen una entrega y trato personal.

A diferencia de la depresión, el *burnout* surge a consecuencia de unas relaciones interpersonales y de organización negativas, y éstas son su causa, mientras que la depresión tiene consecuencias negativas sobre las relaciones interpersonales, pero no necesariamente está causada por éstas.

Se produce una actitud fría y despersonalizada en la relación hacia los demás, sentimiento de insatisfacción personal, depresión y somatizaciones, agotamiento físico...

Se suele dar:

• En trabajos sociales que implican el trato con personas e importantes exigencias emocionales en la relación interpersonal (personal sanitario, docentes, policías, guardia civiles, atletas, etc.).

• En personas altamente calificadas y comprometidas, en las que los intereses profesionales predominan sobre los intereses personales. El trabajo es lo más importante en la vida de los afectados. Ante fracasos profesionales reaccionan sensiblemente y trabajan más.

• En personas que no descansan, lo cual se da cuando el trabajo supera las ocho horas, y la persona no se da tiempo a diario de realizar actividades diferentes al propio trabajo.

5.2.1.- Principales causantes del síndrome

Los dos factores influyen de forma decisiva en la aparición del síndrome son:

• **Las características del puesto de trabajo.** La mayor causa es un ambiente de trabajo tenso. Ocurre cuando el modelo laboral es muy autoritario y no hay oportunidad de intervenir en las decisiones. La atmósfera se tensa y comienza la hostilidad entre el grupo de trabajadores. El sentimiento de grupo es fundamental para evitar el síndrome.

• **Personalidad del trabajador.** Las personas más vulnerables son las que tienen un alto grado de autoexigencia con baja tolerancia al fracaso, buscan la perfección absoluta, necesitan controlarlo todo en todo momento, desarrollan el sentimiento de indispensabilidad laboral y son muy ambiciosos.

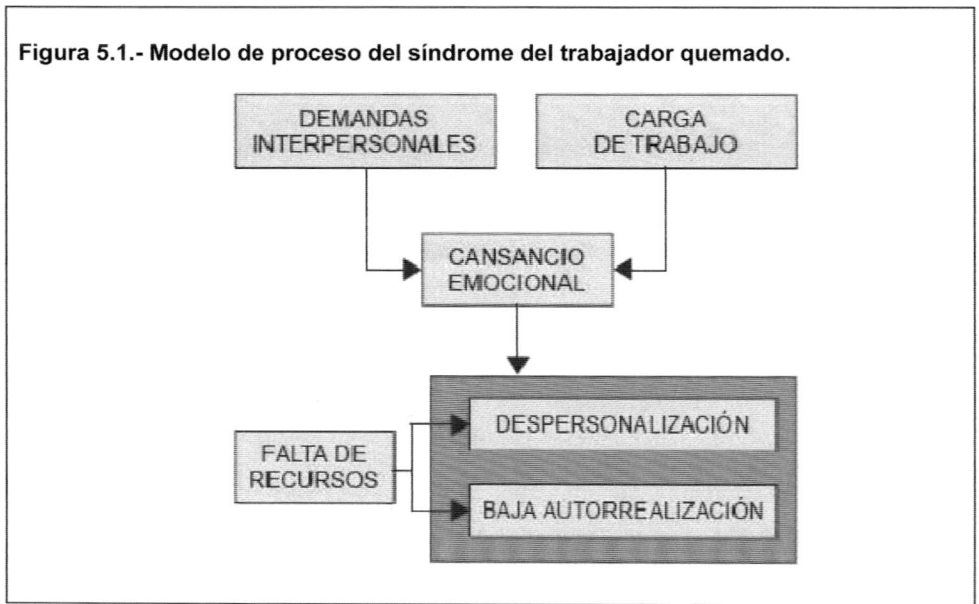

Figura 5.1.- Modelo de proceso del síndrome del trabajador quemado.

Entre los factores desencadenantes tenemos:
• Sobrecarga de trabajo y/o ocupación poco estimulante
• Poca o nula participación en la toma de decisiones
• Falta de medios para realizar la tarea
• Excesiva burocracia
• Pérdida de identificación con lo que se realiza
• Percepción de que no se recibe refuerzo cuando el trabajo se desarrolla eficazmente, pero sí se puede producir castigo por hacerlo mal
• Baja expectativa de qué hacer para que el trabajo sea tenido en cuenta y valorado como merece.

5.2.2.- Proceso de desarrollo

Veamos las diferentes fases por las que podemos pasar en nuestra vida laboral:
- **Fase de Entusiasmo.** Un nuevo puesto de trabajo genera alegría, nuevas expectativas e ilusión.
- **Fase de Estancamiento.** Comienzan a aparecer dudas sobre el puesto de trabajo, comienzan a alterarse las expectativas iniciales. Aparecen los primeros síntomas como dolor de cabeza, aburrimiento, problemas digestivos…
- **Fase de Frustración.** El trabajo no resulta tan interesante, las expectativas se desvanecen, comenzando a tener problemas psicosomáticos. La persona se vuelve irritable, se plantea multitud de dudas y aumenta su inadaptación a la tarea.
- **Fase de Apatía.** El afectado se resigna o entra en una etapa de no saber decir que no, afectando a la relación con los clientes, cogiendo bajas laborales...
- **Fase de Quemado.** Colapso físico e intelectual. El afectado ya no puede más.

No detectar a tiempo esta situación puede suponer que el problema se agrave de forma alarmante.

5.2.3.- Tipos de *burnout*

Se diferencian dos tipos de *burnout*, que surgen precisamente por la ambigüedad en la definición del síndrome:
- ***Burnout* activo:** Se caracteriza por el mantenimiento de una conducta asertiva. Se relaciona con los factores organizaciones o elementos externos a la profesión.
- ***Burnout* pasivo:** Predominan los sentimientos de retirada y apatía. Tiene que ver con factores internos psicosociales.

Otros autores hablan de un síndrome tridimensional, caracterizado por:
- **El agotamiento o cansancio emocional:** Caracterizado por una ausencia o falta de energía, entusiasmo y un sentimiento de escasez de recursos. A estos sentimientos pueden sumarse la frustración y la tensión al percibir los trabajadores que ya no tienen condiciones de gastar más energía.
- **La despersonalización o deshumanización:** Revela un cambio asociado al desarrollo de actitudes y respuestas negativas, como insensibilidad y cinismo hacia los clientes, usuarios del servicio, etc.; así como por un

incremento de la irritabilidad hacia la motivación laboral. Este aislamiento se traduce en conductas como el absentismo laboral, la ausencia a reuniones, la resistencia a enfrentarse con otros individuos o a atender al público; o en su actitud emocional, que se vuelve fría, distante y despectiva.

- **Sentimientos de baja autoestima o falta de realización personal:** Aparecen tendencias negativas a la hora de evaluar el propio trabajo, con vivencias de insuficiencia profesional, baja autoestima, disminución de la capacidad de interactuar con las personas, baja productividad e incapacidad para soportar la presión. Son sentimientos complejos de inadecuación personal y profesional, con deterioro progresivo de su capacidad laboral y pérdida de todo sentimiento de gratificación personal con la misma. Esta autoevaluación negativa afecta considerablemente a la habilidad en la realización del trabajo y a la relación con las personas atendidas.

La forma y el ritmo con que se producen estos cambios en el estado de salud del trabajador afectado no son iguales siempre. En este sentido, se han descrito cuatro formas de evolución de la patología:

- **Leve:** Los afectados presentan síntomas físicos, vagos e inespecíficos (cefaleas, dolores de espaldas, lumbalgias), y se vuelven poco operativos.
- **Moderada:** Aparece insomnio, déficit en atención y concentración, tendencia a la automedicación. Este nivel presenta distanciamiento, irritabilidad, cinismo, fatiga, aburrimiento, progresiva pérdida del idealismo con sentimientos de frustración, incompetencia, culpa y autovaloración negativa.
- **Grave:** Aumenta de forma considerable el absentismo, aversión por la tarea, cinismo. Se produce un abuso de alcohol y psicofármacos.
- **Extrema:** Aislamiento, crisis existencial, depresión crónica y riesgo de suicidio.

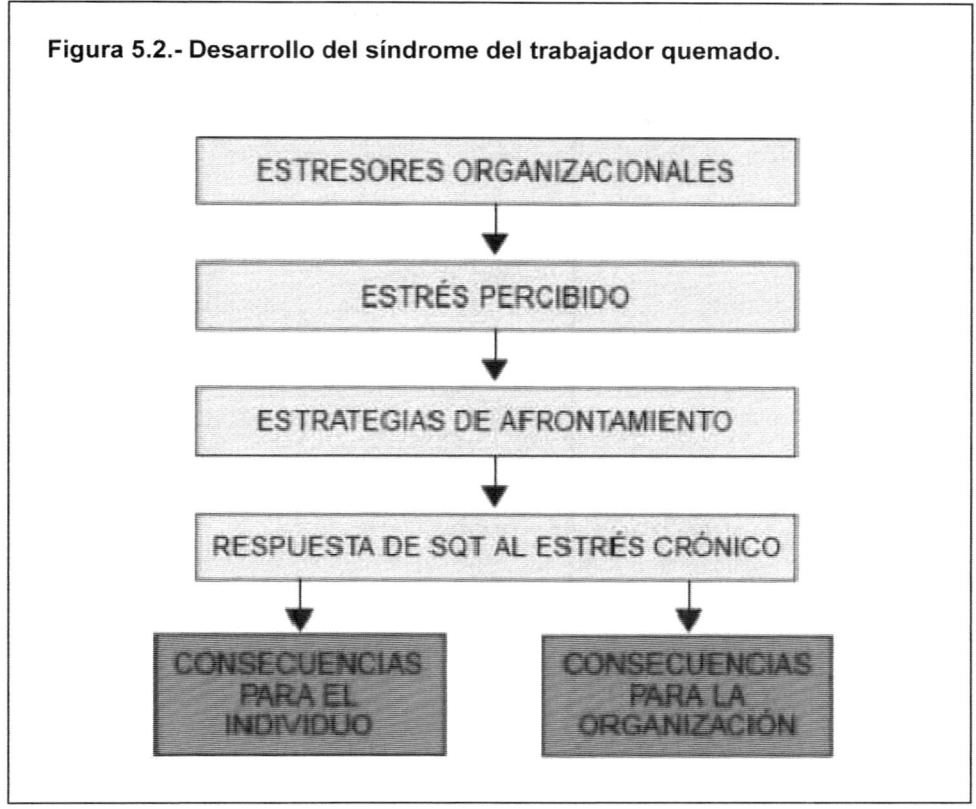

Figura 5.2.- Desarrollo del síndrome del trabajador quemado.

5.2.4.- Sus variables

El origen del síndrome reside en el entorno laboral y en las condiciones de trabajo. Si bien, también algunas variables de personalidad, sociodemográficas, individuales o de entorno personal pueden provocar evoluciones diferentes en el desarrollo del Síndrome de estar quemado.

Las actuaciones que desencadenan la aparición de este síndrome suelen ser intensas y/o duraderas, porque el *burnout* se define como un proceso continuo que se manifiesta de una manera paulatina y que va interiorizando el individuo hasta provocar en éste los sentimientos propios del síndrome.

Entre los factores que propician el *burnout*, aparecen los siguientes:

- El tipo de profesión.
- La variable organizativa.
- El diseño del puesto de trabajo.
- Las relaciones interpersonales.

- La variable individual (edad, sexo, experiencia, rasgos de personalidad…).

.- El tipo de profesión

El *burnout* afecta de modo especial a aquellas profesiones cuyas tareas se concretan en una relación continuada y estrecha con personas: sean clientes o usuarios, sobre todo si entre ambos existe una relación de ayuda y/o de servicio.

Así, las profesiones relacionadas con el mundo sanitario, la educación o la administración pública (donde destacan los asistentes sociales y policías) suelen aparecer con mayores estadísticas. La razón es que tienen un mayor y continuo contacto con personas que demandan atención para cubrir necesidades para las que no se dispone siempre de los recursos adecuados. Este desajuste entre expectativas y realidades puede provocar frustración, al sentir que su labor no es "útil", sino baldía.

En la figura 5.3 se indica la incidencia del *burnout* por profesiones.

Figura 5.3.- incidencia del burnout por profesiones

Profesión	Burnout
Profesores	25%
Enfermeros/as	20%-35%
Médicos/as	30%-40%
Policías y personal sanitario	20%

En resumen, el *burnout* se desarrolla principalmente en ambientes laborales:

- Compuestos por personal que trata directamente con otras personas: clientes, usuarios, alumnos, etc.
- Que requieren un alto compromiso laboral, pero que frustran cotidianamente las expectativas profesionales.
- Que someten a fuertes presiones, de aislamiento y menosprecio, a sus empleados, provocando su total desmotivación.

.- La variable organizativa

La estructura de la organización y la forma en que se presta el servicio es relevante para identificar problemas de *burnout*. Los factores que más claramente se pueden asociar a situaciones de *burnout* son:

- Estructura de la organización muy jerarquizada y rígida.

- Falta de apoyo instrumental por parte de la organización.
- Exceso de burocracia.
- Falta de participación de los trabajadores.
- Falta de coordinación entre las unidades.
- Falta de formación práctica a los trabajadores en nuevas tecnologías.
- Falta de refuerzo o recompensa.
- Falta de desarrollo profesional.
- Relaciones conflictivas en la organización.
- Estilo de dirección inadecuado.
- Desigualdad percibida en la gestión de los RR. HH.

.- El diseño del puesto de trabajo

Como el punto anterior, se convierte en un factor estresante para el trabajador cundo no puede actuar sobre factores como el control del tiempo, la ambigüedad del rol, etc.

Por tanto, los factores negativos relativos al diseño de los puestos tenemos:

- Sobrecarga de trabajo, exigencias emocionales en la interacción con el cliente.
- Descompensación entre responsabilidad y autonomía.
- Falta de tiempo para la atención del usuario (paciente, cliente, subordinado, etc.).
- Disfunciones del rol.
- Carga emocional excesiva.
- Falta de control de los resultados de la tarea.
- Falta de apoyo social.
- Tareas inacabadas que no tienen fin.
- Poca autonomía decisional.
- Estresores económicos.
- Insatisfacción en el trabajo.

.- Las relaciones interpersonales

Las relaciones con los clientes, usuarios, pacientes..., marcan la actividad diaria de las profesiones con mayor incidencia de *burnout*, por tanto se generan una serie de factores de riesgo asociados a esta circunstancia como:

- Trato con usuarios difíciles o problemáticos.
- Relaciones conflictivas con clientes.
- Negativa dinámica de trabajo.
- Relaciones tensas, competitivas, con conflictos entre compañeros y con usuarios.

- Falta de apoyo social.
- Falta de colaboración entre compañeros en tareas complementarias.
- Proceso de contagio social del síndrome de estar quemado.
- Ausencia de reciprocidad en los intercambios sociales.

.- El apoyo social

El apoyo social se puede definir como la expresión de afecto positivo, afirmación o respaldo de los valores y creencias de la persona.

El apoyo social tiene dos connotaciones:
- Extensión de la red social
- Intensidad de la relación social

Podemos diferenciar cuatro tipos de apoyo:
- Apoyo emocional (estima, afectos, confianza, interés, escucha).
- Apoyo informativo (consejos, sugerencias, orientaciones, información).
- Apoyo evaluativo (afirmaciones, *feedback*, comparación social).
- Apoyo instrumental (ayuda económica, trabajo, tiempo, cambios en el ambiente).

El apoyo social depende de:
- **La estructura organizacional.** Si es participativa o, por el contrario, centralizada o formalizada, del número de empleados que hay que supervisar, del diseño de los puestos y de los sistemas de trabajo, de su disposición física, el tipo de objetivos y del estilo de dirección puede potenciar la creación de vínculos sociales y un clima de apoyo social, o por el contrario, pueden dificultarlo e, incluso, imposibilitarlo. En la medida en que predominan determinados valores como la competitividad o el individualismo frente a la solidaridad, el apoyo social surgirá con menos frecuencia.
- **De las características del individuo.** De sus características de personalidad dependerá la disponibilidad o la dificultad para recibir este apoyo.

Las posibles vías a través de las cuales el apoyo puede influir sobre la salud incluyen los efectos directos sobre la ocurrencia del estrés, sobre la apreciación de la situación estresante, las estrategias y comportamientos de afrontamiento, la motivación, la autoestima, a los estados de ánimo. En efecto:
- En ocasiones, el apoyo social puede incidir sobre la ocurrencia o la severidad de un estresor. Por ejemplo, en las organizaciones, el apoyo social puede reducir los estresores relacionados con las relaciones interpersonales.
- Por otra parte, el apoyo social puede influir en la forma en que la persona aprecia el potencial estresor de las demandas.

- Otras pueden influir en la medida en que una situación es percibida como amenazante proporcionando información acerca de esa situación, o sobre los recursos disponibles para la persona con vistas a afrontarla mejor.

- Otra forma en que el apoyo social puede influir sobre las consecuencias del estrés es a través de la modificación de las estrategias de afrontamiento. El apoyo social podría lograr que el sujeto realizase estrategias de afrontamiento más adecuadas incrementando su motivación.

- El sujeto que recibe ayuda de forma adecuada puede desarrollar sentimientos de autoconfianza y autoeficacia y, por tanto, puede estar en mejores condiciones para afrontar la situación estresante.

- Finalmente, el apoyo social puede también proteger a las personas de los efectos negativos del estrés mediante la alteración de su estado de ánimo. El apoyo social contribuye a reducir las alteraciones del estado de ánimo moderando el nivel de activación y ayudándole a controlarlo, el sujeto puede lograr adaptarse mejor a la situación reduciendo las consecuencias negativas de la misma

.- La variable individual

Estas son algunas de las características inherentes al profesional que motivan la aparición del *burnout*:
- Alta motivación para la ayuda.
- Alto grado de empatía.
- Alto grado de altruismo.
- Baja autoestima.
- Constancia en la acción.
- Tendencia a la sobreimplicación emocional.
- Baja autoeficacia.
- Reducidas habilidades sociales.

Otros factores a tener en cuenta son:
- **La edad.** Aunque los estudios no son concluyentes, existe una tendencia a dar relevancia al factor edad, pues el trabajador experimentaría una mayor vulnerabilidad en una etapa de su vida que en otra. Normalmente, la etapa de mayor riesgo se identifica con los primeros años de carrera profesional, al considerarse el espacio de tiempo más propicio para que se produzca la transición de las expectativas idealistas hacia la práctica cotidiana, aprendiéndose en este tiempo que tanto las recompensas personales, como las profesionales y económicas, no son ni las prometidas ni las esperadas. Sin embargo, en los estudios realizados, el grupo de edad con mayor cansancio emocional fue el de los mayores de 44 años en quienes también se detectó una

falta de realización personal. Esta carencia se encuentra más marcada en los profesionales con mayor antigüedad, aquellos con más de 19 años de ejercicio en la profesión y más de 11 años en el mismo puesto de trabajo. Así, se observa una disminución en la producción y una tendencia a la desorganización que acompañan al agotamiento personal.

- **El sexo.** La mayor incidencia del estrés laboral en las mujeres, en particular por la doble carga de trabajo que conlleva la práctica profesional y la tarea familiar, podría hacer pensar en que también respecto del *burnout* tiene una mayor presencia.

5.2.5.- Las consecuencias del *burnout*

Como el resto de riesgos de origen psicosocial, el *burnout* constituye un grave problema de salud laboral. Pero también afecta muy negativamente a las empresas y a la sociedad en general, al "quemar" anticipadamente la "producción" de una parte de sus "recursos humanos".

Los factores de riesgo o desencadenantes del Síndrome de estar quemado son comunes al estrés, pues es una respuesta al estrés crónico; por tanto, también comparte algunas de las consecuencias negativas para la salud física y psíquica de los trabajadores. Sin embargo, la gravedad suele ser mayor con mayores secuelas, cuando se alcanza una fase madura de distrés o estrés negativo, alcanzando altas cotas de deterioro personal y profesional.

Recuérdese que es un síndrome de "agotamiento profesional" y "emocional", por tanto crónico.

.- Consecuencias para el trabajador

El *burnout* es un mecanismo para afrontar y autoprotegerse frente al estrés generado por la relación profesional-cliente y por la relación profesional-organización. Aparece un deterioro cognitivo (frustración y desencanto profesional), afectivo (desgaste emocional y, en algunos casos, culpa) y actitudinal (cinismo, indolencia e indiferencia frente a clientes o frente a la organización) en el trabajador.

En el trabajador se produce un deterioro cognitivo consistente en la aparición de la frustración y el desencanto profesional, en una crisis de la capacidad percibida por el desempeño de la actividad profesional y en una crisis existencial.

El deterioro afectivo se caracteriza por el desgaste emocional y en algunos casos se acompaña por sentimientos de culpa. El deterioro actitudinal se asocia con actitudes de cinismo, indolencia e indiferencia con los clientes y con la propia organización. Estas consecuencias, el trabajador puede vivirlas "agrediéndose a sí mismo", culpabilizándose por tratar así a los usuarios, compañeros, etc., o bien puede justificar esas actitudes negativas e ir sosteniéndose en esa situación sin generar un daño mayor a su salud, pero deteriorando la calidad de servicio notablemente.

Así, las principales consecuencias emocionales tienen que ver con la sintomatología ansioso-depresiva, con propensión a los sentimientos de culpa y con respuestas hostiles alimentadas por frecuente irritabilidad y actitudes negativas hacia la vida. Muchos estudios relacionan los estados depresivos y la constelación sintomática del síndrome. Desde el punto de vista clínico el *burnout* es un proceso que se manifiesta como una enfermedad incapacitante para el ejercicio de la actividad laboral cuando se presenta en toda su magnitud.

Los síntomas que presenta el trabajador son:

- **Trastornos psicosomáticos:** Cansancio hasta el agotamiento y malestar general (que, a su vez, median en deterioro de la calidad de vida), fatiga crónica y alteraciones funcionales en casi todos los sistemas del organismo (cardiorrespiratorio, digestivo, reproductor, nervioso, etc.) con síntomas como dolores de cabeza, problemas de sueño, úlceras y otros desórdenes gastrointestinales, pérdida de peso, molestias y dolores musculares, hipertensión, crisis de asma, etc.

- **Trastornos de la conducta:** Conductas despersonalizadas en la relación con el cliente, absentismo laboral, desarrollo de conductas de exceso como abuso de barbitúricos, estimulantes y otros tipos de sustancias (café, tabaco, alcohol, etc.), cambios bruscos de humor, incapacidad para vivir de forma relajada, incapacidad de concentración, superficialidad en el contacto con los demás, comportamientos de alto riesgo, aumento de conductas hiperactivas y agresivas.

- **Trastornos emocionales:** Predomina el agotamiento emocional, síntomas disfóricos, distanciamiento afectivo como forma de autoprotección, ansiedad, sentimientos de culpabilidad, impaciencia e irritabilidad, baja tolerancia a la frustración, sentimiento de soledad, sentimiento de alienación, sentimientos de impotencia, desorientación, aburrimiento, vivencias de baja realización personal, sentimientos depresivos.

- **Trastornos de actitud:** Actitudes de desconfianza, apatía, cinismo e ironía hacia los clientes de la organización, hostilidad, suspicacia y poca verbalización en las interacciones.

- **Trastornos sociales y de relaciones interpersonales:** Actitudes negativas hacia la vida en general, disminuye la calidad de vida personal, aumento de los problemas de pareja, familiares y en la red social extralaboral del sujeto (debido a que las interacciones son hostiles, la comunicación es deficiente, no se verbaliza, se tiende al aislamiento, etc.).

A los síntomas anteriores se unen otra serie de efectos:

• Afecta negativamente la resistencia del trabajador, haciéndolo menos favorable a la empatía.

• Favorece la respuesta silenciosa, que es la incapacidad para atender a las exigencias de los usuarios o solicitantes, que resultan abrumadoras.

• Gradualmente el cuadro se agrava en relación directa con la magnitud del problema; inicialmente los procesos de adaptación protegen al individuo, pero su repetición les agobia y a menudo agota, generando sentimientos de frustración y conciencia de fracaso, existiendo una relación directa entre la sintomatología, la gravedad y la responsabilidad de las tareas realizadas.

• El sentirse usado, menoscabado o exhausto debido a las excesivas demandas de energía, fuerza o recursos personales, crea además intensas repercusiones en la persona y en su medio familiar.

• Estados de fatiga o frustración son el resultado de la devoción a una labor que fracasó al intentar obtener una recompensa esperada.

• Progresiva pérdida del idealismo, de la energía experimentada por muchos profesionales que trabajan ayudando a otras personas como resultado de sus condiciones de trabajo.

• Síndrome de agotamiento: Es el último paso en la progresión de múltiples intentos fracasados de manejar y disminuir una variedad de situaciones laborales negativas.

.- Consecuencias para la empresa

• Se deteriora la comunicación y de las relaciones interpersonales (indiferencia o frialdad con las personas con las que trabaja).

• Disminuye la capacidad de trabajo y la disposición laboral.

• Disminuye el compromiso.

• Desciende la eficacia y el rendimiento.

• Aumenta el absentismo y la desmotivación.

• Aumentan las rotaciones y los abandonos de la organización.

• Disminuye la calidad de los servicios que se prestan a los clientes.

• Surgen sentimientos de desesperación e indiferencia frente al trabajo.

• Aumentan las quejas de usuarios o clientes.

• Mala comunicación e interacción.

Todos estos problemas conllevan una serie de costes directos e indirectos para las empresas que resultan muy elevados.

Entre los costes directos figuran:

- La asistencia médica y hospitalaria.
- Los salarios durante el periodo de baja.
- Las indemnizaciones por Incapacidad Temporal (IT). Aunque estos últimos son cubiertos por las Mutuas hasta un tanto por ciento, en algunos casos comportan un coste para la empresa cuando esta cubre hasta el 100% del salario.

Entre los costes indirectos, aparecen:

- Las pérdidas de tiempo.
- Las multas o penalizaciones.
- Las consecuencias comerciales (pérdida de clientes, deterioro de imagen...).
- Los accidentes.

.- Su gravedad

La lista de síntomas psicológicos que puede originar este síndrome es extensa, pudiendo, como se ha indicado, generar daños leves, moderados, graves o extremos.

Uno de los primeros síntomas de carácter leve pero que sirve de primer escalón de alarma es la dificultad para levantarse por la mañana o el cansancio patológico, en un nivel moderado se presenta distanciamiento, irritabilidad, cinismo, fatiga, aburrimiento, progresiva pérdida del idealismo que convierten al individuo en emocionalmente exhausto con sentimientos de frustración, incompetencia, culpa y autovaloración negativa.

Los graves se expresan en el abuso de psicofármacos, absentismo, abuso de alcohol y drogas, entre otros síntomas.

Es la repetición de los factores estresantes lo que conforma el cuadro de crónico, que genera baja de la autoestima, un estado de frustración agobiante con melancolía y tristeza, sentimientos de impotencia, pérdida, fracaso, estados de neurosis, en algunos caso psicosis con angustia y/o depresión e impresión de que la vida no vale la pena, llegando en los casos extremos a ideas francas de suicidio.

Entre las consecuencias físicas pueden citarse:

- Cefaleas, migrañas.
- Dolores musculares.
- Dolores de espalda.
- Fatiga crónica.
- Molestias gastrointestinales, úlceras.
- Hipertensión.

- Asma.
- Urticarias.
- Taquicardias.

5.2.6.- El *boreaut* o aburrimiento en el puesto de trabajo

Bajo el término *boreaut* se recogen los efectos del aburrimiento del trabajador en el trabajo. Reconoce el desequilibrio que supone la infraexigencia, la inacción y el desinterés; o sea, que algunos trabajadores son compensados por trabajar la mitad. Denuncia el aburrimiento por no trabajar.

Es el sentimiento de infraexigencia, aburrimiento y desinterés que puede experimentar un trabajador por motivos internos o externos a él y relacionados con el trabajo.

Esto les puede ocurrir a muchos universitarios subempleados en tareas que requieren un perfil de conocimientos inferior.

Todos necesitamos un trabajo que nos aporte algo a nosotros mismos; algún tipo de satisfacción además de la económica. Por ello para afrontarlo los expertos proponen una "retribución" que equilibre la parte monetaria con el sentido de la labor que se realiza (contenido, reconocimiento y entorno), así como el tiempo libre del que permite disponer.

Si no se puede mejorar la situación, lo mejor que puede hacer el afectado por *"boreaut"* es despedirse y replantear su vida laboral.

5.3.- El *mobbing* o el síndrome de acoso psicológico en el trabajo

El término *mobbing* proviene originariamente del verbo inglés *to mob*, que se traduce como perseguir o atropellar. Fue el psicólogo sueco Heinz Leymann quien definió este concepto en los años 80 como "un terror psicológico en el trabajo que implica una comunicación hostil y amoral, dirigida sistemáticamente por una o varias personas, casi siempre contra otra que se siente acorralada en una posición débil y a la defensiva".

Para el Grupo de Estudio de la Violencia en el Trabajo de la Comisión Europea el *mobbing* es "el comportamiento negativo entre compañeros o entre superiores e inferiores jerárquicos a causa del cual el afectado es objeto de acoso y ataques sistemáticos y durante mucho tiempo, de modo directo o indirecto por parte de una o varias personas, con el objeto y/o el efecto de hacerle el vacío".

El Parlamento Europeo define el acoso moral en el trabajo como "una conducta abusiva (gestos, palabras, comportamientos, actitudes...) que atentan, por su repetición o su sistematización, contra la dignidad o la integridad psíquica o física de una persona, poniendo en peligro su puesto de trabajo o deteriorando el ambiente laboral".

El *mobbing* se refiere a una situación de acoso psicológico que se da entre los miembros de una organización de trabajo, aunque al ser este tipo de problemas propios de las organizaciones sociales, pueden producirse en otros ámbitos distintos del laboral (familiar, escolar, vecinal, etc.).

En castellano se traduce como "acoso psicológico", "psicoterror laboral" u "hostigamiento psicológico en el trabajo".

Se origina cuando una persona o un grupo de personas ejercen una violencia psicológica extrema, de forma sistemática y recurrente durante un tiempo prolongado sobre otra persona o personas en el lugar de trabajo, con la finalidad de destruir las redes de comunicación de la víctima o víctimas, destruir su reputación, perturbar el ejercicio de sus labores y lograr que finalmente esa persona o personas acaben abandonando el lugar de trabajo.

Los elementos principales del acoso moral son:
- La continuidad en el tiempo
- La reiteración en el comportamiento
- La intencionalidad de hacer daño (humillar, abusar, amenazar)

El acoso moral se manifiesta mediante:
- **La manipulación de la comunicación:** No informando a la persona sobre su trabajo, no dirigiéndole la palabra, no haciéndole caso, amenazándole, criticándole en temas laborales y de su vida privada.
- **La manipulación de la reputación:** Con comentarios injuriosos, ridiculizándole o burlándose de él/ella, propagando comentarios negativos acerca de su persona o la formulación repetida de críticas en su contra.
- **Manipulación del trabajo:** Proporcionándole trabajos en exceso, monótonos, repetitivos, o bien, sin ninguna utilidad, así como trabajos que están por encima o por debajo de su nivel de cualificación.

En este síndrome general se engloban otros tipos más específicos de estrés derivado de las agresiones verbales (y a veces físicas) provenientes de un superior o de un grupo de compañeros del agredido/a como la figura denominada "acoso" (en sus diferentes variedades, incluida la sexual).

Constituye un problema significativo entre los trabajadores europeos. Según la Cuarta Encuesta Europea sobre Condiciones de Trabajo. Fundación Europea para la Mejora de las Condiciones de Vida y de Trabajo, el 5% de los trabajadores europeos sufrió acoso psicológico durante el año 2005.

Puede implicar ataques verbales y físicos o acciones más sutiles, como la denigración del trabajo de un compañero o el aislamiento social. En un proceso de acoso psicológico existen dos partes diferenciadas, por una parte, el acosador, que actúa con comportamientos y actitudes hostiles, activas, dominadoras, avasalladoras y vejatorias y, por otra, el agredido, que normalmente tiene un comportamiento tipo reactivo o inhibitorio.

No hay que confundir el acoso moral de otros tipos de relación que, si bien pueden estar marcados por cierto grado de jerarquía, en ningún caso tienen que ver con el *mobbing*. De este modo, los roces y tensiones propios del ambiente laboral en las que las relaciones de interdependencia juegan un papel fundamental en ningún caso se pueden calificar como *mobbing*.

Esta diferenciación es importante puesto que en demasiadas ocasiones se confunden acoso moral, estrés y presión laboral. Se puede decir que como elemento diferenciador entre los tres conceptos está la mala intención y el deseo de dañar al otro típicos en el acoso moral pero que no aparece en el estrés y la presión laboral. El *mobbing* pretende, en definitiva, la destrucción psicológica y emocional del otro, cosa muy diferente del comportamiento de un jefe duro y exigente muy alejado de los objetivos y las secretas intenciones de un acosador.

No tiene la consideración de *mobbing* un mero conflicto ocasional y puntual, ni una sucesión de conflictos puntuales si entre ellos no existe una relación o conexión de cualquier clase.

En resumen, el elemento clave del *mobbing* radica en que en ningún caso las acciones y órdenes que de él se derivan resultan beneficiosos para la buena marcha de la empresa.

5.3.1.- Por qué el *mobbing*. Causas que lo desencadenan

En toda escena de *mobbing* siempre tiene que haber aquellos que hostigan y aquellos otros que son hostigados. El móvil que el hostigador suele tener se basa en el afán por camuflar sus propias deficiencias, tanto sobre su carrera profesional como sobre determinados aspectos de su vida personal.

A toda costa pretende eliminar a la víctima de su camino. Dentro de la literatura sobre el tema, podemos decir que se enumeran determinados perfiles de personalidad que se han atribuido a los acosadores.

Pretende la destrucción de la persona a través de su desequilibrio laboral y humano buscando su destrucción que permita lograr el fin último de todo este proceso, desembarazarse de alguien al que se considera incómodo.

Cuando se pone en marcha el principal empeño de los acosadores es el descrédito profesional de la víctima. Se le achaca individualismo, poca calidad en su trabajo, se le maltrata de palabra sobre su valía profesional, se le asignan tareas inútiles, se le calumnia, se le ignora, se le degrada, se le grita, se le impide expresarse.

Pero toda esta situación tiene un caldo de cultivo, unas circunstancias favorecedoras, un ambiente propicio en el que desarrollarse. La organización del trabajo, la gestión de los conflictos en la empresa y la personalidad del acosador y sus cómplices son elementos que en su conjunto pueden llegar a producir la aparición del *mobbing* en una empresa.

Tampoco podemos olvidar a las personas que rodean al agresor y al agredido y que desarrollan un comportamiento de permisividad. El silencio acaba consintiendo el abuso y la injusticia del *mobbing* sea por complicidad con el plan de eliminación del agredido, por interés personal o por evitar convertirse en el próximo objetivo del acosador.

.- Factores de riesgo. Las causas desencadenantes del *mobbing*

El acoso moral es un conflicto asimétrico entre las partes, donde por lo general la parte acosadora tiene más recursos, apoyos o una posición superior.

Las razones por las cuales en determinadas situaciones laborales comienzan a gestarse conductas de acoso hacia los trabajadores pueden ser muy diversas, estas pueden ir desde importantes diferencias o conflictos entre el acosador y su víctima, hasta situaciones donde este tipo de comportamiento se convierte en una especie de "distracción" para los acosadores.

Siguiendo el mismo modelo presente en cualquier riesgo profesional de origen psicosocial, para analizar el riesgo de sufrir un proceso de acoso moral en el trabajo se deben analizar dos aspectos:

- **Los factores laborales,** ligados al trabajo que pueden favorecer, o disuadir, una respuesta de acoso para hacer frente a una cierta situación conflictiva o crítica. Los dos aspectos más comunes son:
  o La organización del trabajo
  o El modo de gestión de los conflictos por parte de los superiores
- **Los factores individuales.** Desencadenan u originan una situación de acoso, atendiendo a las características de los sujetos de esa relación hostil: agresor y víctima.

5.3.2.- Factores laborales que generan *mobbing*

Las causas exógenas al propio trabajador pueden asociarse a dos variables fundamentales:

- **La organización del trabajo.** Está asociada a la atribución de tareas que entrañan una sobrecarga cuantitativa y un déficit cualitativo.

o   La sobrecarga cuantitativa se define por mucha demanda y poco control.

o   El déficit cualitativo se entiende como la obligación de efectuar un trabajo repetitivo, aburrido, a veces inútil o mal elaborado. Cuando se obliga a los trabajadores a hacer mal su trabajo.

• **El modo de gestión de los conflictos por parte de los superiores.** Desde la dirección caben dos posturas que acrecientan el acoso. Una de ellas es la negación del conflicto y otra la participación de la misma dirección en éste.

.- El modo y condiciones de la organización del trabajo

Hay una íntima relación entre una pobre organización del trabajo y aparición de conductas de acoso. Las deficiencias más importantes en las empresas relacionadas con la existencia de *mobbing* son:
• Ausencia de interés, apoyo e incluso ausencia total de relación con los superiores.
• Existencia de excesivas jerarquías.
• Existencia de líderes espontáneos (informales), cuya autoridad se cuestiona continuamente.
• Flujos pobres de información al no existir estructuras formales.
• Falta de recursos, tanto humanos como materiales.
• Falta de definición de los objetivos perseguidos y de autonomía en su realización.
• Inseguridad de las condiciones de trabajo.
• Excesiva carga de trabajo debido a la escasez de plantilla o deficiente reparto.
• Tareas con bajo contenido, monótonas y con poca autonomía.
• Ambigüedad de rol: No quedan claras las exigencias demandadas al trabajador, por tanto, aumenta la carga psíquica.
• Prolongación y mala gestión del tiempo de trabajo.

Los puestos de trabajo donde se produce una exigencia continua para producir favorecen el desarrollo de conductas acosadoras, aunque no debe confundirse el acoso con prácticas "tiránicas" o abusivas de gestión empresarial, ni la existencia de organizaciones con reducida presión competitiva están exentas, como sucede en el ámbito de las administraciones públicas.

El acoso psicológico puede agravarse debido a factores como la discriminación, la intolerancia, problemas personales y el consumo de drogas o alcohol.

.- El modo de gestión de los conflictos por parte de los superiores

Los principales aspectos que pueden incidir son:

- **Falta de resolución de conflictos.** Por la negación del conflicto mismo.

- **Gestión inadecuada** al no adoptar la medida más eficaz o adoptar aquella que agrava la situación de acoso, convirtiéndose en cooperador.

- **Incredulidad o negación.** Cuando los responsables no saben o no entienden cómo surge la situación y en consecuencia no hacen nada.

- **Actividades con falta de ética:** Cuando algún/os trabajadores deciden denunciar las condiciones de trabajo, son objeto de acoso.

5.3.3.- Factores individuales generadores de *mobbing*

Dentro del análisis del acoso moral debe considerarse la vertiente personal subjetiva y relacional. Así, desde esta perspectiva individual, se llama la atención sobre la existencia de:

- Perfiles de personalidad propicios para ser acosador, "jefes" o "personas" psicosocialmente "tóxicas".

- Perfiles de personas propicios para ser acosados.

5.3.4.- Características del acoso psicológico

El acoso psicológico en el trabajo se caracteriza por presentar los siguientes elementos:

- Es una forma de estresor laboral cuyo origen no está en las condiciones de trabajo sino en las relaciones interpersonales.

- Persigue la autoexclusión o el abandono del puesto de trabajo por parte de la víctima.

- Tiene un carácter consciente y deliberado de producir daño psicológico.

- Cuenta con el silencio o la complicidad de los compañeros de la víctima (testigos mudos).

- Tiene efectos devastadores a nivel psicológico y físico sobre las víctimas.

5.3.5.- Los tipos de *mobbing*

La mayoría de los autores coincide en establecer tres tipologías de *mobbing*:

- El ***mobbing*** **ascendente.** Es el que ejercen uno o varios subordinados sobre aquella persona que ostenta un rango jerárquico superior en la organización. Normalmente, se produce cuando alguien exterior a la empresa se incorpora a ella con un rango laboral superior. Sus métodos no son aceptados por los trabajadores que se encuentran a su cargo y suele suceder porque un trabajador quería obtener ese puesto y no lo ha conseguido. Otra modalidad de *mobbing* ascendente muy común sucede cuando un trabajador es ascendido a un puesto de responsabilidad donde se le otorga la capacidad de organizar y dirigir a sus antiguos compañeros. También se puede desencadenar este fenómeno hacia aquellos jefes que se muestran arrogantes en el trato y muestran comportamientos autoritarios hacia sus inferiores.

- El ***mobbing*** **horizontal.** Un trabajador/a se ve acosado/a por un compañero con el mismo nivel jerárquico, aunque es posible que, si bien no oficialmente, tenga una posición "de facto" superior. En el *mobbing* horizontal un grupo de trabajadores se constituye como un individuo y actúa como un bloque con el fin de conseguir un único objetivo. El ataque se puede dar por problemas personales, o bien porque algunos de los miembros del grupo sencillamente no aceptan las pautas de funcionamiento tácitamente o expresamente aceptadas por el resto. Otra circunstancia que da lugar a este comportamiento es la existencia de personas física o psíquicamente débiles o distintas, y estas diferencias son explotadas por los demás simplemente para mitigar el aburrimiento.

- El ***mobbing*** **descendente.** La persona que ejerce el poder lo hace a través de desprecios, falsas acusaciones e incluso insultos, que pretende minar el ámbito psicológico del trabajador acosado para destacar frente a sus subordinados, para mantener su posición en la jerarquía laboral o simplemente se trata de una estrategia empresarial cuyo objetivo es deshacerse de una persona forzando el abandono "voluntario" de una persona determinada sin proceder a su despido legal, ya que sin motivo acarrearía un coste económico para la empresa. Es el más habitual.

5.3.6.- Las fases del *mobbing*

Lo más complicado en el *mobbing* es detectar su comienzo y la causa desencadenante; pero es siempre intencional, una pauta seguida por una persona concreta, normalmente un jefe o compañero con poder dentro de la empresa.

Algunos autores consideran que el acoso moral se desarrolla a través de cinco fases, señalando la fase de seducción como el primer paso del *mobbing* y una última fase de recuperación o exclusión de la vida laboral:

- **Seducción.** Es una fase crucial, el acosador establece contacto con su víctima y trata de seducirla a través de diferentes acciones, pero sin utilizar aún su potencial violento. En muchas ocasiones, no se centra sólo en engatusar a su víctima, sino también su entorno social y familiar. El objetivo del acosador es descubrir las debilidades de la futura víctima para luego atacarle "donde más le duele". Puede ser arrebatarle algo que le pertenece (amigos, puesto de trabajo, popularidad...).

- **Conflicto.** En las empresas es normal que surjan conflictos en la actividad diaria entre el personal, asociados a intereses distintos y objetivos contrapuestos. Surgen entonces roces, fricciones personales, diferencias de opinión... que pueden solventarse de manera positiva, a través del diálogo, o por el contrario, puede ser el principio de un problema más profundo que tiene posibilidades de estigmatizarse y es aquí cuando surge el acoso. Una mala resolución del conflicto es lo que lleva al acoso laboral. Algunas veces, es tan corto el espacio de tiempo que separa "el conflicto" del "acoso" que se solapan. La causa del conflicto en ocasiones puede ser creada artificialmente por el acosador como excusa para hostigar a la víctima.

- **Estigmatización.** El acosador adopta actitudes molestas con su víctima: acciones sutiles, indirectas y difíciles de detectar; destinadas a atacar sus puntos débiles con el objetivo de castigarla por su insumisión. A su vez, el agresor busca apoyo entre la plantilla consiguiendo poner a algunos de los miembros de su parte. Para ello, utiliza comentarios o críticas destinadas a desacreditar a la víctima y ponerla en el punto de mira, o bien mediante la insinuación de posibles represalias a los "no seguidores". La víctima puede empezar a preguntarse que es lo que hace mal. Si la víctima no socializa el problema o conflicto, o si el sistema de notificación y de resolución de conflictos no funciona se pasará a la siguiente fase. La fase de estigmatización tiene formas de expresión muy variadas, se presentan a continuación algunas de las más comunes:
  o Ataque a la víctima a través de medidas organizacionales.
  o Violencia física.
  o Agresiones verbales.
  o Difusión de rumores falsos o difamación de la persona.

- **Intervención de la empresa.** El problema trasciende a la dirección de la empresa y ésta puede actuar de varias formas a través del departamento de Recursos Humanos o desde la dirección del personal.
  - o **Solución positiva del conflicto.** Tras conocer el problema, se realiza una investigación exhaustiva del mismo y decide que el trabajador/a o el acosador sea cambiado de puesto de trabajo, descubre la estrategia de hostigamiento y articula los mecanismos para que no se vuelva a producir sancionando, en su caso, al hostigador.
  - o **Solución negativa.** Sin tener un conocimiento exhaustivo del caso debido a su nula o escasa investigación, la dirección suele ver a la víctima como el problema a combatir, reparando en sus características individuales tergiversadas y manipuladas, sin reparar en que el origen del mismo está en otra parte. De esta manera la dirección viene a sumarse al entorno que acosa activa o pasivamente a la víctima.
- **Marginación o exclusión de la vida laboral.** Esta última fase, suele concluir con el abandono de la víctima de su puesto de trabajo; normalmente, tras pasar por largas temporadas de baja. En la empresa privada parte de las víctimas deciden aguantar estoicamente en su puesto de trabajo y atraviesan un calvario que tiene consecuencias muy negativas para su salud. En esta fase, los subalternos dentro de la empresa aprovechan para hacer todo tipo de humillaciones, faltar el respeto al acosado, crear rumores malignos y comentarios vejatorios, falsedades y calumnias... para hacer méritos ante el acosador y que no arremeta contra ellos. La víctima es colocada en el sitio más incómodo posible, invisible del público, aislado de los compañeros y haciendo tareas inútiles y rutinarias para que el sentimiento de fracaso se apodere del acosado. Suele imputársele todo lo malo que pueda ocurrir en la empresa... Normalmente, los acosados son personas con mucha preparación profesional, lo que agrava la situación porque la envidia es mayor.

5.3.7.- Formas de expresión del acoso psicológico

Las formas de expresión del acoso psicológico son múltiples y muy variadas. Podríamos clasificarlas en cinco apartados:
- **Acciones para desacreditar personal y profesionalmente.** Estas conductas se centran en cuestionar las decisiones del acosado, criticar su trabajo, ocultar información sobre el trabajo, mofarse de su vida privada, de sus convicciones religiosas, de su estilo de vida, imitar sus gestos, su voz, en difundir rumores, etc.

- **Acciones para limitar las posibilidades de relación social.** Estos comportamientos incluyen no hablar nunca con el acosado e impedir a los compañeros que le dirijan la palabra, asignarle un puesto de trabajo aislado, retirada del teléfono y el ordenador, no avisarle para reuniones informales, etc.
- **Acciones para reducir o saturar la empleabilidad de la víctima.** Estas conductas incluyen la no asignación de tareas o a encomendar exceso de trabajo, tareas difíciles, sin sentido, monótonas, degradantes, tareas contra sus principios o demandas contradictorias, tareas por encima o por debajo de su cualificación profesional, etc.
- **Acciones para reducir las posibilidades de comunicación.** Estos comportamientos incluyen el no comunicarse con el acosado, rechazar todo contacto con él, incluido el visual, interrumpirle continuamente para impedir que se exprese, ignorar su presencia, etc.
- **Acciones que afectan directamente a la salud física o psíquica.** Entre estas conductas se encuentran los insultos, gritos, amenazas, agresiones menores, se ocasionan desperfectos en sus bienes (coche, puesto de trabajo, domicilio), se asignan le trabajos especialmente peligrosos, terror telefónico, etc.

5.3.8.- El acosado. Su perfil. Su respuesta

El acosado suele ser una persona a la que le gusta trabajar y rendir. Durante años, su actividad ha sido notablemente buena y, de repente, cae porque el acosador deja de darle trabajo para desprestigiarle.

La víctima del *mobbing* se siente incomprendida y sola frente a su enemigo, en una situación de escape, sin salida, en la que no sabe cómo ha entrado ni, con frecuencia, por qué. Muchas personas afectadas por el *mobbing* se preguntan todavía qué han hecho mal, cuál fue su comportamiento equivocado, qué pudo provocar el odio de los demás hacia ellas.

Los sujetos con riesgo de padecer *mobbing* pueden clasificarse en tres grupos:
- **Los envidiables:** Personas brillantes y atractivas pero consideradas como peligrosas o competitivas por los líderes implícitos del grupo, que se sienten cuestionados. Hablamos de líderes dentro del grupo o trabajadores sobrecualificados para sus funciones.
- **Los vulnerables,** por sus rasgos de personalidad de corte dependiente o sumisos. Son personas con alguna peculiaridad o defecto, o simplemente depresivos necesitados de afecto que dan la impresión de ser inofensivos e indefensos.

- **Los amenazantes para la organización:** Trabajadores activos, eficaces, que ponen en evidencia lo establecido y pretenden imponer reformas. Son peligrosos porque ponen en evidencia las normas establecidas y pretenden mejorar la cultura empresarial subyacente.

El perfil del acosado se corresponde con las características siguientes:
- Elevado sentido de la ética.
- Justo y comprensivo.
- Inteligente y dedicado.
- Muy capacitado para su trabajo.
- Fuerte sentimiento de compañerismo.
- Trabaja bien en equipo.
- Independiente y con iniciativa.
- Muy apreciado entre sus compañeros.
- Los acosados son personas abiertas sin problemas de integración.
- Suelen ser agradables y con un gran sentido del compañerismo en la empresa
- Razonables.
- Con grandes sentimientos de culpabilidad.
- Dan un gran valor a la igualdad y la justicia.
- Son muy creativos y brillantes.
- Muy profesionales y muy dedicados al trabajo.
- Muy responsables.
- Odian el autoritarismo.
- Les gusta el trabajo en equipo.
- Odian ser sometidos.
- Son más competentes que los acosadores.
- Con creencias religiosas o políticas distintas a las del acosador, u orientación sexual diferente.
- Personas que viven solas o no tienen apoyo familiar.
- Indefensas.

Tras todo lo anterior, se debe dejar claro que los perfiles personales, al igual que otros factores como: edad, sexo, no son los definitorios a la hora de producirse una situación de acoso. No existe un perfil psicológico que predisponga a una persona a ser víctima de acoso.

Cualquier persona puede serlo. Basta que sea percibida en algún momento como una amenaza por el agresor y que el contexto organizativo sea propicio para consentirlo o espolearlo.

Por tanto, los aspectos preventivos deben centrarse en los factores grupales mejorando la organización de la empresa y el clima laboral.

La forma de afrontarlo depende de ciertos patrones de personalidad de las víctimas. Tenemos básicamente tres:

- **Afrontamiento activo y asertivo ante el acosador.** Suele ser propio del tipo de trabajadores envidiables o amenazantes como hemos descrito anteriormente.
- **Afrontamiento pasivo/sinérgico.** Consiste en poner la otra mejilla al hostigador o en la ausencia de respuesta debido a la parálisis que provoca el miedo al acosador o a la respuesta de la institución. Propio del tipo de trabajador vulnerable.
- **Afrontamiento agresivo.** La víctima puede llegar a usar conductas tan agresivas como su hostigador, entrando en una espiral de violencia bidireccional. No en todos los casos, pero puede darse en el tipo de trabajador amenazante.

5.3.9.- La respuesta del entorno laboral

La respuesta del entorno laboral es determinante para facilitar la resolución rápida del conflicto, o bien que se convierta en una situación enquistada, con el consiguiente daño en la salud de la víctima. El entorno laboral del acosado puede convertirse en testigo mudo de la agresión por distintas razones:

- Porque tienen miedo.
- Por una avidez insaciable de poder.
- Porque disfrutan del espectáculo.
- Por tener una fuerte relación de dependencia con el acosador.

Si se produce la inhibición de los compañeros e incluso algunos de ellos se unen al acosador se producen las siguientes reacciones en la víctima:

- Su aislamiento extremo.
- La culpa de la que es acusado, pasa a considerarla como propia.

5.3.10.- El acosador

El acosador, en el fondo, tiene miedo a perder privilegios que le concede la organización.

Entre los agresores deben distinguirse dos grupos: los que colaboran con comportamientos agresivos de forma pasiva y aquellos que protagonizan la agresión directamente.

El primer objetivo del acosador consiste en paralizar a su víctima para que no pueda defenderse, de modo que, por mucho que intente comprender qué ocurre, no tiene herramientas para hacerlo. La víctima no se da cuenta de la manipulación perversa y no reacciona como lo haría en un proceso normal.

Con estos métodos y palabras aparentemente insignificantes y de las cosas que no se dicen, es posible desequilibrar a alguien o incluso desmoronarle sin que el entorno se percate.

.- Principales armas que utiliza el acosador

Las principales armas que utiliza el acosador son:

- **Actividades de acoso para reducir las posibilidades de la víctima de comunicarse adecuadamente con otros, incluido el propio acosador:**
  - El jefe o acosador no permite a la víctima la posibilidad de comunicarse.
  - Se interrumpe continuamente a la víctima cuando habla.
  - Los compañeros le impiden expresarse.
  - Los compañeros le gritan, le chillan e injurian en voz alta.
  - Se producen ataques verbales criticando trabajos realizados.
  - Se producen críticas hacia su vida privada.
  - Se aterroriza a la víctima con llamadas telefónicas.
  - Se le amenaza verbalmente.
  - Se le amenaza por escrito.
  - Se rechaza el contacto con la víctima (evitando el contacto visual mediante gestos de rechazo, desdén o menosprecio, etc.).
  - Se ignora su presencia, por ejemplo dirigiéndose exclusivamente a terceros (como si no le vieran o no existiera).

- **Actividades de acoso para evitar que la víctima tenga la posibilidad de mantener contactos sociales:**
  - No se habla nunca con la víctima.
  - No se le deja que se dirija a uno.
  - Se le asigna a un puesto de trabajo que le aísla de sus compañeros.
  - Se prohíbe a sus compañeros hablar con él.
  - Se niega la presencia física de la víctima.

- **Actividades de acoso dirigidas a desacreditar o impedir a la víctima mantener su reputación personal o laboral:**
  - Se insulta o se calumnia a la víctima.
  - Se hacen correr cotilleos y rumores orquestados por el acosador o el grupo de acoso sobre la víctima.
  - Se ridiculiza a la víctima.
  - Se atribuye a la víctima ser una enferma mental.
  - Se intenta forzar un examen o diagnóstico psiquiátrico.
  - Se fabula o inventa una supuesta enfermedad de la víctima.

• Se imitan sus gestos, su postura, su voz y su talante con vistas a poder ridiculizarlos.

• Se atacan sus creencias políticas o religiosas.

• Se hace burla de su vida privada.

• Se hace burla de sus orígenes o de su nacionalidad.

• Se le obliga a realizar un trabajo humillante.

• Se monitoriza, anota, registra y consigna en equidad el trabajo de la víctima en términos malintencionados.

• Se cuestionan o contestan las decisiones tomadas por las víctimas.

• Se le injuria en términos obscenos o degradantes.

• Se acosa sexualmente a la víctima con gestos o proposiciones.

• **Actividades de acoso dirigidas a reducir la ocupación de la víctima y su empleabilidad mediante la desaprobación profesional:**

• No se asigna a la víctima trabajo ninguno.

• Se le priva de cualquier ocupación, y se vela para que no pueda encontrar ninguna tarea por sí misma.

• Se le asignan tareas totalmente inútiles o absurdas.

• Se le asignan tareas muy inferiores a su capacidad o competencias profesionales.

• Se le asigna sin cesar tareas nuevas.

• Se le hacen ejecutar trabajos humillantes.

• Se le asignan tareas que exigen una experiencia superior a sus competencias profesionales.

• **Actividades de acoso que afectan a la salud física o psíquica de la víctima:**

• Se le obliga a realizar trabajos peligrosos o especialmente nocivos para la salud.

• Se le amenaza físicamente.

• Se agrede físicamente a la víctima, pero sin gravedad, a título de advertencia.

• Se le arremete físicamente pero sin contenerse.

• Se le ocasionan voluntariamente gastos con intención de perjudicarla.

• Se ocasionan desperfectos en su puesto de trabajo o en su domicilio.

• Se agrede sexualmente a la víctima.

5.3.11.- Las consecuencias del *mobbing* o acoso psicológico

El acoso moral puede considerarse como una forma característica de estrés laboral, que no surge por causas directamente relacionadas con el desempeño del trabajo o con su organización, sino que tiene que ver, tal y como señala Heinz Leymann, con "un temor psicológico en el trabajo que implica una comunicación hostil y amoral, dirigida sistemáticamente por una o varias personas, casi siempre contra otra que se siente acorralada en una posición débil y a la defensiva".

Puede llegar a causar daños muy graves, no solo para el trabajador afectado sino también para su familia, para la organización y para la sociedad.

Si bien es cierto que todavía no está reconocido dentro del catálogo de enfermedades profesionales, no hay que olvidar que las secuelas tras haber sufrido el fenómeno van desde trastornos por estrés crónico, hasta síntomas de estrés postraumático.

Estas secuelas pueden durar años, imposibilitando así el poder tener una vida laboral normal. Por lo tanto, no sólo hay que reorientar el tipo de afrontamiento mientras se está sufriendo la situación de hostigamiento laboral.

Los procesos de denuncia judicial suelen ser largos y complicados y se precisan de conductas de afrontamiento específicos. Cómo no, también está el hecho de volver a realizar una actividad profesional después de la situación vivida, y por lo tanto, los esfuerzos para afrontar la nueva situación han de ir enfocados a la lucha contra posibles pensamientos de corte negativo y de fracaso que suelen darse con mucha facilidad en las víctimas.

.- Consecuencias para el trabajador afectado:

El trabajador acosado es quien vive la peor parte sufriendo daños tanto a nivel físico-psíquico, como social.

El acoso no tiene las mismas consecuencias en todas las personas; ya que cada individuo es distinto y dispone de diferentes recursos de afrontamiento.

La sintomatología que presenta la víctima de acoso es muy diversa. Tenemos:

- **Consecuencias psíquicas.** La sintomatología puede ser muy diversa (ansiedad, depresión, falta de autoestima, fobias, culpabilidad, sensación de peligro, miedo continuo, agresividad…). Los trabajadores pasan por situaciones de ansiedad, que es una respuesta adaptativa del organismo ante una amenaza real.

Pueden darse también otros trastornos emocionales como sentimientos de fracaso, impotencia y frustración, baja autoestima o apatía.

En los trabajadores sometidos a acoso, aparecen síntomas cercanos al estrés que se materializan en forma de cansancio, problemas de sueño, migrañas o trastornos digestivos.

Los síntomas desaparecen inmediatamente si la persona descubre el foco del problema; pero el problema es que como la persona no sabe qué le pasa ante una situación de acoso, no puede poner remedio a su malestar. El impacto de los síntomas depende de:

- **Del grado de control percibido:** De la percepción que tiene la víctima de hacer frente con ciertas garantías a la nueva situación.
- **Del grado de predicción de los ataques:** Sus posibilidades de defensa aumentan cuanto mayor sea el grado de conocimiento de los momentos en que se van a producir las agresiones.
- **De la esperanza percibida de mejora.**
- **Del apoyo de su entorno tanto laboral como extralaboral.**

La excesiva duración o magnitud de la situación de *mobbing* puede dar lugar a patologías más graves o a agravar problemas preexistentes. Así, es posible encontrar cuadros depresivos graves, con individuos con trastornos paranoides e, incluso, con suicidas. Éstas serían las consecuencias más graves de este fenómeno, y el riesgo de que se produzca es especialmente alto en profesionales cualificados que obtienen una importante gratificación de su trabajo.

- **Consecuencias físicas.** Se pueden citar desde dolores y trastornos funcionales, hasta trastornos orgánicos. Entre ellos pueden citarse: dolores epigástricos y abdominales, estreñimiento, náuseas, vómitos, astenia, anorexia, dolores torácicos, dolores de espalda, dolores musculares, trastornos del sueño (dificultades para conciliar el sueño, sueño interrumpido, despertarse temprano…), disnea, fatiga, temblores, etc.
- **Consecuencias sociales.** Para la sociedad las causas del acoso suponen una pérdida de fuerza de trabajo y de población activa asociadas a un aumento del gasto económico en bajas laborales. Los costes directos e indirectos soportados por todos los ciudadanos por la no prevención a tiempo de estas conductas son muy elevados, se calcula que, sumando los costes del estrés, estaría entre el 1,5 y el 3% del PIB. Las consecuencias más comunes son:

- Malestar en las relaciones laborales.
- Agresividad e irritabilidad.
- Pérdida de ilusión e interés por los proyectos comunes.
- Abandono de las responsabilidades y compromisos familiares.
- Trastornos médicos y psicológicos en otros miembros del sistema familiar.
- Disminución de la afectividad y del deseo sexual.
- Separación matrimonial.
- Aislamiento, alteraciones de la vida social.

.- Consecuencias para la organización

Las consecuencias para la empresa son muy graves, al disminuir sensiblemente el rendimiento y la productividad repercutiendo tanto en el producto final como en la relación con los clientes. El clima laboral se enrarece y sube el índice de siniestralidad laboral.

Por tanto se producen tres afecciones claras en las empresas afectadas:

- **Sobre el rendimiento.** La productividad laboral se ve sensiblemente mermada al distorsionarse la comunicación y la colaboración entre trabajadores, se interfieren las relaciones establecidas por los trabajadores para la ejecución de las tareas. Así, se producirá una disminución de la cantidad y calidad del trabajo desarrollado por la víctima, el entorpecimiento o la imposibilidad del trabajo en grupo, problemas en los circuitos de información y comunicación, etc. En los casos más graves la productividad de una empresa se llega a ver reducida hasta un 20%. También se producirá un aumento del absentismo (justificado o no) de la persona afectada. Es posible también que se produzcan pérdidas en la fuerza de trabajo, ya que, previsiblemente, el trabajador intentará cambiar de trabajo rotando con sus compañeros tanto interna, como externamente (buscando puestos donde no se necesite su presencia física en la empresa).

- **Sobre el clima social.** Distintos conceptos (como la cohesión, la colaboración, la cooperación, la calidad de las relaciones interpersonales...), indicadores del clima social en una empresa se verán afectados ante la existencia de problemas de este tipo: aparecerá o se intensificará la conflictividad laboral, habrá más quejas y denuncias.

- **Sobre la accidentabilidad.** Algunos estudios relacionan la calidad del clima laboral con la posibilidad de que se incremente la accidentabilidad (accidentes por negligencias o descuidos, accidentes voluntarios...).

.- Afrontamiento

Lo que se intenta en un apoyo psicosocial a la víctima es canalizar las distintas conductas que se usan de manera irracional o descontrolada por otras de corte activas y asertivas, orientándola hacia los distintos procesos de actuación tanto a nivel administrativo como judicial, si es esto lo que se desea.

Como se ha indicado, las secuelas tras haber sufrido el fenómeno pueden durar años, lo cual es favorecido por la lentitud de los procesos judiciales, por lo que es imprescindible un proceso de afrontamiento enfocado a la lucha contra posibles *flashback* o pensamientos intrusivos de corte negativo, y de fracaso que suelen darse con mucha facilidad en las víctimas.

En caso contrario será muy difícil volver a realizar una actividad profesional

5.3.12.- Legislación

Existen pocos países europeos que hayan adoptado una legislación especial relativa al acoso psicológico en el trabajo. En algunos, la legislación se encuentra en fase de estudio o preparación y, en otros, se han adoptado medidas reglamentarias mediante estatutos, guías y resoluciones. En España, alguna legislación existente en la actualidad, que tutela el derecho de las personas a no ser objeto de esta situación, es la siguiente:

- Constitución Española. 1978 (art. 15).
- Real Decreto Legislativo 1/1995, de 24 de marzo (BOE 29.3.95), por el que se aprueba el texto refundido de la Ley del Estatuto de los Trabajadores (arts. 4.2 d, 4.2 y 19.1).
- Ley 31/1995, de 8 de noviembre, de Prevención de Riesgos Laborales (arts. 14, 15, 16, 24.1, 30 y 33).
- Real Decreto 39/1997, de 17 de enero, arts. 2.1, 2.2, 5, 6, 7, 8 y 9, por el que se aprueba el Reglamento de los Servicios de Prevención y modificación posterior: Real Decreto 780/1998, de 30 de abril.

5.4.- El acoso institucional

El XI Congreso Nacional de Psiquiatría Legal creó un nuevo término o tipo de acoso: el "acoso institucional", provocado por un sistema de empleo precario, temporal, de bajo nivel retributivo y en constante evaluación.

El acoso institucional viene provocado por un sistema de empleo precario, temporal, de descenso del nivel de calidad, de retribuciones en constante evaluación. Todo eso genera desmotivación, inseguridad, baja autoestima, depresión.

Es una especie de acoso donde el propio sistema, amparado por la legalidad, saca lo máximo de ti, aun por encima de tus posibilidades.

A diferencia del *mobbing* donde hay una intención de hacer daño al trabajador, en el caso del acoso institucional no hay voluntad de hacer daño, pero te hiere igual porque acabas con los mismos síntomas y angustias, inseguridades, desmotivación, insomnio, en definitiva, pérdida de estabilidad emocional. Y aunque no hay estudios sobre el acoso institucional porque sería denunciar el propio sistema, el efecto perverso de la sociedad, hablamos de millones de personas afectadas.

Entiendo que este acoso sólo puede ser prevenido a través de la Responsabilidad Social Corporativa gracias al poder de las partes interesadas o *stakeholders*.

5.4.1.- Qué es la Responsabilidad Social Corporativa

La responsabilidad social de la empresa (RSE), también denominada responsabilidad social corporativa (RSC), es, esencialmente, un concepto con arreglo al cual las empresas deciden voluntariamente contribuir al logro de una sociedad mejor y un medio ambiente más limpio. Se basa en la idea de que el funcionamiento general de una empresa debe evaluarse teniendo en cuenta su contribución combinada a la prosperidad económica, la calidad del medio ambiente y el bienestar social de la sociedad en la que se integra.

Pretende buscar la excelencia en la empresa, atendiendo con especial atención a las personas y sus condiciones de trabajo, así como a la calidad de sus procesos productivos con la incorporación de las tres facetas del desarrollo sostenible: la económica, la social y la medioambiental, lo cual favorece la consolidación de la empresa, promueve su éxito económico y afianza su proyección de futuro.

El debate, por tanto, se centra en cuál debe ser el grado de implicación de la empresa con sus propios accionistas, con sus trabajadores, con sus clientes, con sus proveedores y con la comunidad en donde actúa. Esto permite que conceptos como el desarrollo sostenible, la mejora continua de las condiciones de seguridad y salud en el trabajo o la responsabilidad ciudadana de la empresa se coloquen en el centro de la discusión.

Los sucesivos escándalos financieros, la crisis económica y las crisis alimentarias que han impactado en la sociedad europea, han provocado una crisis en la credibilidad empresarial. La sociedad reclama cada vez más información sobre la actividad de las empresas en todos los niveles, así como las repercusiones de su actividad en el medio ambiente.

Estamos, sin duda, en una etapa de cambio en los sistemas de producción. Hasta hace relativamente poco, los negocios se guiaban por una feroz competencia y una desmesurada ambición por aumentar su capitalización bursátil, lo que ha conducido, en algunos casos, a prácticas contables, ambientales y sociales poco recomendables que han llevado al borde de la quiebra a varias empresas y, en consecuencia, puesto en compromiso el dinero invertido por los accionistas.

De igual forma que hace medio siglo las empresas desarrollaban su actividad sin tener en cuenta el *marketing* o que hace tres décadas la calidad no formaba parte de las orientaciones principales de la actuación empresarial, hoy en día las empresas son cada vez más conscientes de la necesidad de incorporar las preocupaciones sociales, laborales, medioambientales y de derechos humanos, como parte de su estrategia de negocio.

Entre las herramientas o instrumentos de RSE que permiten implementar prácticas socialmente responsables, podemos mencionar (ver figura 5.4):

- Códigos de ética: enunciados de valores y principios de conducta que norman las relaciones de los integrantes de la empresa y hacia el exterior de ella.

- Códigos de conducta: es un documento que describe los derechos básicos y estándares mínimos (respeto a los Derechos Humanos y a los Derechos Laborales, entre otros), que una empresa declara comprometerse a respetar en sus relaciones con sus trabajadores, la comunidad y el medio ambiente.

- Normas de sistemas de gestión: permiten a la empresa tener una visión clara del impacto de sus actividades en los ámbitos social y medioambiental para la mejora continua de sus procesos.

- Informes de responsabilidad social: es un informe preparado y publicado por la empresa midiendo el desempeño económico, social y medioambiental de sus actividades, y comunicado a las partes interesadas de la empresa *(stakeholders)*.

- Inversión Socialmente Responsable (ISR): la ISR reúne todos los elementos que consisten en integrar criterios extrafinancieros, medioambientales y sociales, en las decisiones de inversión.

Figura 5.4.- Herramientas o instrumentos de la Responsabilidad social de la empresa que permiten implementar prácticas socialmente responsables.

- Códigos de ética.
- Códigos de conducta.
- Normas de sistemas de gestión.
- Informes de responsabilidad social.
- Inversión Socialmente Responsable (ISR).

Aunque el concepto de responsabilidad social se aplica principalmente a las grandes firmas, es aplicable a todo tipo de empresas, públicas y privadas, incluidas las PYME y las cooperativas. Como veremos, además de permitir la mejora de su imagen de marca de una empresa, tiene un impacto real en el valor de la empresa.

Podríamos decir que los principios que la rigen son:

- **El cumplimiento de la legislación** nacional vigente y especialmente de las normas internacionales en vigor (OIT, Declaración Universal de los Derechos Humanos, Normas de Naciones Unidas sobre Responsabilidades de las Empresas Transnacionales y otras Empresas Comerciales en la esfera de los Derechos Humanos, Líneas Directrices de la OCDE para Empresas Multinacionales, etc.).

- **Su carácter global**, es decir, afecta a todas las áreas de negocio de la empresa y sus participadas, así como a todas las áreas geográficas en donde desarrollen su actividad. Afecta, por tanto, a toda la cadena de valor necesaria para el desarrollo de la actividad, prestación del servicio o producción del bien.

- Comporta **compromisos éticos objetivos** que se convierten de esta manera en obligación para quien los contrae.

- Se manifiesta en los **impactos que genera la actividad empresarial** en el ámbito social, medioambiental y económico.

- Se orienta a la **satisfacción e información** de las expectativas y necesidades de los grupos de interés.

En la figura 5.5 se diferencia la RSE de las actuaciones filantrópicas y de lo que se denomina "*marketing* con causa" (utilización de las acciones sociales para publicitar la imagen de empresa). El factor diferencial se encuentra en la respuesta que comporta a los propios intereses empresariales y el necesario equilibrio con todos los grupos de interés de la organización, *stakeholders*.

Para conocer el grado de compromiso de una empresa con la RSE, se debe observar su evolución en cinco áreas:

- **Valores y Principios Éticos.** Se refiere a cómo una empresa integra un conjunto de principios en la toma de decisiones en sus procesos y objetivos estratégicos. Estos principios básicos se refieren a los ideales y creencias que sirven como marco de referencia para la toma de decisiones organizacionales. Esto se conoce como "enfoque de los negocios basado en los valores" y se refleja en general en la Misión y Visión de la empresa, así como en sus Códigos de Ética y de Conducta.

- **Condiciones de Ambiente de Trabajo y Empleo.** Se refiere a las políticas de recursos humanos que afectan a los empleados, tales como compensaciones y beneficios, carrera administrativa, capacitación, el ambiente en donde trabajan, un adecuado balance trabajo-tiempo libre, trabajo y familia, salud, seguridad laboral, etc.

Figura 5.5.- Matriz diferencial entre Responsabilidad Social y otras situaciones "empresariales"

		Interés propio		
		Muy bajo		Alto
Compromiso social	Alto	Filantropía	Economía social convencional	Responsabilidad Social
		Caridad	Empresa de economía convencional	Marketing con causa
	Bajo	Fracaso cierto	Negocio puro	Negocio especulativo

- **Apoyo a la Comunidad.** Es el amplio rango de acciones que la empresa realiza para maximizar el impacto de sus contribuciones, ya sean en dinero, tiempo, productos, servicios, conocimientos u otros recursos que están dirigidas hacia las comunidades en las cuales opera. Incluye el apoyo al espíritu emprendedor apuntando a un mayor crecimiento económico de toda la sociedad.

- **Protección del Medio Ambiente.** Es el compromiso de la organización empresarial con el Medio Ambiente y el desarrollo sostenible. Abarca temas tales como la optimización de los recursos naturales, su preocupación por el manejo de residuos, la capacitación y concienciación de su personal...

- *Marketing* **Responsable.** Se refiere a una política que involucra un conjunto de decisiones de la empresa relacionadas fundamentalmente con sus consumidores y se vincula con la integridad del producto, las prácticas comerciales, los precios, la distribución, la divulgación de las características del producto, el *marketing* y la publicidad.

5.4.1.1.- Modelo de evolución

Para que una empresa aplique los principios de responsabilidad social, es decir, sea un buen ciudadano corporativo que dedica recursos a la comunidad para mejorar su calidad de vida en su conjunto, antes tiene que cumplir con tres responsabilidades previas:

- **Responsabilidad económica,** es decir, generar beneficios y ser rentable. Es la base sobre la que se cimentan el resto de las responsabilidades. Constituye la base de su existencia. Sin ella no tiene sentido la producción y generación de productos o servicios que la sociedad precise.

- **Responsabilidad legal,** es decir, cumplir la ley y las reglamentaciones establecidas. En otras palabras, una clara exigencia de cumplir la legalidad con rigor. Tristemente sabemos que no son escasos los escándalos generados por una falta total de compromiso en este nivel.

- **Responsabilidad ética,** es decir, ser justo, la obligación de hacer lo que está bien y es justo, el evitar el daño. No sirven atajos ilegales ni faltos de ética. Conllevan el cumplimiento de expectativas sociales no contempladas en la ley.

5.4.2.- Concepto de parte interesada

Es necesario cuando se maneja el concepto de responsabilidad social, utilizar el término "partes interesadas" o *stakeholders*. Sin embargo, debido a que el concepto de parte interesada tiene un impacto en el concepto de responsabilidad social, es importante entender cómo su uso puede influir en la forma en la cual la responsabilidad social es entendida.

El origen del concepto de parte interesada se encuentra en las teorías de gestión que analizan el comportamiento corporativo en términos de los intereses que afecta, o que son afectados por, las actividades de la corporación. Esta teoría es relativa al concepto de corporación como un tipo específico de organización, y especialmente al sistema de gobierno corporativo. El término parte interesada *(stakeholder)* pretendía estar en contraste con el término accionista *(shareholder)*.

Las partes interesadas tienen intereses coincidentes con éxito de las corporaciones y por ello, de una forma u otra, tienen un riesgo propio similar al que tienen los accionistas.

El uso del término "partes interesadas" evolucionó con las prácticas de responsabilidad social corporativa. Identificar e involucrar a cada individuo afectado por una corporación es imposible, por lo que la práctica desarrollada para las organizaciones de negocios fue consultar a organizaciones no gubernamentales (ONG), quienes a menudo servían de representantes de las partes interesadas reales.

En esta perspectiva, cada organización tendrá diferentes partes interesadas:

- Para las compañías, sus partes interesadas incluirán, entre otras, a consumidores, proveedores, accionistas y personal.
- Para los gobiernos, puede incluir a las organizaciones de empleadores, sindicatos y ONG.

Además de los accionistas, las ONG están siendo especialmente influyentes en el desarrollo de la responsabilidad social de las organizaciones.

El término ONG ha sido utilizado en distintas formas, pero hoy se usa normalmente para señalar a organizaciones de la sociedad civil del sector voluntario.

A través de trabajar en temas de preocupación social, como la lucha contra la pobreza o la mejora del medioambiente, han trabajado no sólo para influir en el sector público, sino también crecientemente, en aquellas compañías importantes para su misión.

Señalar finalmente que el término "parte interesada" es especialmente útil en el contexto de la responsabilidad social cuando se refiere a una parte:

- Que tiene una relación identificable y específica con los asuntos de la organización concerniente.
- Puede hacer una demanda con respecto a la organización, que puede también estar relacionada con los intereses de la sociedad en su conjunto.

Es verdad que en muchas ocasiones, el uso del término "partes interesadas" confunde más que aclarara, especialmente cuando el término reemplaza a términos más específicos. Pero en cierta medida esta confusión es justificable, ya que los individuos impactados por una corporación no estarán organizados. De ahí la imprecisa distinción entre ONG por un lado, y la sociedad civil por el otro.

5.5.- Acoso sexual

Históricamente no se ha prestado importancia al problema del acoso sexual en los puestos de trabajo. Hasta hace pocos años se presentaba como un asunto poco relevante, atribuyéndose la culpa, en la mayoría de los casos, a la persona acosada.

Sin embargo, es una de las formas comunes de violencia psicológica en el trabajo, que presenta connotaciones tanto de violencia física como de psíquica.

El acoso sexual supone una manera intolerable de comportarse, que atenta contra los derechos fundamentales de la persona. Es una forma de violencia que se da en muchas empresas y que afecta a ambos sexos, aunque es mucho mayor el número de mujeres afectadas.

Lo podemos definir como una conducta no deseada de naturaleza sexual que afecta a la salud de la persona que la sufre y que perjudica el ambiente de trabajo. Puede presentar distintos grados de gravedad, desde proposiciones o comentarios sexuales, hasta presiones para que se acepten citas bajo amenaza o, incluso, agresiones físicas o violación.

La Segunda Encuesta Europea sobre Condiciones de Trabajo, llevada a cabo en 1996 por la Fundación Europea para la Mejora de las Condiciones de Vida y de Trabajo, indica en sus conclusiones que el acoso sexual no es un fenómeno esporádico que afecte a algunas mujeres aisladas en el lugar de trabajo, sino que un 3% de mujeres han sido víctimas de acoso sexual en los últimos doce meses anteriores a la realización de la encuesta, lo que supone una cifra total de dos millones de mujeres. En el caso de los hombres, el porcentaje que señala haber sido acosado sexualmente es inferior al 1,1%.

Además, la misma encuesta señala que las mujeres que tienen empleos precarios son más a menudo víctimas de acoso sexual que quienes gozan de empleo estable.

Según el Instituto de la Mujer, del Ministerio de Trabajo y Asuntos Sociales, en un estudio presentado en abril del 2006, España presentaba la siguiente situación: el 14,9% de las mujeres trabajadoras en España han sufrido alguna situación de acoso sexual en el último año (acoso técnico, que se correspondería con los valores reales). Sin embargo, este porcentaje se reduce hasta el 9,9% entre las que perciben haber sufrido acoso sexual (acoso declarado).

Trasladando estos datos al conjunto de las mujeres activas en España, que según los últimos datos de la Encuesta de Población Activa en el cuarto trimestre de 2005 ascendían a 8.425.000 trabajadoras, se estima que 1.310.000 trabajadoras han sufrido en España alguna situación de acoso sexual en su trabajo en el último año (acoso técnico), si bien sólo 835.000 mujeres lo han vivido como tal (acoso declarado).

5.5.1.- La definición de acoso sexual

Según la OIT y la Unión Europea, acoso sexual laboral es todo comportamiento de carácter sexual no deseado que realiza, en el contexto de una relación de empleo, una persona respecto de un/a trabajador/a con el propósito o el efecto de atentar contra su dignidad y crear un ambiente intimidatorio, ofensivo u hostil para él o ella.

Por tanto, como elementos clave del acoso sexual, deben citarse los siguientes:

• Es una conducta de índole sexual, y toda otra conducta basada en el sexo y que afecte a la dignidad de mujeres y hombres, que resulte ingrata, irrazonable y ofensiva para quien la recibe.

• Si se produce el rechazo de la persona a esa conducta, o su sumisión a ella, se emplea explícita o implícitamente como base para una decisión que afecta al trabajo de esa persona (acceso a la formación profesional o al empleo, continuidad en el empleo, promoción, salario o cualesquiera otras decisiones relativas al empleo).

• Esta conducta crea un ambiente de trabajo intimidatorio, hostil o humillante para quien la recibe.

Por tanto, son elementos a destacar la naturaleza claramente sexual de la conducta de acoso, el que tal conducta no es deseada por la víctima, el tratarse de un comportamiento molesto, la ausencia de reciprocidad y la imposición de la conducta.

Al hablarse de acoso sexual debe considerarse la conducta sexual en un sentido amplio, por tanto se incluirá:

• **Conductas físicas de naturaleza sexual**: Incluyendo el contacto físico no deseado. Que puede abarcar desde tocamientos innecesarios, "palmaditas", "pellizquitos", roces con el cuerpo, hasta el intento de violación y la coacción para relaciones sexuales.

• **Conducta verbal de naturaleza sexual**: Con insinuaciones sexuales molestas, proposiciones, flirteos ofensivos, comentarios e insinuaciones obscenos.

• **Conducta no verbal de naturaleza sexual**: Exhibición de fotos sexualmente sugestivas o pornográficas, materiales escritos, miradas/gestos impúdicos.

De todo lo anterior, surge una nueva definición para acoso sexual: Toda conducta de naturaleza sexual que, desarrollada en una relación de trabajo por un sujeto que sabe o debe saber que no es deseada por la víctima, atenta contra su dignidad y le crea un entorno laboral ofensivo, hostil, intimidatorio y/o humillante.

5.5.2.- Los tipos de acoso sexual

Se establecen tres tipos:
.- Según el grado de acoso
Inciden factores como la existencia de contacto físico o no, la presión ejercida sobre la víctima… Aparecen tres tipos de acoso:

• **Acoso de carácter leve:** Entre otras conductas presenta: chistes de contenido sexual sobre la mujer, piropos, comentarios sexuales, insinuaciones sexuales, etc., sobre las trabajadoras. Son las conductas de acoso más frecuentes.

• **Acoso de carácter grave:** Presenta entre otras conductas: abrazos o besos no deseados, tocamientos y pellizcos, acorralamientos… Tienen una incidencia más baja pero no menos importante.

- **Acoso sexual muy grave:** Se produce cuando existe una fuerte coacción para mantener una relación sexual independientemente de que haya contacto físico sexual.

.-Según el tipo de conducta

Se distinguen dos tipos básicos de acoso sexual, en función de que exista o no un elemento de chantaje en el mismo:

- **El chantaje sexual o acoso quid pro quo.** Fuerza al trabajador a elegir entre someterse a los requerimientos sexuales o perder o ver perjudicados ciertos beneficios o condiciones del trabajo.

Se trata de un abuso de autoridad, por lo que sólo se puede realizar desde una posición de poder. En estos casos, la negativa de una persona a una conducta de naturaleza sexual se utiliza explícita o implícitamente como una base para una decisión que afecta el acceso de la persona a la formación profesional, al empleo continuado, a la promoción, al salario o a cualquier otra decisión sobre el empleo.

Atendiendo a la forma, se distingue entre chantaje explícito o implícito:

- **Chantaje explícito:** Es una proposición directa y expresa de solicitud sexual, bien sin prescindir de la voluntad del trabajador agredido, o bien requerimiento sexual, también expreso, acompañado de coacción física prescindiendo de la voluntad del trabajador agredido.

- **Chantaje implícito, indirecto o tácito:** Se produce cuando el trabajador nunca ha sido solicitado o requerido sexualmente, pero otros trabajadores de su mismo sexo, en idénticas o similares circunstancias profesionales, ascienden de categoría, mejoran sus salarios o reciben beneficios o mejoras laborales por aceptar condiciones de un chantaje sexual, lo que incita implícitamente a su aceptación.

Atendiendo a los efectos:

- **Chantaje sexual que implica pérdida de derechos:** El empresario o directivo cumple su amenaza si el trabajador no se somete a la condición sexual (no contrata, despide, no aumenta salario...).

- **Chantaje sexual sin pérdida de derechos laborales:** Sucede cuando, a pesar de la negativa del trabajador, el empresario o directivo no cumple su amenaza.

- **El acoso ambiental.** Los acosadores crean con su actitud un ambiente de trabajo humillante, hostil o amenazador para el acosado. Puede ser realizado por personas de superior o igual categoría que la víctima, o terceras personas ubicadas de algún modo en la empresa.

.- Según los individuos que intervienen.

Esta situación pude darse entre:

- Compañeros.
- De superior a subordinado.
- De subordinados a superior (poco habitual).
- De superior a subordinados con la colaboración de los compañeros del acosado.
- De compañeros a compañeros, con el conocimiento del superior, sin intención de evitarlo.

5.5.3.- La secuencia del acoso sexual

Según lo descrito en el estudio "El acoso sexual a las mujeres en el ámbito laboral", editado por el Instituto de la Mujer, de abril de 2006, la secuencia del acoso sexual es la siguiente:

- El acosador elige una víctima con un perfil bastante definido, basado sobre todo en la vulnerabilidad percibida.
- Se granjea su confianza: le apoya, le ayuda en aspectos relacionados con su puesto de trabajo y la llena de halagos. Se convierte en una especie de amigo-padre-protector.
- A partir de aquí empieza a comportarse como algo más que un compañero de trabajo/jefe: aumento del número de llamadas, incluso fuera del horario laboral, incremento de las visitas al lugar de trabajo de la víctima o los requerimientos para ser visitado en su despacho, etc.
- El resto de los trabajadores perciben que existe una relación especial entre acosador y acosada, que encuadran más en una amistad o relación de privilegio que en una conducta de acoso, lo que ayuda al rechazo de los compañeros y al aislamiento de la víctima en el entorno del acosador. En este sentido, ella misma puede llegar a sentirse como "la elegida", lo que posteriormente incrementará las consecuencias negativas del acoso y los sentimientos de culpa.
- Empieza a hacer explícitas sus demandas, primero como evolución "natural" de la relación, para pasar luego al chantaje, recordando a la víctima el apoyo y los favores que ha obtenido de él, y el agradecimiento que espera en compensación.
- Recurre a las amenazas sobre la pérdida de las prerrogativas que la trabajadora haya podido disfrutar "gracias a él", e incluso sobre la pérdida de su puesto de trabajo. En muchas ocasiones, la trabajadora se ve privada efectivamente de dichas prerrogativas y sufre además la humillación delante de los compañeros.

- El acosador pasa al asalto con fuerza física.

5.5.4.- Procedimientos de actuación frente al acoso sexual

Dado que en la mayoría de los casos sólo se busca el cese del acoso, deben existir procedimientos tanto formales como informales. Los procedimientos informales buscan solucionar la situación a través de la confrontación directa entre las partes o a través de un intermediario; los procedimientos formales buscan una investigación del asunto y la imposición final de sanciones, si se confirma la existencia de acoso. Se debe animar a solucionar el problema de manera informal. Se aconseja acudir al procedimiento formal cuando el informal no dé resultado o sea inapropiado para resolver el problema.

- Se recomienda que se designe a una persona a la que se formará para ofrecer consejo y asistencia y participar en la resolución de problemas, tanto en los procedimientos formales como en los informales; la aceptación de tales funciones debe ser voluntaria y los representantes sindicales y los trabajadores deben estar de acuerdo.
- El procedimiento de reclamación debe proporcionar a los trabajadores la seguridad de que sus quejas y alegaciones serán tratadas con toda seriedad.
- Las investigaciones que se lleven a cabo deben ser independientes y objetivas; los investigadores no deben tener ninguna conexión con las partes.
- Es conveniente que las normas disciplinarias recojan claramente las conductas de acoso y las correspondientes sanciones.
- Es conveniente realizar consultas a través de las diferentes asociaciones sindicales o grupos de ayuda, ya que suelen tener establecidos sistemas de apoyo sobre el tema.

5.5.5.- El perfil del acosador y de su víctima

El acoso sexual surge ante un desequilibrio de poder, la mujer, como víctima de acoso sexual en la mayoría de los casos, se convierte en un objeto sexual favorecido por una situación de partida no igualitaria.

Se constata que ese desequilibrio y uso de poder no está unido a la posición jerárquica, de clase o estatus social, sino que tiene que ver con el poder de género, de ahí la dificultad de entender a veces que se ha producido acoso si la persona acosadora no es un superior en el puesto de trabajo.

.- Características del acosador

Según un estudio realizado por el Ministerio de Trabajo y Asuntos Sociales; aunque puede existir el acosador psicópata, la mayoría de las personas que ejercen acoso sexual no tienen por qué presentar ningún tipo de psicopatía ni responder a un perfil definido.

En los casos leves no existe un perfil definido, dado que "cualquiera" puede incurrir en una conducta de acoso ambiental, muchas veces sin conciencia de ello. Sin embargo, sí se pueden establecer algunos indicios: suele tratarse de compañeros con el mismo nivel en el organigrama, o incluso inferior; presentan una conducta sexista en general, son inmaduros y se suelen enorgullecer de 'sus conquistas'. Del discurso social se derivan dos caracterizaciones: el inseguro, retraído, dominado por su pareja, y el atractivo y prepotente, que se cree irresistible.

En los casos graves y muy graves, el perfil de acosador es el siguiente:

- **Datos sociodemográficos:** La edad no parece ser un elemento determinante, sí el estado civil: suele tratarse de hombres casados (o con pareja estable) y con hijos, que utilizan como argumento el mal funcionamiento de su matrimonio.

- **Situación laboral:** Suele ocupar un cargo superior a la víctima (normalmente, mando intermedio) y cuenta con el respaldo incondicional de la dirección de la empresa, así como con una larga trayectoria laboral en la misma. Como jefe, presenta un carácter dominante y es calificado de déspota y abusador, ya que utiliza su poder para sus pretensiones personales y trata de manera incorrecta a sus subordinados.

- **Perfil psicosocial:** Es una persona más fría que impulsiva o pasional, ocupando un papel secundario y calificado incluso de 'perverso' y 'maquiavélico'.

- **Su autopercepción no se ajusta a la imagen que transmite:** Desde fuera se percibe narcisista, endiosado, soberbio, arrogante, prepotente, manipulador. Además, se cree invulnerable.

- **Presenta cierto carácter infantil y caprichoso:** No acepta un 'no' por respuesta y puede resultar vengativo si no consigue lo que pretende, llegando a ejercer sobre la víctima acoso laboral, aislamiento, insultos y vejaciones.

- **Sexista y machista:** No considera a las mujeres como sus iguales, dado que su acercamiento a ellas se produce desde el embaucamiento, el abuso de poder y, finalmente, el chantaje.

- **Muestra escasa empatía hacia los demás, especialmente hacia las mujeres, ya que no las valora:** Es consciente de estar infligiendo un daño a la otra persona, sabe que se trata de una conducta ilícita o reprochable, aunque no en todos los casos lo entienda exactamente como acoso sexual (puede que se niegue a admitirlo, a pesar de que la acosada haga patente su rechazo).

- **Se suele observar en ellos cierta tendencia al acoso:** Es decir, no se trata de que se obsesionen con una trabajadora, de manera excepcional, sino que suelen presentar una conducta repetitiva de menosprecio de género.

5.5.6.- Factores que favorecen el acoso sexual

No existe un perfil tipo de mujer acosada; más bien, los estudios existentes muestran que el acoso recorre todo el escenario laboral, sucede en las distintas etapas de la vida y en los distintos sectores y ámbitos de actividad.

Pero determinados factores o situaciones personales aumentan el riesgo de sufrir acoso sexual:
- Mujeres separadas o divorciadas.
- Mujeres jóvenes.
- Mujeres de incorporación reciente a la vida laboral.
- Personas que tienen una discapacidad.
- Personas homosexuales.
- Inmigrantes.

Se dirige más a profesiones con costumbres y horarios más atípicos, como camareras, azafatas, periodistas, actrices, etc.

5.5.7.- Factores causantes del acoso sexual

Como todos los riesgos psicosociales el acoso sexual tiene un origen multicausal, asociado a diferentes factores:
- **Objetivos:** Como la organización y el clima de trabajo.
- **Subjetivos:** Las características individuales del acosador y de la víctima.
- **Sociales:** Diferencias culturales y de roles sociales.

Dejando a un lado los factores de orden individual y social, queda hoy claro que el acoso sexual laboral se presenta sobre todo como un problema de organización del trabajo. Por tanto hay que atender tanto al plano de la "cultura grupal" como de "clima organizacional". Algunos autores consideran que el acoso se produce en las empresas con base en dos aspectos:
- **El clima organizacional:** Referido a las características de la organización que facilitan que exista o no un clima de tolerancia hacia el acoso sexual. Si la percepción es que la organización tolera en alguna medida el acoso sexual en el trabajo está correlacionado positivamente con experiencias de acoso sexual. Muestras de tolerancia hacia el acoso sexual son que las quejas sobre el mismo no se tomen en serio, que sea arriesgado plantear quejas o que los acosadores tengan poca probabilidad de ser efectivamente castigados.

- **El contexto masculino o femenino:** Se refiere a si predominan los hombres o las mujeres y a si el tipo de tareas son predominantemente masculinas o femeninas. Las mujeres que trabajan en contextos predominantemente masculinos tienen más probabilidades de sufrir acoso sexual.

Estos dos elementos determinan la prevalencia del acoso sexual. Si se distingue según el tipo de acoso sexual, parece que las condiciones y el clima organizacional determinan en mayor medida el acoso que crea un ambiente hostil que el acoso quid pro quo, más influenciado por características individuales del acosador.

En las consecuencias negativas del acoso sexual parece tener gran influencia la respuesta individual de la víctima. Respecto a la manera de afrontar la situación, la respuesta más común suele ser evitar al acosador y tratar de reconducir la situación evitando la confrontación directa.

Pero en la mayoría de los casos esta estrategia da como resultado consecuencias muy negativas, en cuanto que, en muchas ocasiones, el trabajo conlleva interactuar con el agresor; con ello, se incrementa la probabilidad de que ocurran más episodios de acoso y, por otro lado, la estrategia de evitación tiene un impacto negativo en el funcionamiento laboral diario. Muy pocos son, en cambio, los que buscan el apoyo de la organización, que debería ser la primera y mejor reacción.

En cualquier caso, el acoso sexual, incluso cuando es poco frecuente, ejerce un impacto muy negativo sobre el bienestar psicológico de la víctima y sobre su relación con el mundo laboral.

5.5.8.- Consecuencias del acoso sexual

El acoso sexual afecta negativamente tanto al trabajador como al proceso productivo, ya que repercute sobre la satisfacción laboral, aumenta el absentismo y las faltas al trabajo, disminuye el ritmo de producción debido a la falta de motivación.

Por tanto, las consecuencias afectan a:

- **Los empleados:** Las consecuencias del acoso sexual pueden ser muy graves para la víctima. Con efectos dañinos físicos y psíquicos, además la víctima corre el riesgo de perder su trabajo o experiencias relacionadas con él, tales como su formación profesional, o llegar a sentir que la única solución posible es renunciar a todo ello. El acoso sexual lleva a la frustración, pérdida de autoestima, absentismo y una merma de la productividad.

- **Las empresas:** Puede ser la razón oculta de que empleados valiosos abandonen o pierdan su puesto de trabajo, cuando, por otra parte, habían dado muestras de un buen rendimiento. Si la empresa consiente un clima de tolerancia hacia el acoso sexual, su imagen puede verse dañada en el supuesto de que las víctimas se quejen y hagan pública su situación. Por añadidura, corre también crecientes riesgos financieros, porque cada día son más los países en que una acción judicial a instancia de las víctimas puede fácilmente determinar daños e imponer sanciones económicas.

- **La sociedad:** El acoso sexual impide el logro de la igualdad, fomenta la violencia sexual y tiene efectos negativos sobre la eficiencia de las empresas, entorpeciendo la productividad y el desarrollo.

.- Consecuencias del acoso sobre el trabajador

Las consecuencias psicológicas del acoso sexual sobre la víctima son muy graves, alguno de los efectos más comunes son:

- Bajo rendimiento en el trabajo, con el consiguiente absentismo progresivo.
- Pérdida del trabajo.
- Exposición de la vida personal al escrutinio público, la víctima se convierte en el "acusado" y su código de vestimenta, estilo de vida y vida privada son centro de atención. Esto raramente ocurre con el acosador.
- Cambia totalmente su forma de vida y su entorno, sintiéndose constantemente en segundo lugar.
- La sensación de ser constantemente observado como un objeto sexual para quien le conoce.
- Constante pérdida de confianza hacia los ambientes donde ocurrió el acoso.
- Constante pérdida de confianza hacia las personas que ocupan puestos similares al que le hizo víctima del acoso.
- Tensión en sus relaciones con los demás, llegando al divorcio, o incluso enemistarse con las amistades.
- Distanciamiento de los círculos que frecuentaba, profesionales o familiares.
- Cambio de trabajo, de vivienda, etc.

La consecuencia psicológica más destacada es el trastorno de estrés postraumático, experimentado por entre un 50 y un 60% de las mujeres agredidas sexualmente.

El trastorno de estrés postraumático se define como un cuadro clínico que se presenta en sujetos que han sido víctimas de desastres, accidentes o de agresiones provocadas deliberadamente por el ser humano.

Los síntomas de este trastorno son tres principalmente:

• En primer lugar, las víctimas suelen revivir intensamente la agresión sufrida en forma de recuerdos constantes involuntarios, de pesadillas y de un malestar psicológico profundo.

• En segundo lugar, las víctimas tienden a evitar o escaparse de los estímulos asociados al hecho traumático.

• En tercer lugar, las víctimas muestran una respuesta de alerta exagerada.

Todo lo anterior genera en la víctima una pérdida de interés por lo que les resultaba atractivo antes, así como también un embotamiento afectivo.

Los síntomas psicológicos asociados al acoso son:

• **A nivel personal:** Ansiedad y rechazo al trabajo, depresión y pérdida de autoestima.

• **A nivel interpersonal:** Desconfianza hacia los hombres, dificultad para establecer relaciones espontáneas con el otro sexo.

Los síntomas psicosomáticos son:

• Dolores de cabeza.

• Molestias gastrointestinales.

.- Consecuencias del acoso para la empresa

En la empresa se producen situaciones que en muchos casos pueden relacionarse con otros riesgos psicosociales como el estrés y el *mobbing*:

• Absentismo laboral.

• Descenso de productividad y de la motivación.

• Nerviosismo.

• Estrés.

• Enrarecimiento del clima laboral.

• Eventual pago de indemnizaciones, lo que produce un incremento en los costes del empresario.

Un estudio citado en el informe de la OIT realizado en 160 grandes empresas estadounidenses señala que el acoso sexual cuesta a cada empresa una media de 6'7 millones de dólares anuales por razones de absentismo y baja de la productividad.

5.5.9.- Propuesta de medidas de la Comisión Europea

Las medidas que la Comisión Europea propone para hacer frente al acoso sexual son las siguientes:

• Debe existir una declaración de principios de los empresarios en el sentido de mostrar su implicación y compromiso en la erradicación del acoso, en la que éste se prohíba y se defienda el derecho de todos los trabajadores a ser tratados con dignidad, manifestando que las conductas de acoso ni se permitirán ni perdonarán y se explicitará el derecho a la queja de los trabajadores cuando ocurran.

• Se explicará qué se entiende por comportamiento inapropiado y se pondrá en claro que los directores y superiores tienen el deber de poner en práctica la política contra el acoso sexual.

• La declaración deberá explicar el procedimiento que deben seguir las víctimas, asegurando la seriedad y la confidencialidad, así como la protección contra posibles represalias. Se especificará la posible adopción de medidas disciplinarias.

• La organización de la empresa debe asegurarse de que la política de no acoso sea comunicada a los trabajadores y de que éstos sepan que tienen un derecho de queja para el que existe un firme compromiso en no tolerar los comportamientos de acoso.

• La responsabilidad de asegurar un entorno de trabajo respetuoso es de todos los trabajadores, recomendándose a los mandos que tomen medidas para promocionar la política de no acoso.

• Se debe proporcionar una formación general a mandos y gestores. Aquellos a quienes se asignen cometidos específicos en materia de acoso sexual habrán de recibir una formación especial para desempeñar con éxito sus funciones (información legal sobre la materia, habilidades sociales para manejar conflictos, etc.).

5.5.10.- Legislación

• Constitución española de 27.12.1978 (arts. 10.1, 14 y 18.1).

• Real Decreto legislativo 1/1995 de 24.3 (M. Trabajo y Seguridad Social. BOE 29.3.1995). Texto refundido de la Ley del Estatuto de los Trabajadores (art. 4.2.e y art. 96, modificado por Ley 50/1998 de 30.12).

• Real Decreto legislativo 5/2000 de 4.8 (M. Trabajo y Asuntos Sociales, BOE 8.8, rect. 22.9.2000). Aprueba el texto refundido de la Ley de Infracciones y Sanciones en el Orden Social (art. 8.13), posteriormente modificado por: Ley 14/2000 de 29.12; Ley 12/2001 de 9.7 y Ley 24/2001 de 27.12. Actualizado por: Resolución de 16.10.2001.

• Ley Orgánica 10/1995 de 23.11 (Jefatura del Estado. BOE 24.11.1995, rect. 2.3.1996). Código Penal. Modificada por Ley Orgánica 11/1999, de 30.4 (Jefatura del Estado. BOE 1.5.1999), art. 184.

5.6.- Otros riesgos psicosociales

En los últimos siglos se ha producido una rehumanización progresiva de las condiciones laborales. Se han disminuido las horas de trabajo en favor del incremento de las de ocio y descanso dando un salto cualitativo en la calidad de vida. El equilibrio entre las horas de trabajo, ocio y descanso resulta determinante para el bienestar personal.

Sin embargo, nuestra sociedad de consumo potencia olvidar el tiempo libre en favor de un trabajo adicional que haga aumentar las ganancias para un aumento del consumo y en busca del placer.

Es en este contexto donde se ha comenzado a estudiar un "nuevo" trastorno psicológico que se caracteriza por la pérdida de control en la actividad laboral: la adicción al trabajo. Y para aguantar el ritmo de trabajo pueden generarse adicciones químicas o psicológicas.

5.6.1.- Adicciones químicas y adicciones psicológicas

El ser humano necesita una satisfacción global repartida en diversas actividades. Si es incapaz de repartir su tiempo en diversas actividades, puede centrarse en una sola. Cualquier conducta es susceptible de adicción.

Podemos definir una adicción como una conducta repetitiva que resulta placentera y que genera una pérdida de control en el sujeto. Cuentan con dos componentes fundamentales: falta de control y dependencia.

Aunque la noción de adicción se asocia tradicionalmente a las drogas, existen hábitos de conducta en apariencia inofensivos que se convierten en adictivos como el alcohol o el juego.

Las conductas adictivas están controladas en un principio por reforzadores positivos, pero después terminan por ser controladas por reforzadores negativos. La adicción está determinada en función del grado de interferencia de relaciones.

Ciertas conductas problemáticas pueden considerarse psicopatologías similares a las que sufren los drogodependientes. Es decir, los síntomas de adicción psicológica son similares a los de las adicciones químicas.

5.6.2.- Adicción al trabajo

Hasta ahora la dedicación intensa al trabajo ha sido considerada como buena: como una adicción positiva. Se ha empezado a considerar este fenómeno como un trastorno grave, con sus consecuencias físicas y psicológicas. La adicción al trabajo está caracterizada por:

• Una implicación progresiva, excesiva y desadaptativa a la actividad laboral con pérdida de control respecto a los límites del trabajo y que afecta a otros ámbitos de la vida cotidiana.

• La sobreimplicación responde a una necesidad personal más que a necesidades del entorno laboral.

.- Características
• Implicación elevada.
• Impulso por presiones personales.
• Poca capacidad de disfrute.
• Búsqueda de poder o prestigio.
• Todo lo anterior va acompañado frecuentemente por sentimiento de inferioridad y miedo al fracaso.

.- Síntomas
• Negación del problema.
• Distorsión de la realidad.
• Necesidad de control.
• Tolerancia creciente.
• Síntomas de abstinencia en vacaciones.

Con todo esto conviene aclarar que no toda dedicación intensa al trabajo es adicción. Puede haber personas trabajadoras que saben desconectar en su tiempo libre.

.- Adictos
• Carecen de control.
• No desconectan.
• Trabajo: es el elemento prioritario de todo lo que le rodea.
• Adicto: persona insatisfecha o irritable cuando está fuera del trabajo.

.- Consecuencias negativas
• Relaciones familiares deterioradas.
• Aislamiento.
• Carencia o pérdida del sentido del humor.
• Desinterés por las relaciones interpersonales no productivas.
• Debilitamiento de la salud. Calidad de vida deficitaria provocada por el consumo abusivo del alcohol y el tabaco.

- Tiempo libre muy reducido. Ritmo de sueño demasiado variado ("mal dormir").

.- Resumen

En definitiva, se trata de una adicción caracterizada por:
- Aumento desmesurado del rendimiento laboral.
- Gran sentido del cumplimiento del deber.
- Carencia de aficiones.
- Sentimiento de culpabilidad con el ocio.
- Implicación en una batalla sin fin por el éxito.
- Suele ir acompañada de depresión, ansiedad e ira.
- En gente más perfeccionista y con más problemas de salud.
- Dificultad de delegación.
- Mayor incapacidad para solucionar problemas de forma efectiva.
- Mayor dificultad para expresar afecto.
- Mayor esfuerzo para relaciones sociales e íntimas. Es frecuente que vaya acompañada de una adicción química (tabaco, alcohol, cocaína, etc.).

5.6.3.- La violencia en el trabajo

Además de las formas clásicas de violencia debemos incluir la violencia contra gerentes o directivos generados por reestructuraciones no valoradas socialmente. Incluye el *bossnapping* o secuestro de directivos.

Es necesario señalar el altísimo porcentaje de ansiedades, depresiones, adicciones y conflictos de pareja que tienen su origen en temas laborales.

En efecto, el 54% de los diagnósticos de desorientación vital tienen su origen en problemas generados en el ámbito laboral, un porcentaje que alcanza el 45% para las ansiedades y el 35% de la depresiones, 42% es el caso de ellas. Se observa que las mujeres son sensiblemente más vulnerables. En su caso, el trabajo está detrás de un 75% de las adicciones, el 36% de las fobias, un 30% de las terapias de pareja y el 20% de los trastornos alimentarios.

6.- La evaluación del riesgo psicosocial

No se conoce ningún método para medir directamente la carga mental. Por ello hay que recurrir a métodos indirectos usando distintos tipos de indicadores complementarios entre sí.

Por tanto, cualquier investigación que realicemos en el terreno de las condiciones de trabajo, y en concreto en el área de la psicosociología, las conclusiones a las que lleguemos precisan necesariamente un juicio de valor. Es decir, cuando se estudian aspectos como, por ejemplo, los ritmos de trabajo, la turnicidad, los estilos de mando, la promoción en el interior de la empresa, etc., el resultado final de esa investigación debería permitirnos decidir si esas condiciones de trabajo de carácter psicosocial son buenas o no son buenas, si son adecuadas o no para los que realizan el trabajo.

Corresponde al empresario la responsabilidad de garantizar la seguridad y la salud de los trabajadores en todos los aspectos relacionados con el trabajo a través de la evaluación de riesgos que le permitirá tomar las medidas adecuadas.

Partiendo de la concepción de que la carga mental se produce cuando las exigencias mentales de la tarea sobrepasan las capacidades del trabajador, para poder evaluar dicha carga mental deberemos tener en cuenta fundamentalmente dos tipos de indicadores:

- Factores de carga inherentes a la tarea: hacen referencia a las exigencias de la tarea, a los factores de carga del puesto.
- Incidencia sobre el individuo: efectos de la realización de la tarea sobre el trabajador.

Si la evaluación de riesgos pone de manifiesto que unas determinadas condiciones de trabajo deterioran la salud del trabajador, será necesario modificar esa situación mediante la elaboración de un programa de mejora, ponerlo en práctica y controlar su ejecución.

Los trabajadores o sus representantes deben ser consultados, y deben participar, desde la primera fase de la planificación, respecto a qué cosas hay que evaluar, dónde y cómo, hasta la fase en la que se deciden las medidas que se van a adoptar para la mejora de las condiciones de trabajo, y el control y seguimiento de dichas medidas correctoras.

La consulta y participación de los trabajadores, además de una necesidad legal, es por tanto necesaria en el proceso de evaluación, por varias razones:

- El trabajador es el que mejor puede evaluar sus condiciones de trabajo, puesto que es él quien vive y experimenta día a día la peligrosidad o la fatiga que le provoca su puesto de trabajo. Es que, de forma más segura, puede describir las distintas operaciones de las tareas que realiza, las condiciones de trabajo asociadas y las posibilidades que existen de modificarlas. Además, también puede indicar la existencia de factores de riesgo que de otra forma sería difícil descubrir, como ocurre en muchos casos con los riesgos de tipo psicosocial.

- Sin duda es necesario completar la información proporcionada por los trabajadores con la aportación de técnicos y especialistas en la materia, ya que los factores explicativos de un problema pueden ser múltiples, sus efectos nocivos también pueden ser variados y complejos, o puede ocurrir que el propio trabajador no considere determinados aspectos nocivos, por creerlos intrínsecos al propio trabajo, etc.

- La no-participación de los trabajadores implicados dificulta, e incluso en algunas ocasiones puede llegar a impedir, la implantación de las medidas de mejora o cambios que se decida introducir tras el análisis de los puestos de trabajo.

- Además, el mero hecho de no permitir la participación de los trabajadores implicados en la evaluación de las condiciones de trabajo puede ser en sí misma una nueva molestia adicional para ellos.

También será necesario entrevistarse con personas que puedan dar distintos puntos de vista sobre el tema o puesto a estudiar: dirección, servicios preventivos (incluido el servicio médico de empresa), el departamento de personal, mandos intermedios y personal implicado.

.- Por qué se deben de evaluar los riesgos psicosociales

La evaluación del riesgo psicosocial es necesaria por dos razones:

- Si mejoramos las condiciones de trabajo seguro que mejorará tanto la productividad como en el clima laboral.

- Por imperativo legal como recoge nuestra Ley de Prevención de Riesgos Laborales.

Como ya se ha indicado, la Ley de Prevención de Riesgos Laborales, en su capítulo III, artículo 16, señala que la evaluación de riesgos de carácter psicosocial en el lugar de trabajo puede ser necesaria a partir de diferentes situaciones, entre ellas:

- Por **requisito legal**, se plantea la necesidad de detectar los posibles riesgos psicosociales existentes en una situación de trabajo, con el objetivo de establecer medidas de mejora de la salud y de la seguridad de los trabajadores.

- Cuando, como consecuencia de una evaluación global anterior, se quieren **evaluar de forma más específica** los factores psicosociales en determinadas actividades, grupos de trabajo o grupos de riesgos específicos.

- Para **comprobar que unas determinadas medidas preventivas existentes son las adecuadas**, por ejemplo, para verificar si las acciones llevadas a cabo tras una evaluación de riesgos son las idóneas.

- A partir de la **constatación de una serie de anomalías o disfunciones**, que nos hagan sospechar que existen problemas de tipo psicosocial, por ejemplo, gran cantidad de quejas, aumento del absentismo, disminución de la productividad, etc., en toda la empresa o en alguna sección o departamento específico.

- **Siempre que en el lugar de trabajo vaya a introducirse una innovación** que pueda alterar significativamente la situación actual, sean nuevos procesos de producción, nuevos equipos materiales o humanos, cambios en la organización del trabajo, etc.

6.1.- Fases para la evaluación de factores psicosociales

Evaluar los riesgos psicosociales es posible. Se pueden utilizar múltiples métodos, los cuales deben reunir ciertos **requisitos científicos y operativos**. No vale un listado o simple cuestionario inventado por no se sabe quién, que valora la exposición no se sabe cómo, que identifica aspectos sobre los que no hay evidencia suficiente de que tengan relación con la salud laboral, que no permite identificar los riesgos por puesto de trabajo, que no permite su utilización para todos los trabajadores y trabajadoras de una empresa.

La evaluación debe realizarse con una **finalidad preventiva**: debe tener como objetivo proporcionar un mejor conocimiento para poder controlar los riesgos en origen de forma eficaz.

La **participación** es:

- Una necesidad metodológica; los trabajadores y sus representantes tienen conocimientos, derivados de la experiencia, que no son sustituibles y que son complementarios a los de los técnicos.

- Un imperativo legal: lo dice la Ley de Prevención de Riesgos Laborales.

• Un requerimiento operativo, ya que es necesaria la implicación activa de los trabajadores si se pretende una prevención eficaz.

• Una necesidad económica y de competitividad, ya que la mejora en las condiciones de trabajo repercutirá tanto en la productividad como en el clima laboral.

6.1.1.- Requisitos científicos y operativos del método

Los requisitos científicos y operativos que debe reunir un método de evaluación de riesgos psicosociales son:

• **Tener una base conceptual fundamentada en el conocimiento científico del ámbito de la salud laboral.** La base conceptual es la que determina los contenidos del método, es decir qué mide y qué no mide el método. Hay que comprobar que la identificación se centra en los cuatro grandes grupos de riesgos psicosociales para los que tenemos evidencias suficientes de su relación con la salud: exigencias; influencia y posibilidades de desarrollo; apoyo social y calidad de liderazgo y compensaciones.

• **Ser participativo.** Evaluar los riesgos psicosociales es evaluar el «cómo» se trabaja o, dicho de otro modo, las características de la organización del trabajo. Por ello los métodos de evaluación de riegos psicosociales deben basarse en la experiencia de los trabajadores y trabajadoras.

Para permitir la participación de los protagonistas en la obtención de datos se suele usar la técnica del cuestionario anónimo, ya que se trata de una herramienta estandarizada que permite recabar información de un grupo amplio de sujetos.

Pero la participación de los protagonistas no puede limitarse sólo a la obtención de datos. La **interpretación de los datos** así como la **propuesta de medidas preventivas** deben realizarse también a través de procesos altamente participativos.

• **Estar validado y ser fiable.** Validado quiere decir que se ha comprobado que la técnica utilizada mide efectivamente lo que dice medir. Fiable quiere decir que se ha comprobado que todas las preguntas de la técnica utilizada son relevantes y que las medidas son repetibles.

• **Ser operativo.** Ser aplicable a la empresa con el objetivo de cumplir con la finalidad preventiva, y para ello el método ha de:

a) Permitir identificar riesgos al menor nivel de complejidad posible, así al dividir los problemas, los hacemos más abordables y resulta más fácil buscar alternativas.

b) Cubrir el mayor espectro posible de diversidad de exposiciones. Ello permite usar el mismo instrumento para todos los puestos, lo que posibilita comparar, priorizar y poder ser equitativos.

c) Preguntar y presentar los resultados de la evaluación por diferentes unidades de análisis, por ejemplo, por distintas condiciones de trabajo (puesto de trabajo, antigüedad, tipo de contrato, jornada...) o características sociodemográficas (sexo y edad). Ello permite hacer emerger las desigualdades y localizar la exposición, lo que posibilita diseñar medidas preventivas más adecuadas.

- **Ser jurídicamente apropiado.** Ante la ausencia de desarrollo normativo sobre el método a utilizar, el Reglamento de los Servicios de Prevención (art. 5.3) prevé que los métodos o criterios que se utilicen para evaluar sean:

a) guías de otras entidades de reconocido prestigio en la materia u

b) otros métodos o criterios profesionales descritos documentalmente y que proporcionen confianza en su resultado.

En el caso de los riesgos psicosociales no contamos con normas UNE, ni guías de instituciones competentes en la materia ni tampoco con normas internacionales. Por lo tanto, podemos recurrir a guías de entidades de otros países previo trabajo de adaptación a la realidad española y también a métodos profesionales descritos documentalmente siempre que proporcionen confianza en su resultado.

6.1.2.- Finalidad del método

De acuerdo con el Reglamento de los Servicios de Prevención la evaluación:

- Debe tener una **finalidad preventiva.** Su objetivo no es sólo obtener información, sino utilizarla para adoptar medidas preventivas.
- Debe permitir **estimar la magnitud** y el **porcentaje de trabajadores expuestos.**
- Debe dar información sobre la exposición **por puesto de trabajo.**
- Debe **evaluar condiciones de trabajo**.

La identificación y valoración del riesgo debe dar cabida a la información recibida por los trabajadores.

6.1.3.- Cómo combatir los riesgos psicosociales

La prevención en origen (eliminación o control) de los riesgos psicosociales es posible.

Se trata de identificar y discutir el origen de las exposiciones detectadas, es decir, determinar qué aspectos de la organización del trabajo hay que cambiar y proponer soluciones.

La intervención preventiva orientada a cambiar los aspectos negativos de la organización del trabajo es la más efectiva desde el punto de vista de la salud laboral.

Veamos algunas medidas preventivas que suelen funcionar:

- Fomentar el apoyo entre las trabajadoras y trabajadores y de superiores en la realización de las tareas, por ejemplo, potenciando el trabajo en equipo y la comunicación efectiva, eliminando el trabajo en condiciones de aislamiento social o de competitividad entre compañeros. Ello puede reducir o eliminar la exposición al bajo apoyo social y bajo refuerzo.

- Incrementar las oportunidades para aplicar los conocimientos y habilidades y para el aprendizaje y el desarrollo de nuevas habilidades, por ejemplo, a través de la eliminación del trabajo estrictamente pautado, el enriquecimiento de tareas a través de la movilidad funcional ascendente o la recomposición de procesos que impliquen realizar tareas diversas y de mayor complejidad. Ello puede reducir o eliminar la exposición a las bajas posibilidades de desarrollo.

- Promocionar la autonomía de los trabajadores y trabajadoras en la realización de las tareas, por ejemplo, potenciando la participación efectiva en la toma de decisiones relacionadas con los métodos de trabajo, el orden de las tareas, la asignación de tareas, el ritmo, la cantidad de trabajo...; acercando tanto como sea posible la ejecución al diseño de las tareas y a la planificación de todas las dimensiones del trabajo. Ello puede reducir o eliminar la exposición a la baja influencia.

- Garantizar el respeto y el trato justo a las personas, proporcionando salarios justos, de acuerdo con las tareas efectivamente realizadas y cualificación del puesto de trabajo; garantizando la equidad y la igualdad de oportunidades entre géneros y etnias. Ello puede reducir o eliminar la exposición a la baja estima.

- Fomentar la claridad y la transparencia organizativa, definiendo los puestos de trabajo, las tareas asignadas y el margen de autonomía. Ello puede reducir o eliminar la exposición a la baja claridad de rol.

- Garantizar la seguridad proporcionando estabilidad en el empleo y en todas las condiciones de trabajo (jornada, sueldo, etc.), evitando los cambios contra la voluntad del trabajador. Ello puede reducir o eliminar la exposición a la alta inseguridad.

- Proporcionar toda la información necesaria, adecuada y a tiempo para facilitar la realización de tareas y la adaptación a los cambios. Ello puede reducir o eliminar la exposición a la baja previsibilidad.

- Establecer principios y sobre todo procedimientos para gestionar personas de forma justa y democrática, de forma saludable. Ello puede reducir o eliminar la exposición a la baja calidad de liderazgo.

- Facilitar la compatibilidad de la vida familiar y laboral, por ejemplo introduciendo medidas de flexibilidad horaria y de jornada de acuerdo con las necesidades derivadas del trabajo doméstico-familiar y no solamente de la producción. Ello puede reducir o eliminar la exposición a la alta doble presencia.

- Adecuar la cantidad de trabajo al tiempo que dura la jornada a través de una buena planificación como base de la asignación de tareas, contando con la plantilla necesaria para realizar el trabajo que recae en el centro y con la mejora de los procesos productivos o de servicio, evitando una estructura salarial demasiado centrada en la parte variable, sobre todo cuando el salario base es bajo. Ello puede reducir o eliminar la exposición a las altas exigencias cuantitativas.

6.2.- Etapas en la evaluación

La evaluación de los riesgos de origen psicosocial, como cualquier evaluación general de riesgos, es un proceso complejo que conlleva una serie de actuaciones o etapas sucesivas e interrelacionadas.

En general, podemos decir que, para realizar una evaluación de factores psicosociales en una situación de trabajo, debemos seguir las siguientes fases:
- Determinación de los riesgos que se han de analizar
- Identificación de los trabajadores expuestos a dichos riesgos
- Elección de la metodología y de las técnicas que se deben utilizar
- Formulación de las hipótesis de trabajo
- Planificación y realización del trabajo de campo
- Análisis de los resultados
- Elaboración de informes con los resultados
- Elaboración de un programa de intervención y puesta en marcha de dicho programa
- Seguimiento y control del programa

6.2.1.- Determinación de los riesgos

Es evidente que, al emprender cualquier investigación, la operación primera y básica es decidir qué se va a investigar, y bajo qué aspectos.

En esta primera fase se trata de definir, de la forma más precisa y menos ambigua posible, el problema que vamos a estudiar, y sus diferentes aspectos o facetas, es decir, el objetivo del estudio.

Para conseguir una definición precisa del problema que se va a analizar, es necesario recopilar la mayor cantidad posible de información, que nos pueda orientar en nuestro objetivo.

Así, por ejemplo, es muy útil recoger la opinión de todos los grupos sociales implicados: dirección, servicios preventivos, departamento de personal, mandos, trabajadores, etc. También puede ser de gran utilidad toda la documentación que estos grupos puedan aportar sobre el tema. En general, esta documentación consistirá en:

- Organigrama oficial de la empresa.
- Horarios, sistemas de promoción, tipo de salario…
- Características de la plantilla (distribución por sexos, edad, antigüedad en la empresa, antigüedad en el puesto, etc.).
- Aspectos que afectan al personal: absentismo, enfermedades, declaraciones de incapacidad para ciertos puestos, permisos personales, formación, siniestralidad, rotación de personal, solicitudes de cambio de puesto, sanciones, etc.
- Aspectos que afectan a la producción: calidad de la producción, rechazos, recuperación de productos, índices de producción, productividad, intervenciones de mantenimiento, averías, etc.
- Actas de las reuniones del Comité de Empresa y del Comité de Seguridad e Higiene, etc.

Es muy importante además **observar el trabajo** mientras éste se está llevando a cabo, y registrar las posibles desviaciones entre los procedimientos de trabajo teóricos y los procedimientos reales, para determinar los riesgos que se han de analizar.

Por último, es muy útil consultar otros estudios, teorías y conocimientos existentes relacionados con el tema que vayamos a estudiar, y consultar a distintos especialistas.

Puesto que nos encontramos en una primera fase de definición y delimitación del problema, es necesario atender a todos los posibles factores que puedan estar asociados a él de manera directa o indirecta. Por ello, como se verá más adelante, en esta fase es conveniente aplicar técnicas poco estructuradas, como entrevistas semidirigidas, observación poco estructurada, etc.

6.2.2.- Identificación de los trabajadores expuestos

Una vez delimitados y definidos los factores en los que se va a centrar el estudio, y a partir de todos los datos recogidos en la fase previa, hay que precisar qué departamentos, sectores, puestos de trabajo, etc., van a ser analizados.

En esta fase se trata de determinar el colectivo de trabajadores y de puestos de trabajo a los que va a afectar nuestro análisis.

Lo ideal sería poder realizar el análisis a todos los trabajadores y puestos de trabajo afectados. Cuando el colectivo de trabajadores es reducido numéricamente, es posible aplicar la técnica o técnicas elegidas a todos los afectados.

Sin embargo, cuando el colectivo es muy amplio, estudiar a todos los afectados puede ser muy costoso, tanto en recursos como en tiempo, y las operaciones de recogida, clasificación y análisis de los datos se hacen muy complejas. Por ello, en estos casos, puede ser más adecuado elegir una muestra representativa ese colectivo.

Cuando se opta por realizar el estudio sobre una muestra, es necesario asegurarse de que esta muestra sea realmente representativa del colectivo afectado, de manera que posteriormente sea posible generalizar los resultados obtenidos en la muestra a todo el colectivo. Para ello, se utilizan las llamadas "técnicas de muestreo".

6.2.3.- Elección de métodos y técnicas de investigación

En esta fase se va a decidir qué métodos y qué técnicas que se van a utilizar para realizar el estudio. Antes de nada, es necesario aclarar la diferencia entre métodos y técnicas:

- **Método** es el camino a seguir para realizar la investigación, mediante una serie de operaciones y reglas prefijadas de antemano, aptas para alcanzar el resultado propuesto.

- **Técnica** no es el camino, sino el arte o manera de recorrerlo.

El método establece la estrategia global que debemos seguir para alcanzar el fin propuesto en la investigación, mientras que las técnicas son las tácticas o instrumentos que utilizamos para conseguir objetivos parciales dentro del programa.

Definir el método de investigación adecuado nos sitúa en el nivel teórico del conjunto de proceso de evaluación, mientras que la elección de las técnicas a emplear se refiere a un nivel práctico; en concreto, las técnicas de investigación son instrumentos para la recogida, el tratamiento y el análisis de la información.

Los métodos y técnicas a utilizar dependen en cada caso concreto de una serie de factores tales como la naturaleza del fenómeno a estudiar y el objetivo de la investigación, es decir, del problema concreto que se ha de evaluar, los recursos disponibles, el equipo que realiza la investigación, etc.

Según sea la naturaleza del problema que vamos a evaluar, se ha distinguido entre:

- **Métodos cualitativos o estructurales**
- **Métodos cuantitativos o distributivos**

Es recomendable utilizar métodos cuantitativos cuando se trata de "analizar aspectos en los que la cantidad y su incremento o decremento constituyen el objeto de la descripción o el problema que ha de ser explicado", es decir, cuando se trata fundamentalmente de cuantificar.

Por ejemplo, utilizaremos métodos cuantitativos cuando nos interese saber cuántas personas de una empresa han recibido cursos de Prevención de Riesgos, si existe relación, y cuánta entre esa formación recibida por los trabajadores y la disminución del número de accidentes ocurridos, cuántos trabajadores consideran que la formación recibida es suficiente, etc.

Por otro lado, nos interesará utilizar métodos cualitativos cuando se trate de obtener información acerca de "por qué las personas piensan o sienten de la manera en que lo hacen".

A la hora de elegir los métodos que vamos a utilizar, lo ideal es suplir las deficiencias de un método con las virtudes del otro, y viceversa, es decir, en muchos casos la utilización combinada de ambos métodos sería la opción más adecuada.

Por ejemplo, los grupos de discusión o las entrevistas en profundidad (técnicas propias de la metodología cualitativa) permiten precisar los aspectos más significativos del problema que se ha de evaluar, y por tanto, pueden ser útiles para posteriormente preparar una buena encuesta (propia de la metodología cuantitativa); pueden servir, por ejemplo, para perfilar algunas características de la muestra y para determinar mejor las variables que se deben incluir en el cuestionario.

En cualquier caso, será el problema a evaluar el que marque las pautas de la elección, tanto de los métodos como de las técnicas que se deben emplear.

En cuanto a las técnicas de investigación, las más utilizadas en la investigación psicosocial de trabajo son:

- Encuesta
- Entrevista

- Observación
- Grupos de discusión
- Escalas

Como en el caso de los métodos, a menudo es conveniente, e incluso necesario, utilizar varias técnicas en una misma evaluación de riesgos psicosociales.

6.2.4.- Formulación de hipótesis

Podemos definir las hipótesis como las "soluciones (explicaciones) más probables a un problema planteado las cuales, normalmente, sometemos a comprobación.

Después de haberse preguntado qué investigar (es decir, después de definido el objetivo del estudio), hay que plantearse cuál es la solución o soluciones probables a la cuestión planteada. Entre las diversas explicaciones posibles del fenómeno, se seleccionará aquella o aquellas que parezcan más plausibles o verosímiles, para proceder a su comprobación.

Las hipótesis, que se formulan a partir de los datos recogidos en las primeras fases, de la lectura de bibliografía, de la observación, de la experiencia, etc., están formadas por conceptos relacionados entre sí, conceptos que, para poder ser estudiados, han de ser definidos explícita y operativamente. Las hipótesis representan, por tanto, una nueva concreción del tema a investigar.

Por ejemplo, podemos querer saber en una empresa determinada si existe relación entre "autonomía para realizar el trabajo" y "motivación por el trabajo". En este sentido, intuimos (por los datos recogidos en la primera fase, por la lectura de bibliografía, por experiencia, etc.) que si el trabajador tiene autonomía para organizarse, se siente más motivado para realizar su trabajo; pero también intuimos que la autonomía puede tener grados y que, tanto un exceso de autonomía (que obligue al trabajador a afrontar problemas demasiado complejos), como una autonomía escasa (en la que el trabajador tenga que consultar a cada instante a otros), favorecen la desmotivación del trabajador.

Siguiendo este ejemplo, una de las hipótesis que se podría plantear es la siguiente: "la falta de autonomía en el trabajo dificulta la motivación de los trabajadores por su trabajo". Otra hipótesis o "solución" posible al problema planteado sería que "un exceso de autonomía en el trabajo favorece la desmotivación de los trabajadores".

Entre todas las posibles "soluciones" o hipótesis planteadas, seleccionaremos aquella que, en función de la información recogida en fases previas, sea más plausible o más probable, y esta hipótesis será la que someteremos a prueba.

Los conceptos relacionados en la hipótesis planteada son "autonomía" y "motivación". Estos conceptos, para ser estudiados, han de ser definidos explícita y operativamente, es decir, ha de quedar perfectamente establecido qué entendemos por autonomía, qué entendemos por motivación, y cómo vamos a medir cada uno de estos conceptos.

De las hipótesis se derivan las variables de estudio (en este caso, obviamente, autonomía y motivación), y en ellas se debe fundar la determinación del campo de investigación, de las informaciones a recoger, de los métodos a emplear, y de los datos o hechos válidos o de interés para el estudio.

Una vez realizada la recogida de datos, al final de la investigación, se comprobará si las hipótesis formuladas al principio son correctas o no. Es lo que se denomina "contraste de hipótesis".

Como resultado del contraste caben dos posibilidades: verificar o rechazar la hipótesis: cuando se comprueba que la hipótesis que habíamos planteado es cierta, se verifica dicha hipótesis; cuando se comprueba que es falsa, se rechaza.

6.2.5.- Planificación y realización del trabajo de campo

Se llama trabajo de campo a la fase en la que se procede a la recogida de datos propiamente dicha.

En esta fase se recogen sobre el terreno las informaciones necesarias para poder llegar al conocimiento completo de la situación. Por ejemplo, en la realización de una encuesta el trabajo de campo es la etapa en la que se pasa el cuestionario definitivo a las personas integrantes de la muestra elegida, o a todos los trabajadores si es posible.

A la hora de aplicar las distintas técnicas, es necesario evitar sorpresas: habrá que avisar previamente a las personas implicadas informándoles de que se les va a entrevistar o someter a un cuestionario, etc., y ponerse de acuerdo con ellas. Este aspecto es importante, ya que es necesario prever el tiempo necesario y la dedicación suficiente, por parte de los sujetos de estudio.

Además, habrá que buscar un lugar adecuado, tanto si se trata de realizar entrevistas, como de pasar cuestionarios, escalas, etc., lugar que permita que los trabajadores estén relajados y en buena disposición para participar en el estudio.

En esta fase de trabajo de campo, el principal factor que se debe considerar es el control de que todos los pasos se realizan como se había previsto de antemano.

6.2.6.- Análisis de los resultados

Una vez que se ha realizado el trabajo de campo y se ha recogido la información requerida, se procede al tratamiento de esa información, de esos datos; el modo en que se tratarán dichos datos dependerá fundamentalmente de su naturaleza.

Esta fase de análisis debe permitir encontrar las causas de la existencia del problema, es decir, las posibles causas de unas inadecuadas condiciones psicosociales de trabajo.

En la determinación de estas causas hay que tener en cuenta que un problema concreto puede tener diversas causas, y que hay que tratar de identificar la causa o las causas reales, y no las aparentes. Si el análisis se queda en la identificación de una causa aparente, se puede descubrir que, tras tomar mediadas para atajarla, el problema de fondo persiste, y que pese a las mejoras introducidas, los trabajadores tienen la sensación de que sus condiciones de trabajo no han cambiado realmente.

Hay que tener en cuenta que la verificación o el rechazo de una hipótesis no puede nunca estar basado en una deducción teórica (basándonos, por ejemplo, en la lectura de artículos relacionados con otros estudios sobre el mismo tema), sino que siempre debe someterse a verificación sobre el terreno, es decir, sólo podremos afirmar que una determinada hipótesis es verdadera o falsa en función de los resultados obtenidos del análisis de los datos recogidos durante el trabajo de campo.

6.2.7.- Elaboración de un informe de resultados

La redacción del informe con los resultados de la investigación debe ser objeto, al igual que todas las demás fases, de una atención minuciosa. Uno de los aspectos más importantes en la elaboración del informe de resultados es la presentación de la información de la forma más clara posible, de tal modo que facilite la discusión entre todos los implicados de los resultados obtenidos y de las medidas que se han de adoptar.

6.2.8.- Elaboración de un programa de intervención, puesta en marcha del programa, seguimiento y control

A partir del informe elaborado con los resultados de la investigación, el siguiente paso fundamental es reflexionar y discutir entre los interlocutores sociales estos resultados, y poner en marcha un programa de mejora que intente corregir el estado existente.

La solución de determinados problemas puede tener consecuencias sobre las personas afectadas, por lo que es fundamental consensuar las propuestas de acción susceptibles de mejorar las condiciones de trabajo. Una vez decididas las medidas que se van a tomar, habrá que ponerlas en práctica, y realizar el seguimiento de las mismas.

Por último, es necesario prever la evaluación y el control de las acciones adoptadas, para poder comprobar que se está consiguiendo realmente la corrección esperada. No hay que olvidar que la validez de las soluciones adoptadas puede decrecer con el tiempo, lo que haría necesaria una nueva intervención.

6.3.- La evaluación del riesgo de estrés

Las evaluaciones de riesgos sobre presencia de estrés laboral han de analizar una serie de aspectos básicos; así, sería ineludible el análisis de los agentes estresores que pudieran estar presentes en las condiciones de trabajo. Estos factores de estrés presentes en la situación de trabajo se dividirían en tres bloques, ya comentados:

- **Estresores del ambiente físico de trabajo:** Iluminación, ruido, vibraciones, temperatura, humedad, ambientes contaminados, situaciones potencialmente peligrosas...
- **Estresores relativos al contenido de la tarea:** Carga mental, falta de control, de autonomía, de iniciativa personal sobre la tarea, así como en la elección de los tiempos de descanso...
- **Estresores relativos a la organización:** Jornada de trabajo, promoción y desarrollo profesional, relaciones interpersonales, existencia o no de cauces adecuados de comunicación con superiores y compañeros de su entorno laboral...

Este análisis de los agentes estresores no se ha de efectuar de forma aislada sino investigando la percepción que el propio sujeto tiene de los mismos, es decir, si el individuo percibe las demandas del entorno como amenazantes, superando sus capacidades para afrontarlas.

6.3.1.- Criterios para realizar una correcta evaluación del riesgo de estrés

La evaluación del estrés laboral no puede llevarse a cabo de la misma forma que los demás riesgos profesionales, dado su diferente origen y distinto funcionamiento.

En la evaluación del riesgo de estrés adquiere mayor peso la "valoración" efectuada por el técnico especialista en riesgos ergonómicos y psicosociales, a partir del uso de instrumentos objetivos o subjetivos de "medición" del riesgo de estrés en un lugar y en un momento concreto. Por ello, el proceso de identificación o evaluación puede presentar tres fases:

- Fase de encuesta o investigación de los factores de riesgo (medida del tamaño del problema).
- La fase de valoración de resultados.
- La fase de presentación de resultados en términos accesibles y útiles para promover medidas útiles de prevención.

Para la primera fase, se cuenta con dos grupos de formas de medición o evaluación de los factores de riesgo de estrés:

- **Las formas objetivas de identificación:** Basadas en el registro y documentación de hechos directamente realizados por el técnico.
- **Las formas subjetivas:** Basadas en el procesamiento de las informaciones (percepciones) realizadas por los trabajadores.

Dentro de las primeras, las objetivas, aparecen aquellas actuaciones que dan cuentan de las señales o indicadores que alertan del problema. Entre estas señales, algunas listadas en el "Acuerdo Marco Europeo sobre el Estrés Laboral" (octubre de 2004), están:

- Alto porcentaje de absentismo en la empresa, e incluso el número de bajas voluntarias.
- Elevado nivel de rotación voluntaria de personal.
- Adopción de cambios organizativos que se revelan, o pueden revelarse, perjudiciales de algún modo para ciertos trabajadores.
- Sistema de detección de síntomas fisiológicos de estrés, a través de la vigilancia de la salud.
- Frecuentes conflictos o quejas de los trabajadores.

Los criterios objetivos ofrecen indicios relevantes del problema, pero no lo miden con precisión. Para concretar la medición se debe acudir a las formas subjetivas de identificación basadas en la recepción, de forma ordenada, de la opinión de los trabajadores evaluados. Para identificar el porcentaje de afectados cabe seguir, de modo complementario, dos grupos de técnicas:

- **Cuantitativas:** Consisten en cuestionarios validados para medir las respuestas dadas por los trabajadores.
- **Cualitativas:** Son entrevistas a trabajadores concretos y/o grupos de discusión con trabajadores.

- Para el análisis o valoración, de los resultados obtenidos a través de estas técnicas, podemos describir un cuadro de cuatro situaciones diversas atendiendo al mayor o menor grado de tensión que provocarían:

		DEMANDA	
		BAJA	ALTA
CONTROL	**ALTO**	Trabajo de baja tensión	Trabajo activo
	BAJO	Trabajo pasivo	Trabajo de Alta tensión

Los trabajos de "alta tensión" derivan en un control bajo y una demanda alta, mientras que es de "baja tensión" si el control es alto y la demanda es baja.

Si la demanda es alta pero también lo es el control, esto es, el poder de disponer de recursos para afrontarlo, se considera un "trabajo activo", generador de modelos positivos de conducta. Pero si ambos son bajos entonces se considera un "trabajo pasivo".

Ahora bien, para determinar la incidencia que estos trabajos tienen a la hora de provocar una situación de estrés se hace necesario analizar o atender un tercer factor: el "apoyo social" que reciben los trabajadores, ya de los directivos, ya de compañeros. Si está presente, moderará el trabajo de alta tensión, de lo contrario la elevará.

Por tanto, el puesto con mayor probabilidad de estrés será el de alta demanda, bajo control y reducido o nulo apoyo social.

Las carencias de este modelo se intentan paliar con otro, el "modelo de esfuerzo y recompensa", basado en un análisis de los desajustes o desequilibrios que el trabajador percibe no ya tanto entre la carga de trabajo y su poder de control, sino entre el nivel de esfuerzo o dedicación (presión laboral) que le exige y las compensaciones o "incentivos" que recibe.

El subjetivismo del segundo modelo es mayor, porque este desajuste será percibido de modo diferente por cada individuo, atendiendo a su personalidad y a sus expectativas, al tiempo que inciden otros factores externos (culturales, educativos…). El tiempo que esté en esta situación y la falta de alternativas, en un contexto de alto desempleo y empleo precario, también incidirán en los niveles de estrés laboral.

A título de ejemplo, entre las herramientas concretas más utilizadas, está el cuestionario LEST. Sirve para conocer el grado de estrés experimentado, a través de una escala, se trata de una lista de situaciones cotidianas, para evaluar los factores potencialmente inductores de estrés. Son acontecimientos positivos y negativos, a los que se les ha dado una escala de acuerdo a la forma en que las personas se enfrentan con cada situación.

También, dentro de la técnica de Lista de chequeo *(check-list)*, merece especial mención la "Lista de control" elaborada por la Fundación Europea para la Mejora de las Condiciones de Vida y Trabajo. Contiene cuatro listas respecto a los siguientes temas:

- Contenido y organización del trabajo.
- Condiciones de trabajo.
- Condiciones de empleo (política organizacional).
- Relaciones en el trabajo.

Cada una de estas listas presenta preguntas cerradas en formato sí/ no. De la suma de sus respuestas se obtendrá una puntuación total, donde a mayor puntuación, mayor será el número de problemas generadores de estrés.

6.3.2.- Diagnóstico y evaluación del estrés

Para evaluar el estrés laboral hay que tener en cuenta los estresores potenciales de la empresa (puesto de trabajo, factores físicos…) y las características individuales del trabajador.

Nunca se puede evaluar el estrés de una persona aislándolo de su entorno laboral, familiar y social, ya que estas influencias le están enviando los estímulos que hacen que se desarrolle la enfermedad.

Existen en la actualidad una serie de escalas que sirven para poder "medir los estresores" y valorar las emociones de respuesta. Estas escalas sólo deben aplicarlas especialistas en la materia, ya que si no es una persona experta podría deteriorar más la patología.

Podemos valorar también la activación del estrés por otros métodos, midiendo las variaciones fisiológicas de la persona.

- **Técnicas electromiográficas.** Con la electromiografía se puede valorar indirectamente la tensión muscular. Se realizan en la musculatura frontal y en el paquete muscular cervical.
- **Técnicas electrotérmicas.** Para saber el funcionamiento de las glándulas sudoríparas se mide el grado de sudoración. El incremento de la sudoración en situación de estrés se mide en plantas de pies y palmas de las manos, siendo el sudor el que activa el mecanismo estresor.

- **Técnicas cardiovasculares.** Se pueden objetivar las alteraciones que sufren algunas constantes cardiocirculatorias:
  - Aumento de ritmo cardíaco.
  - Aumento de la tensión arterial (sistólica).
  - Disminución de la temperatura de la piel.
- **Técnicas endocrinas.** Ante una situación de estrés se ha observado, después de realizar análisis hormonales, las variaciones que sufren algunas hormonas, partiendo del nivel basal a las situaciones de estrés, objetivándose un aumento de las mismas.

6.3.3.- Facetas o aspectos que se han de analizar

En esta primera fase es necesario definir, de la forma más precisa y menos ambigua posible, el problema que se debe estudiar y sus diferentes aspectos o facetas.

Para ello hay que lograr toda la información posible que nos oriente en nuestro objetivo. Por una parte, tendremos información oral, obtenida en la fase anterior, a través de la entrevista de los grupos sociales implicados. Por otra parte, tendremos información escrita. Será la documentación que estos diferentes grupos puedan aportar sobre el tema. En general la información recopilada se refiere a:

- **Autonomía temporal**
  - No existen periodos de descanso voluntarios.
  - El trabajador no puede elegir el orden de las operaciones.
  - El trabajo exige trabajar muy deprisa.
  - El trabajador trabaja a "prima" o a "destajo".
- **Contenido del trabajo**
  - El trabajo no permite la alternancia de tareas.
  - El trabajo no permite la ejecución de tareas variadas.
  - La tarea no permite tener iniciativa.
  - La tarea no posibilita el trabajar con otras personas.
  - No se realiza una tarea con entidad propia, completa.
  - El trabajador no controla la calidad del trabajo que realiza.
- **Supervisión y participación**
  - No se informa a los trabajadores sobre la calidad del trabajo realizado.
  - El trabajador no participa en la asignación de tareas.
  - Los trabajadores no participan en la determinación de los equipos de trabajo.

o En la empresa, no existe un sistema de consulta para discutir los problemas relacionados con el trabajo.

- **Definición de rol**
  o El trabajador no está informado sobre:
    - Lo que debe hacer.
    - Cómo debe hacerlo.
    - Tiempo asignado para llevarlo a cabo.

- **Interés por el trabajador**
  o No existe un espacio independiente del puesto de trabajo donde el trabajador pueda realizar su pausa.
  o No existen posibilidades de promocionar en la empresa.
  o El contrato de trabajo no es fijo.

- **Relaciones personales**
  o La tarea no permite la comunicación con otras personas.
  o Los equipos de trabajo no son estables.
  o Los conflictos entre el personal son frecuentes y se manifiestan de una forma clara.
  o El ambiente laboral no permite una relación amistosa.

- **Trabajo a turnos y trabajo nocturno**
  o El trabajo nocturno exige un nivel de atención elevado.
  o El trabajo nocturno exige una actividad física importante.
  o La carga de trabajo en el turno de noche es igual a la del turno de mañana.
  o Los trabajadores no participan en la determinación de los turnos.
  o No se tiene en cuenta la edad de los trabajadores para adscribirlos al turno de noche.
  o No se tiene en cuenta el número de noches de trabajo consecutivo.
  o La duración del turno de tarde es más larga que la del turno de mañana.
  o La duración del turno de noche es más larga que la del turno de mañana.

Según sea la naturaleza del problema para evaluar, se ha distinguido entre: métodos cualitativos o estructurales y métodos cuantitativos o distributivos.

Conviene el **método cuantitativo** cuando se trata fundamentalmente de cuantificar; por ejemplo, cuántas personas de una empresa determinada han recibido formación en prevención de riesgos en su empresa; si existe relación, y cuánta, entre esta formación y la disminución del número de accidentes o cuántos trabajadores consideran que la formación recibida ha sido suficiente. La técnica más característica del método cuantitativo es la **encuesta.**

Por su parte, interesa el **método cualitativo** cuando se trata de obtener información acerca de por qué las personas piensan o sienten en la manera en que lo hacen, referida al grupo de discusión, técnica más general y completa del método cualitativo, pero que se puede dar como característica general del método. Las técnicas más características del método cualitativo son el **grupo de discusión** y la **entrevista** semidirigida y en profundidad.

No hay un método mejor que otro, la mejor opción es suplir las deficiencias de un método con las virtualidades del otro y viceversa; es decir, en muchos casos la utilización combinada de ambos métodos se erige como la elección más adecuada.

Una vez que se ha realizado el trabajo de campo y se ha obtenido la información requerida, se procede al tratamiento de estos datos. Esta fase de análisis debe permitir encontrar las causas de la existencia del problema, es decir, las causas de unas posibles malas condiciones psicosociales de trabajo. No debemos quedarnos únicamente en la causa aparente ya que podría ocurrir que, tras tomar medidas, el problema de fondo persiste, y que, pese a estas mejoras, los trabajadores tienen la sensación de que sus condiciones de trabajo no han cambiado realmente.

Posteriormente se elaborará un informe de resultados de la evaluación y la elaboración de un programa de intervención, su puesta en marcha del programa y su seguimiento y control.

6.3.4.- Métodos para la evaluación de las incidencias sobre el individuo

Partiendo de la base de que la carga mental de un determinado puesto de trabajo depende tanto de las demandas de la tarea, como de determinadas características del individuo que realiza esa tarea, para que la valoración de la carga mental sea lo más precisa posible, es necesario recoger, además de datos relacionados con las exigencias de la tarea, datos relacionados con el trabajador.

Para ello, se han desarrollado distintos métodos de evaluación, que utilizan, como indicadores de carga mental (generalmente determinados de forma experimental), las reacciones del trabajador frente a una carga mental inadecuada, reacciones que se producen habitualmente a tres niveles: fisiológico, psicológico y de comportamiento.

.- Evaluación de las alteraciones fisiológicas

Se ha comprobado que, ante una situación de carga mental inadecuada, que produce fatiga mental en el trabajador, se producen en éste una serie de reacciones fisiológicas.

Así, para poder valorar los efectos que esa situación de carga mental inadecuada está teniendo sobre el trabajador, se estudian una serie de indicadores fisiológicos, a partir de los cuales se miden las reacciones del organismo ante una situación de fatiga mental.

Entre los indicadores fisiológicos más estudiados se pueden citar los siguientes:

- **Actividad cardíaca.** El ritmo cardiaco es uno de los indicadores fisiológicos de carga mental que se utiliza con mayor frecuencia, estudiando por ejemplo las modificaciones de la frecuencia cardiaca o las arritmias a través del electrocardiograma. Sin embargo, al utilizar estos indicadores hay que tener en cuenta que pueden estar influidos por un número elevado de factores como el ruido, el calor, el trabajo físico, las emociones, etc., que podrían enmascarar los resultados.

- **Actividad ocular.** Se puede registrar la actividad eléctrica del ojo (a través de electrodos), los movimientos de los ojos, etc. Un método muy utilizado en este campo es la medición de la Frecuencia Crítica de Fusión Óptica (FCF).

Este método consiste en determinar cuándo un estímulo luminoso intermitente empieza a percibirse como un estímulo continuo. El umbral en el que la luz parece ser continua es lo que se llama FCF. Generalmente, la FCF disminuye con la carga mental de trabajo, es decir, cuanto mayor es la fatiga mental, menor es la frecuencia de parpadeo necesaria para que los estímulos intermitentes empiecen a percibirse como continuos.

- **Actividad muscular.** Se sabe que existe una relación entre la fatiga y el grado de contracción muscular. Así, a través del electromiograma se puede registrar la actividad muscular como indicador de carga mental, teniendo en cuenta que, como en el caso de la actividad cardiaca, este indicador puede estar influido de forma importante por otros factores, como por ejemplo la postura de trabajo.

- **Actividad cortical.** Registro de la actividad eléctrica del cerebro a través del electroencefalograma. Se puede estudiar, por ejemplo, cómo se modifican los trazos según el nivel de atención y según el nivel de fatiga. También se estudian los llamados Potenciales Evocados. El método consiste en enviar un determinado estímulo al cerebro y registrar la respuesta que se produce en el mismo. Estos potenciales evocados varían en función del grado de fatiga: cuanto mayor sea la fatiga mental, menor será la respuesta del cerebro ante los estímulos que se le envían.

Todos estos indicadores fisiológicos, y algunos más, pueden ser utilizados siempre que se tengan en cuenta sus limitaciones. Además, es aconsejable no utilizar nunca un único indicador, sino tres o más, con el objetivo de compararlos entre sí para conseguir una mayor fiabilidad en los resultados.

.- Evaluación de las alteraciones psicológicas

La fatiga mental puede producir también una serie de alteraciones psicológicas en el trabajador. Estas alteraciones pueden evaluarse utilizando dos tipos de métodos: subjetivos y objetivos.

- **Métodos subjetivos.** Estos métodos consisten en utilizar técnicas como cuestionarios, escalas, entrevistas, etc., para recoger la impresión subjetiva de fatiga del trabajador, es decir, para intentar averiguar cómo el individuo siente la fatiga generada por una carga mental inadecuada. Independientemente del grado real de cansancio del organismo, el mero hecho de sentirnos cansados va a influir sobre nuestra conducta. Por tanto, dado que la sensación de fatiga vivida condiciona el comportamiento humano, es importante valorar esa sensación convenientemente a través de las técnicas citadas, y utilizar esas valoraciones como complemento de las valoraciones objetivas obtenidas a partir de los indicadores fisiológicos.

- **Métodos objetivos.** La fatiga mental se puede evaluar también a través de una serie de pruebas objetivas. Cuando estamos fatigados, se van a producir alteraciones en distintas funciones cognitivas y psicomotoras. Cada una de estas funciones puede medirse de forma objetiva a través de test psicológicos, a partir de los cuales podremos, por tanto, valorar el grado de fatiga mental del individuo. En este sentido, pueden utilizarse pruebas que nos permitan comprobar cómo la fatiga está afectando a las funciones psicomotoras (a través, por ejemplo, de pruebas de rapidez de reacción o de coordinación de movimientos), y pruebas para valorar las alteraciones cognitivas (fundamentalmente, pruebas de atención, de memoria y de concentración).

.- Evaluación del comportamiento

Finalmente, la fatiga mental también puede afectar al comportamiento de las personas, que puede verse modificado en distintos terrenos. Sin embargo, centrándonos en el ámbito laboral, los cambios de comportamiento que más nos interesan, a la vez que los más estudiados, son los cambios que afectan al rendimiento de los trabajadores.

Podemos valorar los efectos de la fatiga mental sobre el rendimiento de diversas formas:

- **Indicadores de rendimiento.** Se trata de analizar las respuestas de un trabajador en el curso de su trabajo. Se mide la cantidad y la calidad de las respuestas dadas, el número de errores o de omisiones, en diferentes situaciones donde varían el número y la dificultad de las informaciones a detectar y las decisiones a tomar. Se pueden utilizar distintos índices, como la frecuencia de respuesta correcta, la tasa de error y/o el tiempo de reacción.

- **Estudio de los métodos operacionales.** Al hablar de métodos operacionales nos estamos refiriendo a los métodos o estrategias que el individuo utiliza para realizar una determinada tarea. Se sabe que, al aumentar la fatiga, el individuo intenta variar el método operatorio para adaptarse a la situación. Por ello, el análisis de las variaciones de los métodos operacionales suele utilizarse como indicador para la evaluación de la fatiga mental.

- **Método de la doble tarea.** Las técnicas de la doble tarea abarcan varios procedimientos, cuya característica común es que se pide a los sujetos participantes que realicen simultáneamente dos tareas, asociando a la tarea principal, efectuada con prioridad, una segunda tarea más simple. Su hipótesis fundamental es que, cuanto mayor es la dificultad o la exigencia de rapidez de la tarea principal, más bajo es el desempeño en la tarea secundaria. Se trata, por tanto, de medir indirectamente cuál es, por unidad de tiempo, la fracción de capacidad mental que no es utilizada por la tarea principal.

Los distintos métodos presentados aquí para la valoración de la carga mental o la medición de la fatiga mental son métodos complementarios entre sí, dado que ninguna medida es válida por sí sola para evaluar la carga mental.

6.3.5.- Métodos para la evaluación de la carga mental de trabajo

Como hemos señalado, los factores de carga inherentes a la tarea hacen referencia a las exigencias que la tarea plantea al trabajador, desde el punto de vista mental. En este sentido, existen unos métodos objetivos, conocidos como métodos globales de evaluación de las condiciones de trabajo, que, en su valoración de los puestos de trabajo, incluyen variables relativas a la carga mental, variables que permiten evaluar las exigencias mentales que plantea la realización de una determinada tarea.

El objetivo de los métodos globales de evaluación de las condiciones de trabajo es valorar aquellos factores presentes en el puesto de trabajo que pueden influir sobre la salud de los trabajadores, de manera que pueda determinarse sobre cuál de ellos se debe actuar para mejorar la situación de trabajo.

Es importante señalar que los criterios que utilizan estos métodos son válidos fundamentalmente para trabajos poco o nada cualificados. Sin embargo, a pesar de la limitación que esto supone, es interesante ver cómo se plantean la evaluación de la carga mental, ya que los criterios e indicadores que utilizan para su valoración pueden servir como punto de partida para el conocimiento de los aspectos que determinan las exigencias mentales de una tarea, a través de la elaboración de instrumentos específicos (cuestionarios, entrevistas, listas de comprobación, etc.).

Estos métodos para valorar la carga mental se centran principalmente en si el trabajo exige un nivel de atención elevado y si esta atención debe mantenerse a lo largo de la jornada laboral. Además, tienen en cuenta otros factores que, aunque directamente no sean causa de carga mental, pueden influir en la misma, como por ejemplo, el ritmo de trabajo, o las repercusiones de los errores. Dos de los métodos más conocidos son el método LEST y el método RNUR.

.- Método LEST

Este método, desarrollado por el Laboratorio francés de Economía y Sociología del Trabajo, evalúa la carga mental a partir de cuatro indicadores:

A.- Apremio de tiempo. El apremio de tiempo es un factor fundamental de carga mental. Para los trabajos repetitivos, el apremio de tiempo surge de la necesidad del trabajador de seguir una cadencia o ritmo impuesto. Para los trabajos no repetitivos, el apremio puede resultar de la exigencia de lograr un cierto rendimiento en un tiempo dado. Los criterios que se utilizan para caracterizar este factor son:

- **El modo de remuneración:** cuando el trabajador se ve obligado a respetar un cierto ritmo de trabajo o a superarlo para obtener una mejor remuneración, esto supone un aumento del apremio de tiempo.
- **El tiempo necesario para entrar en ritmo:** permite apreciar la carga impuesta al trabajador por el ritmo de trabajo que tiene marcado. Cuanto mayor es el tiempo necesario para entrar en ritmo, más importantes son el apremio y el esfuerzo, no solamente durante el período de adaptación, sino también después de este período.
- El hecho de **trabajar en cadena** es un factor muy importante de dependencia para el trabajador. También se considera el **grado de flexibilidad de la cadena,** que se refiere a si, cuando por cualquier razón, el trabajador ha acumulado demora, debe recuperar el retraso durante el curso normal de la cadena (acelerando el ritmo normal de trabajo), o durante los intervalos o pausas (disminuyendo el tiempo de reposo).
- Las **pausas** constituyen un aspecto fundamental a la hora de valorar el apremio de tiempo, ya que constituyen el momento de reposo para el trabajador.

- Finalmente, el hecho de **poder ausentarse momentáneamente del puesto de trabajo**, fuera de los tiempos de pausa previstos, es un factor que puede disminuir el apremio a que está sometido el trabajador. Se valora también si el trabajador debe ser reemplazado o no cuando se ausenta, ya que el hecho de tener que esperar un sustituto para poder dejar el puesto limita a menudo la posibilidad de ausentarse, y es generalmente mal aceptado por el trabajador.

B.- Complejidad-rapidez. Este factor hace referencia al esfuerzo de memorización que se le exige al trabajador, en función del número de elecciones que debe efectuar, y de la velocidad con que debe dar una respuesta.

Es decir, a la hora de evaluar la Carga Mental, el factor complejidad (dependiente del esfuerzo de memorización o de las elecciones a efectuar, y de las decisiones a tomar), va unido al factor velocidad.

El esfuerzo de memorización es más grande cuanto mayor sea el número de operaciones diferentes, pero además, para un mismo número de operaciones, la carga mental crece cuando aumenta la velocidad impuesta para efectuar las diversas operaciones. Se propone distinguir dos factores de complejidad:

- El **número de elecciones rutinarias** a efectuar, que se supone igual al número de operaciones a realizar en el ciclo de trabajo. Aunque rutinarias, estas elecciones suponen un esfuerzo de memorización tanto más grande cuanto más diferentes y numerosas sean las operaciones.

- Las **elecciones conscientes** que el trabajador debe realizar en su puesto de trabajo. Es importante destacar que la dificultad de estas elecciones depende enormemente del número de posibilidades entre las que se debe elegir la respuesta.

Así, si el trabajador debe efectuar cada una de las elecciones entre 6 posibilidades o alternativas de respuesta, la complejidad es mayor que cuando la elección ha de realizarse solo entre dos posibilidades.

En ambos casos, como hemos dicho, el factor complejidad va unido al factor rapidez. Para una misma duración media de cada operación, cuanto más largo sea el ciclo de trabajo, es decir, cuanto mayor sea el número de operaciones, más grande será la carga mental a causa del esfuerzo de memorización.

Esto significa que, aunque debe fomentarse la ampliación o el enriquecimiento de tareas que hagan más interesante el trabajo y que exijan esfuerzos de memoria, es importante reducir a la vez la exigencia de rapidez: para no agravar la carga mental, a un mayor esfuerzo de memoria debe corresponder una disminución del esfuerzo de velocidad.

C.- Atención. Hace referencia al nivel de concentración requerido para realizar una tarea y a la continuidad de ese esfuerzo. El esfuerzo de atención resulta, por una parte, del nivel de concentración y de reflexión más o menos intenso, que se le exige al trabajador, y por otra parte, de la continuidad de ese esfuerzo. En concreto, cuanto más breves sean los intervalos que separan los períodos de movilización de la conciencia, mayor es la carga mental. Para los trabajos simples, el esfuerzo de atención viene determinado por los siguientes aspectos:

- **El nivel de atención perceptiva**, que es el grado de esfuerzo necesario para permanecer consciente y percibir las informaciones.
- **La continuidad de la atención**, que es el período durante el cual se debe mantener el esfuerzo de atención.
- La **posibilidad de desviar la vista del trabajo**, que puede ser un índice del esfuerzo de atención en cuanto a su intensidad y a su continuidad.
- La **posibilidad de hablar durante el trabajo** es también un indicador de un nivel de atención débil o de una tensión que no se mantiene permanentemente.
- Los **riesgos de accidentes corporales o de deterioro del material o del producto** se consideran, desde el punto de vista de la carga mental, como un factor de ansiedad. Se considera que todos los esfuerzos de atención ejercidos para evitar los accidentes corporales o los daños del material son factores desfavorables de carga mental.

D.- Minuciosidad. Este método considera la minuciosidad como una forma especial de atención en trabajos de precisión, es decir, como un factor particular de atención, que sólo se encuentra en las tareas donde el trabajador debe manipular objetos muy pequeños u observar detalles muy exactos (trabajos de precisión o detección de defectos poco perceptibles).

.- Método RNUR o método de Perfil del Puesto

Este método, desarrollado por la empresa RENAULT, en lugar de hablar de Carga Mental utiliza el término "Carga Nerviosa", que define como las exigencias del Sistema Nervioso Central durante la realización de una tarea, y que viene determinado por dos criterios:

- **Operaciones mentales.** En este método las operaciones mentales son entendidas como acciones no automatizadas en las que el trabajador elige conscientemente la respuesta. Sería un aspecto equivalente al que en el L.E.S.T. se recoge como número de elecciones conscientes dentro del factor complejidad-rapidez.

- **Nivel de atención.** Este factor hace referencia fundamentalmente a tareas automatizadas, y tiene en cuenta aspectos como la duración de la atención, la precisión del trabajo y las incidencias.

Como ya se ha indicado, estos métodos son aplicables principalmente a puestos de trabajo repetitivos, de ciclo corto, como es el caso de las cadenas de montaje, aunque los criterios que utilizan pueden ser adaptados y utilizados como base para otros estudios de carga mental.

.- Método de evaluación de factores psicosociales del INSHT

Así, basándose en los factores considerados en estos métodos, el INSHT ha desarrollado un método de evaluación de los factores psicosociales, que incluye, entre los factores que considera, una valoración de la carga mental de trabajo. Su objetivo es obtener la información necesaria para detectar las condiciones psicosociales desfavorables en una situación de trabajo.

Este método incluye, entre los factores psicosociales considerados, la carga mental de trabajo, y la valora a partir de los siguientes indicadores: presión de tiempos, esfuerzo de atención, fatiga percibida, sobrecarga y percepción subjetiva de la dificultad que para el trabajador tiene su trabajo.

6.4.- La evaluación y las medidas de control del acoso moral o *mobbing*

La Ley 31/1995 de Prevención de Riesgos Laborales establece la obligación de las empresas de identificar, evaluar y prevenir los riesgos psicosociales que pudieran existir.

Por tanto, será necesario realizar una evaluación del riesgo de acoso moral, para luego, sobre los resultados de la misma, realizar la planificación preventiva necesaria para evitar que se produzcan las situaciones de acoso. Las situaciones más habituales que sirven para dar inicio a una evaluación de riesgos de *mobbing* son:

- La realización de una evaluación general de los riesgos psicosociales, en la que se descubren por medio de sus indicadores una posible situación de acoso moral, en la que se deberá profundizar.
- Un requerimiento ante una sospecha fundada de acoso moral en la empresa.

Sin duda, las mejoras en las condiciones de trabajo que se obtengan de la evaluación de riesgos repercutirán tanto en la productividad como en el clima laboral.

Como en cualquier tipo de evaluación de riesgos, debe recopilarse toda la información posible sobre la organización a evaluar, sobre todo todos los aspectos relacionados con la organización interna de la misma.

Evaluaremos dos aspectos diferenciados: la incidencia del fenómeno y las posibles consecuencias en los sujetos afectados. Para ello, será necesario recoger una serie de datos para un correcto diagnóstico y documentación de la situación.

La toma de datos se realiza mediante entrevistas directas a los propios trabajadores, y se contrastan los datos con entrevistas a la dirección y los delegados de prevención:

- **Características de la empresa.**
- **Datos del sujeto:** Sexo, edad, antigüedad en la empresa, vida laboral, bajas comunes, bajas por accidente o enfermedad profesional.
- **Descripción del puesto de trabajo y de la tarea:** Grado de autonomía en su trabajo, contenido del mismo, tipo de relaciones que establece con sus compañeros, complejidad de la tarea, tipo y posibilidades de comunicación que se establecen, horarios, estatus social del puesto, carga de trabajo, diseño y entorno del puesto, estilos de mando, evaluación y promoción dentro del puesto, etc.
- **Empleo de cuestionarios:** Para evaluar la incidencia y las consecuencias.
- **Evaluación de la incidencia.** Determina el número, tipo y frecuencia de las conductas de acoso que se pudiesen estar dando, para comprobar si se cumple o no la definición de acoso moral con respecto a la frecuencia, temporalidad y estrategias de acoso sufridas.
- **Evaluación de consecuencias.** Consistiría en determinar el estado de salud del sujeto afectado, para determinar la conveniencia o no de derivarlo a los servicios médicos especializados.

Si se detecta la existencia de acoso moral se completará la información preguntando por los siguientes aspectos:

- Descripción cronológica y detallada de los hechos acontecidos (desde cuándo ocurre, implicados, origen del conflicto, posibles pasos dados encaminados a solucionar el conflicto, etc.).
- Hasta qué grado afecta o no el problema a sus relaciones laborales, familiares y sociales.
- Recabar información sobre posibles psicopatologías detectadas (depresión, ansiedad, adicciones, etc.) por los servicios de salud con anterioridad a los hechos y durante el transcurso de los mismos.

- La víctima recibe o no tratamiento y de qué tipo.

Toda la información obtenida debe contrastarse para evitar caer en la trampa del falso acoso moral que puede convertir al supuesto acosador en víctima.

Podemos utilizar cualquiera de las herramientas disponibles para evaluar los riesgos psicosociales. Entre ellas tenemos:

- **AIP Factores psicosociales:** Metodología de evaluación del Instituto Nacional de Seguridad e Higiene en el Trabajo (INSHT).
- **Factores psicosociales:** Identificación de situaciones de riesgo, del Instituto Navarro de Salud Laboral (INSL).
- **ISTAS 21:** Es la adaptación del Cuestionario Psicosocial de Copenhague (COPSOQ) XVII desarrollado por el Instituto Nacional de Salud Laboral de Dinamarca (AMI). En su adaptación han participado el Instituto Sindical de Trabajo, Ambiente y Salud (ISTAS), profesionales del Instituto Nacional de Seguridad e Higiene en el Trabajo, del Centre de Seguritat i Condicions de Salut en el Treball de la Generalitat de Catalunya, de las Universidades Pompeu Fabra y Autónoma de Barcelona, del Gabinete Higia de la CONC, de la Mutua Fraternidad y traductores profesionales.

6.5.- La evaluación y las medidas de control del *burnout*

En el caso del *burnout*, la detección clínica está mucho más desarrollada que la evaluación de riesgos.

Históricamente, en el *burnout* los esfuerzos se han orientado a diseñar herramientas para recoger todos los síntomas que luego definirán el daño para la salud que supone padecerlo.

Para realizar un trabajo de evaluación hay que tener claro no solamente el diagnóstico clínico; la psicosociología debe estudiar el proceso que conduce al *burnout*, pero existen menos trabajos científico-técnicos encaminados a establecer las relaciones causales y la evaluación de las mismas.

El técnico en prevención debe evaluar la existencia de antecedentes o desencadenantes que impacten o puedan impactar en el trabajador y que, por su potencial nocivo, puedan originar esta patología; este trabajo se desarrolla evaluando los riesgos psicosociales asociados al *burnout* y corrigiendo dichos factores, descritos ya con anterioridad.

Los síntomas asociados al Síndrome de estar quemado son indicadores para detectar factores de riesgo cuando ya están actuando sobre el trabajador de un modo nocivo.

Así, los síntomas se presentan en el individuo en cantidades diferentes, de mayor porcentaje (80%, ansiedad) a menor (22%, la indiferencia): ansiedad, irritación, tristeza, inadecuación, impotencia, fatiga, inquietud, dificultad de concentración, frustración, depresión, incompetencia, sentimientos de culpa, excesivas horas de trabajo, poca realización personal, disminución de interés por el trabajo, sentimiento de inutilidad, negatividad, disminución de la motivación, disminución de intereses extralaborales e indiferencia.

Se debe evitar en todo momento su confusión con el estrés, el *burnout* es una de las posibles respuestas al impacto acumulativo del estrés laboral crónico, en contextos de servicios humanos. Las diferencias fundamentales entre estrés y *burnout* son:

Estrés	Burnout
• Sobreimplicación en los problemas • Hiperactividad emocional • Agotamiento o falta de energía física • La depresión puede entenderse como reacción a preservar las energías físicas	• Falta de implicación • Embotamiento emocional • Agotamiento afecta a motivación y a energía psíquica • La depresión en *burnout* es como una pérdida de ideales de referencia–tristeza

Los procedimientos usados habitualmente para la evaluación son:
- **Cualitativos:** Entrevistas diagnósticas.
- **Cuantitativos:** Aplicación de pruebas psicométricas, para determinar el grado de incidencia de la patología y los antecedentes organizativos relevantes que originan su desarrollo.
- **Identificación mediante criterios normativos de las escalas y mediante índices estadísticos (correlaciones, regresiones, etc.) el grado de asociación existente entre las fuentes de estrés, los síntomas del *burnout* y las consecuencias:** Es aquí donde las estimaciones psicométricas a través de las herramientas de evaluación de riesgos psicosociales cobran una importancia preventiva y de intervención, a fin de actuar sobre el origen.

Los instrumentos más utilizados como estimación de la presencia de *burnout* han sido los cuestionarios.

Una de las herramientas más frecuentemente utilizadas para evaluar *burnout* es el Maslach Burnout Inventory (MBI), aunque resulta insuficiente para la realización de un diagnóstico de síndrome de estar quemado, es la herramienta más utilizada para su estimación psicométrica.

Este cuestionario autoadministrado, está constituido por 22 ítems en forma de afirmaciones sobre los sentimientos y actitudes del trabajador y en él se valoran los tres síntomas principales: agotamiento emocional, despersonalización y baja realización personal.

Sin embargo, no alude a las posibles causas, a cuáles son los factores sobre los que se debe incidir para realizar la prevención. Para ello, es necesario evaluar las condiciones psicosociales del trabajo y establecer las correlaciones oportunas con los indicios, variables o consecuencias de *burnout* presente. Además, es conveniente utilizar la entrevista especializada como herramienta de evaluación y examinar los datos existentes en la empresa respecto a absentismo, bajas, rotaciones, abandonos, etc.

Para que un diagnóstico de *burnout* pueda considerarse como tal, en términos de daños a la salud, precisaría de la presencia de estos síntomas:

Algunos síntomas psicosomáticos relacionados con el estrés.

• Fatiga, cansancio o agotamiento emocional e incluso algunos síntomas que aparecen también en la depresión.

• Aparición de conductas y actitudes negativas, con el consecuente deterioro del desempeño y disminución de la eficacia laboral del trabajador.

• Los síntomas deben estar asociados al desempeño de la actividad laboral.

• No hay presencia de antecedentes psicopatológicos en el individuo que lo justifiquen.

6.6.- La evaluación del riesgo de acoso sexual

El Acoso sexual es un riesgo psicosocial difícil de evaluar, no existen métodos de evaluación de la incidencia del mismo.

Por tanto, en cumplimiento de la obligación empresarial emanada de la Ley 31/1995 de Prevención de Riesgos Laborales de identificar, evaluar y prevenir los riesgos psicosociales que pudieran existir, se deberán realizar entrevistas personales por un técnico competente en ergonomía-psicosociología con base en una serie de indicadores de riesgo:

• Realizar chistes de contenido sexual sobre la mujer.
• Recibir piropos y comentarios sexuales.
• Pedir reiteradamente citas.
• Realizar gestos y miradas insinuantes.
• Realizar preguntas sobre la vida sexual.
• Pedir abiertamente relaciones sexuales.
• Realizar un acercamiento excesivo.
• Recibir abrazos y besos cuando no se desea.

- Recibir tocamientos, pellizcos o acorralamientos.
- Recibir presiones para obtener sexo a cambio de mejoras.
- Tener que realizar actos sexuales bajo presión de despido.
- Sufrir un asalto sexual.

6.7.- Evaluación de la adicción al trabajo

La adicción al trabajo afecta generalmente a personas con profesiones liberales y que no se mueven exclusivamente por necesidades económicas. Atendiendo al sexo, generalmente, hay más hombres que mujeres adictos al trabajo aunque, en profesionales jóvenes apenas existe un pequeña diferencia.

Entre las señales de alarma tenemos:
- Prisa constante y ocupación continua.
- Urgencia de tiempo.
- Necesidad de hacer varias tareas simultáneamente.
- Necesidad de control.
- Rigidez de pensamiento ("cerrados de mente").
- No delegan.
- Perfeccionismo. Miedo al fracaso.
- Alto nivel de exigencia. Intolerancia.
- Dificultades en las relaciones personales.
- Relaciones interpersonales consideradas como una pérdida de tiempo.
- "Embriaguez" de trabajo.
- Alternancia de sobreimplicación y reducción drástica del trabajo.
- Dificultad para relajarse y divertirse.
- Ocio = pérdida de tiempo.
- Obsesión por hacer.
- Pérdidas parciales de memoria. Pérdida de memoria por atención simultánea a muchas cosas.
- Descuido de lo familiar.
- Impaciencia e irritabilidad.
- Tiempo = recurso muy preciado.
- Impaciencia.
- Irritabilidad fácil si se les hace esperar o si se abordan temas que no son de su interés.
- Baja autoestima que le empuja hacia logros; pero sólo consigue elevar la autoestima transitoriamente.

6.7.1.- Secuencia evolutiva de la adicción al trabajo

- **Primera Secuencia.** La adicción se empieza a manifestar en el individuo cuando se le observa un comportamiento autoritario con la familia y con sus subordinados.
- **Segunda Secuencia.** En un segundo lapso de la evolución de esta psicopatología el sujeto se caracteriza por un visible síndrome de estrés, con lo que se deteriora la capacidad laboral y, consciente de ello, acude a las drogas y fármacos que atajan provisionalmente el cansancio: esta actitud se va haciendo habitual a medida que el sujeto ve mermada su capacidad laboral.
- **Tercera Secuencia.** El estrés deriva en depresión y en un trastorno psicosomático. Ello suele ir acompañado con un consumo excesivo de alcohol.
- **Cuarta Secuencia.** Lógicamente el abuso de sustancias acompañado de depresiones y trastornos psicosomáticos desemboca en una crisis aguda de enfermedad coronaria o en una muerte repentina.

7.- Medidas preventivas

La prevención del estrés ocupacional debe abordarse desde una panorámica global, que incluye un conjunto de estrategias y técnicas de intervención dirigidas a la organización (empresa) y al individuo.

Figura 7.1.- Consecuencias de los factores psicosociales

Consecuencias para el trabajador		Consecuencias para la empresa
FÍSICAS	**PSICOLÓGICAS**	• Elevado absentismo
Trastornos:	• Trastornos del sueño: insomnio, hipersomnia	• Menor dedicación al trabajo, deterioro en el
• gastrointestinales	• Ansiedad, miedos y fobias	• rendimiento.
• cardiovasculares	• Adicción a drogas y alcohol	• Disminución de la producción.
• respiratorios	• Depresión, trastornos afectivos y trastornos de la personalidad	• Aumento de prácticas laborales poco
• endocrinos		• seguras y de las tasas de accidentes.
• sexuales	• Alteración de las conductas de alimentación.	• Rotación elevada de puestos.
• dermatológicos		• Aumento de peticiones de traslados.
• musculares	• Signos o manifestaciones externas a nivel motor: Tartamudeo, temblores, explosiones emocionales, impulsividad…	• Falta de cooperación entre compañeros.
• neurológicos		• Deterioro de la imagen institucional.

7.1.- Las medidas preventivas a tomar con respecto al estrés laboral

Frente al estrés deben tomarse tanto medidas colectivas como individuales, pudiéndose simultanear ambas. Pero como señala el artículo 15 de la LPRL, se deberán primar las medidas colectivas sobre las individuales.

El trabajo con mayor probabilidad de estrés es el que presenta una demanda alta y bajo control y un reducido o nulo apoyo social; las medidas preventivas deberán dirigirse a invertir esta relación: aumentando el control, reduciendo o ajustando la carga y promoviendo el apoyo social.

La reducción de la carga conlleva intervenir en la organización y contenido del trabajo, mientras que el aumento del control requiere actuar tanto respecto de la organización, como respecto del individuo.

La acción preventiva sobre factores organizativos se denomina primaria, mientras que la intervención sobre factores subjetivos se denomina secundaria.

La prevención terciaria se centraría más en la reparación del daño causado por la no prevención de los factores de riesgo primario y la falta de formación adecuada en técnicas de afrontamiento, más que en la prevención.

7.1.1.- Las medidas de prevención primarias

Entre ellas, destacan las medidas de gestión y comunicación:

• Asegurar una correcta adecuación entre el nivel de responsabilidad del trabajador y el control sobre su trabajo.

• Las medidas que aseguran un apoyo adecuado por parte de la Dirección a los individuos y equipos de trabajo.

• Mejorar la organización, procesos, condiciones y entorno de trabajo, ofreciendo compensaciones razonables por el esfuerzo realizado por los trabajadores, dentro de un sistema de gestión integral orientado hacia la calidad de ambiente laboral.

• Clarificar los objetivos de la empresa, así como el papel de los trabajadores.

• Medidas de información y consulta, donde destacará el papel de figuras referenciadas dentro de la legislación nacional: los Comité de Seguridad y Salud (obligatorio en empresas cuya plantilla son 50 o más trabajadores, según la LPRL), y/o mediante los Delegados de Prevención.

Además, con su labor (herramientas comunicación-información y apoyo social), se pueden afianzar más las relaciones interpersonales entre los trabajadores mejorando el clima global de comunicación. Como ejemplos concretos destacan:

• Programas de formación y entrenamiento con el fin de adquirir conocimientos, capacidades y habilidades necesarias para poder desempeñar correctamente las tareas.

• Cuestionarios o *chek-list* entregados a trabajadores por centros o departamentos.

• Modificar la política de personal haciéndola más comunicativa y de mayor flexibilidad pero a favor de los intereses de los trabajadores, no sólo de la empresa.

• Mejorar los canales de comunicación para facilitar mayor participación en las tomas de decisiones, o para conceder más autonomía especialmente a los trabajadores de los niveles más bajos.

- Prever los efectos en la situación psicosocial a raíz de cambios.
- Diseñar los trabajos para cargarlos de significado, estímulo y oportunidades para que los trabajadores puedan emplear sus habilidades.
- La satisfacción de los trabajadores también puede obtenerse, evitando la temporalidad de los contratos por motivos de seguridad y posible promoción de aquellos.

En la intervención primaria, es importante actuar sobre los siguientes aspectos organizativos:

- **Definición de competencias:** Cualquier puesto de trabajo debe tener bien asignadas sus tareas y responsabilidades.
- **Estructura jerárquica:** Reparto de autoridad, estableciendo un organigrama donde todos y cada uno de los trabajadores tengan claro el lugar que ocupan en la organización y conocer así quién debe actuar en caso de conflicto.
- **Estilo de mando:** Del que depende el grado de consulta-participación de los trabajadores. Según la Organización Internacional del Trabajo (OIT), la alta participación facilita: una mayor productividad, una menor inestabilidad de los trabajadores, un mejor rendimiento, disminuye las enfermedades físicas y psíquicas y mejora ciertos trastornos del comportamiento derivados del estrés, como el tabaquismo y el alcohol.
- **Canales de comunicación e información:** Para permitir la solución de problemas laborales cotidianos.
- **Relaciones (interdepartamentales y personales):** Si éstas son malas, además de poder perjudicar la salud de los trabajadores, redundarán negativamente en el producto/ servicio de la empresa.
- **Desarrollo profesional:** Posibilidades de formación y promoción.
- **Introducción de cambios:** Mediante la información y formación adecuada y anticipada de los trabajadores afectados, para facilitar sus esfuerzos y aplicar los principios ergonómicos que consisten en adaptación de puestos y tareas a las personas, junto al necesario apoyo social en la resolución de problemas relacionados con el estrés.
- **Organización del tiempo de trabajo (duración y tipo de la jornada, pausas):** Por ejemplo, el trabajo a turnos se puede hacer menos estresante, si los horarios están bien organizados, contando con los trabajadores y que reciban diferentes tipos de asistencia social, como espacios donde se puedan recuperar tanto física como mentalmente, guarderías cerca o dentro de los lugares de trabajo...

7.1.2.- Las medidas de prevención secundarias

Como recordatorio, se centran en los trabajadores de forma individual, entre estas medidas destacan:

- **Formar a la Dirección y a los trabajadores**, para conocer el estrés a fondo (causas, consecuencias, modos de afrontarlo), facilitando la detección y tratamiento precoz de la depresión y la ansiedad, y ampliando la concienciación de todos los trabajadores implicados en las relaciones de trabajo y en la estructura social que representa la empresa.
- **Usar técnicas adecuadas para la selección del personal directivo.** Sólo contratando a personas competentes se puede obtener una adecuada gestión de las personas.
- **Desarrollar técnicas de afrontamiento del problema**, tanto individuales como de grupo. Ejemplos concretos:
    - o Aplicar y promover la Vigilancia de la Salud, para poder diagnosticar a tiempo los problemas relacionados con el estrés.
    - o Programas de adquisición de destrezas que ayuden a los trabajadores, mediante la información y formación, tanto para gestionar las situaciones de conflicto en el plano relacional como en el plano personal: cuidado físico, técnicas de relajación…

Entre las medidas preventivas en el plano individual, destacan:

- **Técnicas respiratorias.** Muy útiles en los procesos de: ansiedad, hostilidad, resentimiento, tensión muscular, fatiga y cansancio crónico.
- **Técnicas de relajación progresiva en** la ansiedad, depresión, impotencia, baja autoestima, fobias, miedos, tensión muscular, hipertensión, cefaleas, alteraciones digestivas, insomnio, temblores…
- **Técnicas de autohipnosis.** Altamente eficaces en cefaleas, dolores de cuello y espalda, alteraciones digestivas como el colon irritable, fatiga, cansancio crónico, insomnio, trastornos del sueño.
- **Técnicas de entrenamiento autógeno.** Son útiles en tensión muscular, hipertensión, alteraciones digestivas, fatiga, cansancio crónico, insomnio y otras alteraciones del sueño.
- **Técnicas de detención del pensamiento.** Empleadas en ansiedad, ante situaciones concretas, fobias, miedos, obsesiones, pensamientos indeseados.
- **Técnica del rechazo de ideas absurdas.** Se utilizan en procesos ansiosos generalizados, depresión, desesperanza, impotencia, baja autoestima, hostilidad, mal humor, irritabilidad, resentimiento...
- **Técnicas de afrontamiento** ante situaciones determinadas que generan fobias, miedos y ansiedad.

- **Técnica de afrontamiento asertivo.** Obsesiones, pensamientos indeseados, en problemas de comunicación, ansiedad...
- **Técnicas de biorretroalimentación.** Son efectivas en procesos ansiosos generalizados, tensión muscular, hipertensión, cefaleas, dolores de cuello y espalda, espasmos musculares... La biorretroalimentación es una técnica que mide las funciones fisiológicas.

Es conveniente elegir la técnica individual adecuada a cada persona. Debe actuarse de forma preventiva, antes de que el proceso de estrés empiece a adquirir síntomas significativos, convirtiéndose en irreversibles para la salud y seguridad del trabajador en algunos casos, e incluso afectando a la propia empresa.

7.1.3.- Intervención sobre la organización

La forma más efectiva de abordar el estrés laboral consiste en eliminar sus causas, interviniendo sobre la organización y promoviendo un medio ambiente de trabajo saludable. Para ello puede ser necesario:
- Modificar la política de personal
- Organización de la jornada laboral, turnos, horarios flexibles, etc.
- Mejorar sistemas de comunicación, entre los trabajadores y con los superiores.
- Rediseñar los puestos de trabajo
- Mayor participación en la toma de decisiones.
- Permitir mayor autonomía.
- Fomentar el apoyo social en las organizaciones, favoreciendo la cohesión de los grupos y formando a los supervisores para que adopten una actitud de ayuda con los subordinados, etc.
- Impulsar los planes de carrera, asegurando que el esfuerzo y la eficacia sean recompensados.
- Aumentar la implicación de los trabajadores en la toma de decisiones y en la resolución de conflictos.
- Facilitar de forma transparente los procesos de incorporación de nuevas tecnologías, etc.

7.1.4.- Intervención sobre el individuo

Por su carácter eminentemente técnico, debe ser llevada a cabo por especialistas, aunque la empresa puede promover:
- Programas de formación a los empleados, tanto grupales como individuales: en dinámica de grupos, apoyo social, prevención...

- Facilitar la formación en técnicas y manejo del estrés: técnicas de relajación, de autocontrol, cognitivas, conductuales, fisiológicas, de comunicación interpersonal, etc.

7.1.5.- El arte del descanso es una parte del arte de trabajar

El arte del descanso es una parte del arte de trabajar. Por ello debemos:
- **Dormir lo necesario.** Lo normal es ocho horas, pero depende de cada persona. El sueño debe ser reparador, hemos de sentirnos descansados cuando nos levantamos de la cama.
- **Hacer ejercicio físico,** adaptado a la edad y condición de cada persona ayuda a liberar tensiones y facilita el aumento de endorfinas, sustancias que provocan sensaciones placenteras.
- **Cuidar la alimentación.** No sólo llevar una dieta equilibrada, sino comer con tiempo suficiente.
- **Técnicas de relajación.** Tomarse quince o veinte minutos al día para practicar estas técnicas. La siesta diaria, aunque breve, es otra opción.
- **Organizar bien el tiempo.** La precipitación, las prisas y la acumulación desordenada de tareas causan estrés. Dediquemos a cada cosa su tiempo, sin olvidar reservar un tiempo para nosotros mismos.
- **Separar el trabajo de la vida personal.** No llevar trabajo a casa y aprender a olvidarse de él cuando no trabajamos. Busquémonos otras "obligaciones" cotidianas para cada día.
- **Aprender a comunicar nuestras cosas.** Hablar de nuestros problemas con gente de confianza alivia tensiones internas.
- **Romper la monotonía.** La rutina es un factor que acompaña a la tensión emocional y genera insatisfacción y aburrimiento. Busquemos cosas diferentes que hacer cada día.

7.1.6.- Tratamiento del estrés

.- Técnicas para aprender a controlar los efectos no deseados que nos crea el estrés. No evitan el problema
- **Relajación.** Es uno de los métodos más tradicionales en el tratamiento del estrés. El más sencillo e inocuo es el método Jacobson. Este método consiste en contraer los músculos de una región para luego relajarlos hasta conseguir una relajación profunda. De esta forma el individuo distingue perfectamente entre tensión y relajación.

- Para realizarlo la persona tiene que estar tumbada con los ojos cerrados en una habitación lo más tranquila posible, sin ruidos y en penumbra.

Siguiendo las indicaciones deberá relajar y contraer durante unos segundos los músculos que se le van indicando. Se comienza por las manos, seguimos con brazos, hombros, cuello, musculatura frontal de los ojos, de la boca, del tórax, haciendo una inspiración profunda y expulsando el aire poco a poco. Luego contracción del abdomen y para terminar levantar un poco las piernas y dejarlas caer.

Posteriormente haremos el mismo recorrido pero en orden inverso, es decir, empezaremos por las extremidades inferiores y terminaremos por las manos. A continuación y durante unos segundos se le pide que se concentre en alguna imagen que le produzca relajación y calma. Para terminar se hace una cuenta atrás del 3 al 1 y cuando llegue al 1 que abra los ojos. Este ejercicio se puede realizar en casa y es conveniente hacerlo al levantarse y al acostarse.

- **Control de la respiración.** El control de la respiración se ha utilizado desde antiguo. En la religión hindú se utiliza para las distintas posturas de yoga. También es fundamental en las artes marciales para conseguir mayor concentración. Para algunos investigadores en la materia la respiración sirve para controlar el estrés, para otros es una técnica que sirve para contrarrestar los efectos negativos del estrés. Los ejercicios dirigidos a mejorar la respiración favorecen la buena oxigenación y la regulación del ritmo inspiración-espiración. Este control también se realiza en las maternidades, donde se «enseña a respirar» a las futuras madres para atenuar el dolor de las contracciones uterinas.

- **Meditación.** Meditar es reflexionar. Con la meditación buscamos obtener una relajación profunda. Esta técnica ha sido practicada por muchas religiones: budistas, hinduistas, cristianos (eremitas); ya era conocida y practicada antes de Cristo. Las distintas técnicas de meditación se basan en focalizar o concentrarse en frases, movimientos rítmicos e imágenes, así podemos hablar de:

- **Repetición de un mantra o frase**, que se repite continua y mentalmente con gran concentración.

- **Concentración en un objeto, imagen**, como por ejemplo el movimiento de las olas, el movimiento de las nubes o del fuego.

- **Movimiento continuado rítmico y relajado** con gran concentración, como movimientos giratorios del cuello, movimientos respiratorios…

En la actualidad se utiliza la meditación trascendental, que es una técnica adaptada de ciertas religiones orientales.

.- Técnicas médicas para tratar el problema

Los psicofármacos y resto de técnicas y tratamientos sólo los debe prescribir un especialista para evitar efectos secundarios y no crear dependencias. Se debe huir de tratamientos y técnicas que van de boca en boca en personas no cualificadas.

- **Psicoterapia.** Basada en la palabra y en la relación médico-paciente. Se utiliza en psiquiatría.

- **Tratamiento farmacológico.** Si el estrés es muy importante y la sintomatología comienza a deteriorar algún órgano de la persona, tenemos que recurrir a la medicación para evitar que el problema se complique.

7.2.- La evaluación y las medidas de control del *burnout*

La Ley 31/1995 de Prevención de Riesgos Laborales obliga a las empresas a identificar, evaluar y prevenir los riesgos psicosociales que pudieran existir. Por tanto, será necesario realizar una evaluación de riesgos de *burnout* en aquellas empresas o profesiones de riesgo para luego, sobre los resultados de la misma, realizar la planificación preventiva necesaria para evitar que se desarrolle el síndrome.

Las situaciones más habituales que sirven para dar inicio a una evaluación de riesgos de *burnout* son:

- La realización de una evaluación general de los riesgos psicosociales, en la que se descubre por medio de sus indicadores una posible situación de *burnout*, en la que se debe profundizar.

- Un requerimiento ante una sospecha fundada de *burnout* en la organización.

No existe ningún tratamiento específico para el *burnout* ni tampoco una estrategia simple de prevención.

Por ello, se debe intentar abordar su prevención estableciendo estrategias de prevención desde tres niveles distintos:

- **Individual:** Desarrollo de conductas que eliminen la fuente de estrés. El empleo de estrategias de afrontamiento del control previene el desarrollo del *burnout*.

- **Grupales:** Fomentando el apoyo interpersonal y fortaleciendo vínculos sociales entre los compañeros, tanto en el aspecto emocional como profesional.

- **Organizacionales:** Desarrollando programas de prevención dirigidos a mejorar el ambiente y clima laboral.

7.2.1.- Estrategias de prevención individuales

El empleo de estrategias de afrontamiento del control previene el desarrollo del *burnout*, siendo necesario entrenamientos en la solución del problema, la asertividad y el manejo eficaz del tiempo.

Deben promoverse estos entrenamientos mediante:

- Programas dirigidos a la adquisición de destreza para la resolución de problemas (asertividad, manejo eficaz del tiempo…).
- Programas dirigidos para la adquisición de destreza en la mejora del control de las emociones para mantener la distancia emocional con el usuario, cliente, paciente, alumno... (técnicas de relajación, desconexión entre el mundo laboral y el mundo personal…).
- Desarrollo de conductas que eliminen la fuente de estrés o neutralicen las consecuencias negativas del mismo.

7.2.2.- Estrategias de prevención grupal

Su objetivo es conseguir el apoyo social, ya sea a nivel familiar, amigos o compañeros, los grupos de apoyo, la escucha, el apoyo técnico y emocional. El afectado busca, al transmitir su situación a un grupo de compañeros de profesión, una opinión que le reconforte. Sentirse comprendidos, intercambiar pareceres y consejos para intentar superar el *burnout*.

El apoyo social permite saber a los afectados que se preocupan por ellos y que son valorados y estimados.

El método de trabajo consiste en técnicas de intervención individual pero aplicadas al grupo de profesionales del entorno laboral. Esta forma de trabajo adopta el formato de pequeños seminarios ofertados. Su problema fundamental es que se trata de actuaciones puntuales donde no se suele hacer un seguimiento al profesional, ni hablar de aspectos específicos que afecten de forma individual. Se suelen enseñar técnicas como la relajación, resolución de problemas, debates en grupo sobre los principales problemas, etc.

Por tanto, se debe:

- Fomentar las relaciones interpersonales.
- Fortalecer los vínculos sociales entre el grupo de trabajo.
- Establecer sistemas participativos y democráticos en el trabajo.
- Facilitar formación e información.

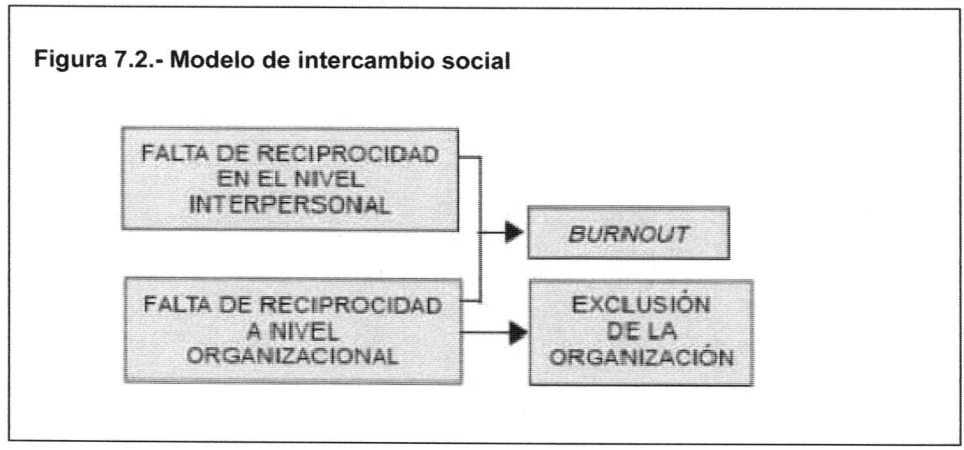

Figura 7.2.- Modelo de intercambio social

7.2.3.- Estrategias de prevención organizacional

Entre las posibles estrategias que se podrían enumerar en este caso figuran:

- Mejorar el clima de trabajo promoviendo el trabajo en equipo.
- Aumentar el grado de autonomía y control del trabajo, descentralizando la toma de decisiones.
- Disponer del análisis y definición de los puestos de trabajo, evitando ambigüedades y conflicto de rol.
- Establecer líneas claras de autoridad y responsabilidad.
- Definición de competencias y responsabilidades, de forma precisa y realista, atendiendo a las capacidades reales.
- Mejorar las redes de comunicación y promover la participación en la organización, mejorando el ambiente.
- Fomentar la colaboración en la organización.
- Fomentar la flexibilidad horaria.
- Promover la seguridad en el empleo.
- Programas de anticipación hacia lo real: ante las discrepancias que se producen entre las expectativas de los trabajadores cuando se incorporan al trabajo y la realidad con la que se encuentran; este choque se puede evitar mediante la implantación de programas de simulador de rol.

7.3.- Prevención contra el *mobbing* o acoso psicológico

A la hora de abordar el *mobbing* se hace necesario establecer una distinción entre aquellas medidas destinadas a atajar el fenómeno una vez iniciado de aquellas otras que buscan la prevención.

Centrándonos en los aspectos preventivos los campos de actuación se centran en los siguientes aspectos:

- **Diseño del trabajo.** Los trabajos correctamente diseñados, con unas demandas adecuadas y unos adecuados niveles de autonomía y capacidad de decisión se han demostrado como preventivos frente al acoso moral en el trabajo.
- **Liderazgo.** Los liderazgos capaces de detectar y actuar correctamente frente a conflictos, lo que permite actuar de forma temprana frente al *mobbing* sin caer en el error de confundirlo con los habituales roces en el trabajo.
- **Moralidad dentro de la organización.** Desde el punto de vista moral toda organización ha de tener claro cuáles son aquellas conductas que en su seno son totalmente inaceptables a la vez que ha de dotarse de los instrumentos necesarios para atajarlas en el momento en que comiencen a darse.
- **Posición social de las víctimas. Depende grandemente de los** tres elementos anteriores, siendo este el elemento clave sobre el que gira gran parte de la acción preventiva que se puede ejecutar frente al *mobbing*.

7.3.1.- Niveles de prevención contra el *mobbing*

La prevención contra el *mobbing* actúa a distintos niveles:

- **Prevención primaria:** Medidas cuyo objetivo es evitar tanto la aparición del acoso como las conductas violentas. Son medidas que se toman sobre las poblaciones: sobre la organización.
- **Prevención secundaria:** Consiste en evitar las consecuencias del conflicto, la patología. Son medidas que se toman sobre los individuos y sobre las poblaciones.
- **Prevención terciaria:** Actúa sobre las secuelas o complicaciones tras la aparición de los efectos. En este caso, las medidas se toman principalmente sobre el individuo.

Por tanto, la empresa debe primar la prevención de tipo primario sobre las demás, para evitar la aparición del *mobbing* y porque prima la protección grupal.

.- La prevención primaria

Las medidas preventivas deben ir encaminadas a mejorar la organización y la gestión de los conflictos. Deben evitarse, identificarse, evaluarse y controlarse las circunstancias favorecedoras.

Los pasos a dar suelen resumirse en cuatro grupos de medidas:

- **Fijación de estándares morales.** Deben fijarse unos estándares morales, que den a conocer las conductas de acoso y establezcan de forma clara que no son tolerables:
  - Conocer cuáles son las conductas intolerables con respecto al acoso moral.
  - Establecer un código de conducta: Reflejando la política de la empresa respecto a estas conductas ya asumidas como intolerables. Este código debe darse a conocer a todos los trabajadores.
  - Establecer un plan de formación: Para facilitar a los trabajadores herramientas para afrontar de manera sana los conflictos que surjan.
- **Procedimiento de manejo de conflictos.** Consiste en elaborar un documento, con dos objetivos preventivos básicos:
  - **Disuadir a cualquier persona de la organización de iniciar conductas de acoso:** Estableciendo un procedimiento claro y explícito que permita conocer y sacar a la luz situaciones de acoso servirá de barrera preventiva.
  - **Disponer de un sistema sensible que haga aflorar los conflictos lo antes posible:** Para evitar que estos se cronifiquen o se conviertan en formas de abuso.

.- **Diseño de la tarea.** El objetivo será rediseñar las tareas para evitar el estrés. Se debe actuar sobre la demanda, el control del trabajo por parte del trabajador y el apoyo social que recibe la persona. Algunos pasos a tomar son:

- **Conocer los factores de riesgo presentes en la organización y en la tarea para eliminarlos o controlarlos, realizar una evaluación de riesgos.**
- **Diseñar la tarea.** Teniendo en cuenta:
  - **Demanda:** Evitando la sobrecarga y la infracarga.
  - **Adaptar los ritmos de trabajo con las posibilidades del trabajador.**
  - **Horarios**.
  - **Ambigüedad de rol:** Definiendo claramente las tareas del trabajador.
  - **Evitar tareas repetitivas y monótonas.**

- o **Evitar el aislamiento.**
- • **Control del trabajo**
- o **Los trabajadores deben participar en el diseño de las tareas.**
- o **Aumentar la autonomía del trabajador:** Orden a realizar la tarea, ritmos de trabajo, etc.
- • **Apoyo**
- o **Dar apoyo social al trabajador:** Medios, formación y apoyo emocional para realizar su tarea.
- o **Las tareas desarrolladas deben ser útiles para la organización y el trabajador debe conocer la utilidad.**
- o **El salario no debe ser un mecanismo discriminatorio.**
- • **Organización y política de la empresa**
- o **Establecer la organización preventiva.**
- o **Diseñar políticas de selección de personal, de promoción y de personal.**
- o **Establecer una gestión de conflictos** como se comentaba anteriormente.
- o **Establecer sistemas de información ascendente, horizontal y descendente** capaces de llegar a todos los trabajadores, que eviten su aislamiento y den a conocer sus derechos y obligaciones.
- • **Formación de los trabajadores.**
- o **Para la realización de sus tareas y para mantener el clima laboral** (formación y entrenamiento para la resolución de conflictos, trabajo en equipo, relaciones sociales).

.- Sistema de Liderazgo

Es fundamental para prevenir el acoso por dos factores:

- • Normalmente, el acoso se produce por parte de los jefes a los subordinados.
- • Los responsables deben detectar lo antes posible estas situaciones e iniciar la solución de conflictos.

Por tanto, es recomendable establecer un estilo de mando y sistemas de resolución de conflictos.

En el estilo de mando se tendrá en cuenta que:

- • El trabajador conozca quién es su jefe, conoce las tareas, las decisiones que debe consultar y cuál es la exigencia que se le pide.
- • Se fomenta el trabajo en equipo y la participación de los trabajadores en el proceso de la toma de decisiones.

- Existe un apoyo por parte del jefe hacia sus subordinados: para el desempeño de la tarea.
- El jefe se forma y conoce quiénes son sus subordinados.

El sistema para la resolución de conflictos se apoyará:

- El sistema de información y comunicación implantado.
- Los procedimientos informales de mediación ante los conflictos.
- Los procedimientos de gestión de conflictos negociados e implantados.
- La reducción de las desigualdades y de las situaciones de inequidad.
- La vigilancia periódica de que todos estos sistemas funcionan y ofrecen soluciones.

.- Las medidas de intervención secundaria y terciaria

Se deben elaborar medidas para detectar el acoso moral en sus primeras fases, los pasos para ayudar a la víctima son:

- Contar con un sistema de alarma sensible, que detecte los casos en las primeras fases.
- Poner a la víctima en contacto con el mediador. Esta persona debe acompañar al afectado durante todo el proceso.
- Remitir a la víctima a un servicio especializado. Pueden producirse daños en las personas en un breve lapso de tiempo, incluso antes de cumplirse el plazo de definición clásica del acoso moral (seis meses).
- Ofrecer tratamiento médico, psicológico y apoyo social a la víctima.

Ante la aparición de cualquier caso, se debe poner en marcha una investigación y un procedimiento para atajar el conflicto

7.3.2.- Cómo actuar ante una situación de acoso psicológico

Cualquier abordaje de la situación se ha de centrar en evitar la evolución del conflicto inicial a fin de evitar los daños que se generan una vez iniciado el *mobbing*.

Si un trabajador se encuentra ante una situación de acoso psicológico en el trabajo, puede llevar a cabo alguna de las siguientes acciones:

- Puede informar de la situación a los superiores, al servicio de prevención de la empresa y/o a los representantes de los trabajadores para que se inicie una investigación discreta y objetiva de los hechos ocurridos e intentar resolver el conflicto.
- Puede iniciar acciones por la vía administrativa, denunciando la situación ante la Inspección de Trabajo y Seguridad Social.
- Puede iniciar acciones por la vía judicial.

Recordemos: El conflicto no se va a solucionar solo y el daño causado será más grave cuanto mayor sea el tiempo de exposición a la situación de acoso.

7.4.- Medidas preventivas ante el acoso sexual

La principal medida preventiva es elaborar y aplicar una política a nivel empresarial.

También son útiles medidas basadas en el Código de conducta sobre las medidas para combatir el acoso sexual recogido en la Recomendación de la comisión de las comunidades europeas de 27 de noviembre de 1991 relativa a la protección de la dignidad de la mujer y del hombre en el trabajo.

Este código se basa en dos apartados principales:

- **Prevención:** Basada en la declaración de principios.
- **Procedimientos:** Normas de actuación elaboradas por la empresa para resolver el conflicto.

7.4.1.- Prevención del acoso sexual

Para la prevención de este acoso tenemos los apartados siguientes:

- **Declaración de principios:** Debe existir una declaración de la Dirección para mostrar su implicación y compromiso en la erradicación del acoso, donde se prohíba el acoso sexual, defendiendo el derecho de todos los trabajadores a ser tratados con dignidad, manifestando que las conductas de acoso ni se permitirán ni perdonarán y explicitando el derecho a la queja de los trabajadores cuando ocurran. Se definirá lo que se entiende por comportamiento inapropiado y se pondrá en claro que la dirección tiene un deber real de poner en práctica la política contra el acoso sexual. La declaración explicará el procedimiento a seguir por las víctimas de acoso, asegurando la seriedad y la confidencialidad; así como la protección contra posibles represalias. Se especificará la posible adopción de medidas disciplinarias.

- **Comunicación de la declaración de principios:** La organización debe asegurar que la política de no acoso es comunicada a los trabajadores y que éstos la entienden; que saben que disponen de un derecho de queja para el que existe un determinado procedimiento y que existe un firme compromiso en no tolerar los comportamientos de acoso.

- **Responsabilidad:** La responsabilidad de asegurar un entorno de trabajo respetuoso con los derechos de quienes lo integran es de todos (trabajadores y empresarios), recomendándose a los mandos que tomen acciones positivas para promocionar la política de no acoso.

- **Formación:** Proporcionar una formación general a mandos y directivos, que les permita identificar los factores que contribuyen a que no se produzca acoso y a familiarizarse con sus responsabilidades en esta materia. El personal que reciba responsabilidades específicas en materia de acoso sexual debe recibir una formación especial para desempeñar con éxito sus funciones (información legal sobre la materia, habilidades sociales para manejar conflictos, procedimientos de actuación...). En los programas generales de formación de la empresa se puede incluir el tema del acoso.

7.4.2.- Sus procedimientos

La elaboración de procedimientos claros y precisos para tratar el acoso sexual una vez que se ha producido es de gran importancia.

Los procedimientos deberían garantizar la resolución de los problemas de manera eficaz y efectiva. La orientación práctica para los trabajadores sobre cómo tratar el acoso sexual cuando se produce y las consecuencias del mismo deberían proporcionarse desde un principio. Dicha orientación debería subrayar los derechos del trabajador y los límites dentro de los cuales deben ejercerse.

El procedimiento de denuncia es fundamental para que la política contra el acoso tenga éxito. Dos aspectos que deben ser clarificados son:

- A quién y cómo se ha de presentar la denuncia.
- Cuáles son los derechos y deberes tanto de la presunta víctima como del presunto acosador durante la tramitación del procedimiento (por ejemplo, si es o no obligatorio activar el procedimiento interno, si la activación de éste excluye o no la adopción de otras medidas legales mientras esté en curso, etc.).

Se desarrollará mediante los apartados siguientes:

- **Resolución informal de los problemas:** Dado que en la mayoría de los casos sólo se busca el cese del acoso, deben existir procedimientos tanto formales como informales.
  - o Los procedimientos informales buscan solucionar la situación a través de la confrontación directa entre las partes o a través de un intermediario.
  - o Los procedimientos formales buscan una investigación del asunto y la imposición final de sanciones si se confirma la existencia de acoso.
  - o Se debe animar a solucionar el problema, primero, de manera informal (hay que tener en cuenta que en muchos casos se trata de malenten-

didos). Si la persona tiene problemas para hacerlo por sí mismo debe poder hacerlo a través de una tercera persona (amigo, asesor...). Se aconseja acudir al procedimiento formal cuando el informal no dé resultado o sea inapropiado para resolver el problema.

- **Consejos y asistencia:** Se recomienda designar a una persona para ofrecer consejo y asistencia y participar en la resolución de los problemas tanto en los procedimientos formales como informales. La aceptación de tales funciones debe ser voluntaria y se aconseja que exista acuerdo en su nombramiento por parte de representantes sindicales y trabajadores. A la persona designada se le formará específicamente en sus nuevas funciones; manejo de resolución de problemas, políticas y procedimientos de la organización, etc., y se le asignarán los recursos necesarios para desempeñar su tarea.

- **Procedimiento de reclamación:** Debe proporcionar a los trabajadores la seguridad de que sus quejas y alegaciones serán tratados con total seriedad. Los procedimientos normales de trámite de denuncias pueden no ser adecuados en supuestos de acoso sexual ya que los procedimientos habituales suelen exigir que las reclamaciones se presenten en primera instancia ante el superior inmediato. Los problemas en estos casos pueden venir por dos vías: la primera, si el superior inmediato es un hombre y la víctima del acoso una mujer, esta puede tener vergüenza de relatar los incidentes o puede creer que no se le tomará en serio. La segunda, si el acusado de acoso se encuentra en la propia línea jerárquica de la víctima. En estos casos cobran especial importancia las personas especialmente designadas para intervenir en los procedimientos por acoso.

- **Investigaciones:** Se deben llevar a cabo con total respeto para todas las partes. Deben estar presididas por la independencia y la objetividad. Los investigadores no deben tener ninguna conexión con las partes. Se debe establecer un límite temporal para la investigación para evitar, por un lado, un proceso en exceso dilatado y, por otro, la imposibilidad de acudir al sistema legal. Es conveniente que las partes puedan comparecer en las investigaciones con alguien de su confianza (amigo, asesor, representante sindical...), que la investigación se lleve en régimen de contradicción y que se mantenga la confidencialidad.

- **Infracciones y sanciones disciplinarias:** Es conveniente que las normas disciplinarias recojan claramente las conductas de acoso y las correspondientes sanciones.

- **7.6.- El Acuerdo marco europeo sobre acoso y violencia en el lugar de trabajo**

Los interlocutores sociales europeos intersectoriales firmaron el pasado 27 de abril de 2007 el Acuerdo marco europeo sobre el acoso y la violencia en el trabajo, el cual fue comunicado de la Comisión al Consejo y al Parlamento europeo el 8.11.2007 mediante la comunicación COM (2007) 686 final.

Este acuerdo tiene por objetivo:

- aumentar la sensibilización y el entendimiento de empresarios, trabajadores y sus representantes sobre lo que son el acoso y la violencia en el lugar de trabajo,
- proporcionar a los patronos, los trabajadores y sus representantes a todos los niveles un marco pragmático para identificar, prevenir y hacer frente a los problemas de acoso y violencia en el trabajo.

Este acuerdo considera que el acoso y la violencia son la expresión de comportamientos inaceptables adoptados por una o más personas, que pueden tomar muy diversas formas y que puede ocurrir en el entorno laboral. Puede provenir de directivos o trabajadores, con la finalidad o el efecto de perjudicar la dignidad de la víctima, dañar su salud o crearle un entorno de trabajo hostil. Entiende que:

- Se da acoso cuando se maltrata a uno o más trabajadores o directivos varias veces y deliberadamente, se les amenaza o se les humilla en situaciones vinculadas con el trabajo.
- Se habla de violencia cuando se produce la agresión de uno o más trabajadores o directivos en situaciones vinculadas con el trabajo.

Veamos sus propuestas:

- Las empresas deben redactar una declaración de que no tolerarán el acoso y la violencia. En esta declaración se especificarán los procedimientos a seguir en caso de incidentes.
- Si se establece que ha tenido lugar acoso o violencia, se tomarán medidas apropiadas contra sus autores. Estas medidas irán de la sanción disciplinaria al despido.
- Las víctimas recibirán apoyo y, si es preciso, ayuda para su reintegración.
- En consulta con los trabajadores o sus representantes, los empresarios establecerán, revisarán y controlarán estos procedimientos para velar por que sean efectivos tanto para evitar problemas como para tratarlos cuando surjan.
- En su caso, las disposiciones de este capítulo pueden aplicarse a casos de violencia exterior.

Señalar que este acuerdo se recoge como anexo 4 al acta de prórroga para el año 2008 del acuerdo interconfederal para la negociación colectiva del año 2007 recogido en la Resolución de 21 de diciembre de 2007, BOE de 14.01.08.

7.7.- La Vigilancia de la Salud

Es un gran mecanismo preventivo. Pero los síntomas asociados al acoso moral que se manifiestan al principio no suelen ser patologías establecidas, sino disfunciones, molestias o disconfort, que en la mayoría de las ocasiones ni se catalogan como problemas de salud.

Se pueden establecer tres objetivos fundamentales a conseguir:

• En organizaciones de especial riesgo o donde se haya conocido algún caso pueden realizarse pruebas que midan la salud de la población.

• Detectar a los trabajadores especialmente sensibles.

• Detectar a los "individuos tóxicos": Individuos que llegan a este tipo de conductas por un posible problema de salud mental.

7.8.- El arte de escuchar en la prevención del estrés

La comunicación interpersonal es una de las situaciones de la vida donde hay más posibilidades de llegar a sentir estrés. A nuestro alrededor hay personas con quienes nos es difícil conversar o solucionar problemas sin que nuestro cuerpo se tense. Hay también momentos, reuniones de trabajo o conversaciones en casa, donde no logramos hacer que nos entiendan o sentimos que el otro está tan equivocado que difícilmente llegaremos a algún acuerdo.

Cuando estamos hablando con alguien en particular o participando en una reunión podemos encontrarnos muy tensos, sentirnos frustrados, no saber qué decir, sentir que no comprenden nuestro punto de vista, podemos incluso llegar a callarnos del todo para evitar el conflicto o enfrascarnos en una discusión acalorada y agotadora.

Una de las claves para disminuir esa tensión y lograr una comunicación más fluida y más eficiente es simplemente **escuchar.**

Saber qué decir implica saber escuchar para captar todas las claves que el momento nos proporciona. Sin embargo, hay factores que bloquean la comunicación fluida porque obstaculizan la escucha. Los más usuales **mientras estamos escuchando** son:

• Asumir lo siguiente que nos van a decir.

- Desviarnos hacia nuestros propios pensamientos.
- Experimentar emociones fuertes.
- Estar haciendo otras cosas.
- Saltar a conclusiones.
- Aferrarnos a concepciones preconcebidas.

Factores que facilitan la escucha son:

- Mirar a la persona que nos está hablando.
- No interrumpir.
- No terminar sus frases con palabras o en nuestro pensamiento.
- Realizar una escucha activa y reflexiva.
- Propiciar la empatía con el interlocutor.
- Hacer un esfuerzo por no desviarnos hacia nuestros propios pensamientos.
- Aprender a respirar y relajarnos durante el intercambio aunque el tema o la persona sean conflictivos.
- Estar atentos a todas las claves que el momento nos proporciona para saber qué vamos a decir.

7.9.- Estrategias para la implantación de un plan de actuación psicosocial

Es necesario para obtener la mejor productividad laboral buscar un equilibrio entre las condiciones y exigencias del trabajo y las características del trabajador.

Para ello se deben identificar y evaluar los posibles factores de riesgo psicosocial existentes en la organización, y diseñar las medidas necesarias para su eliminación o control.

Hay que servirse de cualquier variable que pueda de una manera efectiva ser influyente en la conducta. Habrá que optar por aquello que resulte más adecuado y eficaz a la hora de elaborar estrategias de intervención en las organizaciones.

El proceso de intervención requiere para ser efectivos el apoyo institucional y de los responsables del equipo, una metodología y organización de la acción, un entrenamiento y aprendizaje. Requiere, además:

- Conocer aspectos muy particulares de la organización en la que se van a desarrollar las acciones de cambio.
- Conocer la naturaleza de los procesos de cambio y los principios que los rigen.

- Comprender las razones por las cuales los individuos se comportan como lo hacen, se implican en comportamientos de riesgo y se incorporan a proyectos preventivos.

- Aplicar las habilidades necesarias para hacer más eficaz la comunicación interpersonal y la transmisión de la información, consiguiendo crear un clima favorecedor del cambio. La creación de un clima favorecedor debe estar en la base de cualquier intervención psicosocial.

Esta intervención se tiene que centrar en tres niveles, el nivel individual, grupal y organizacional:

- **Nivel Individual**
    - Desarrollo de conductas que eliminen la fuente de estrés.
    - Manejo eficaz del tiempo.
    - Desconectar del trabajo fuera de la jornada laboral.
    - Practicar técnicas de relajación.
    - Tomar pequeños descansos durante la jornada.
    - Marcarse objetivos reales y factibles de conseguir.
- **Nivel Grupal**
    - Fomentar las relaciones interpersonales.
    - Fortalecer los vínculos sociales entre el grupo de trabajo.
    - Facilitar formación e información.
- **Nivel organizacional**
    - Cambios de estilo de dirección.
    - Cambios en la forma en que está organizado el trabajo.
    - Acciones sobre los propios individuos.

Centrándonos en el nivel organizacional, que es el que nos ocupa, tenemos:

- **Cambios en la forma en que está organizado el trabajo.** El objetivo de estas medidas es conseguir equilibrar la salud, las posibilidades de desarrollo profesional, personal y social de los trabajadores y la productividad de la organización. Es irreal olvidar que estos cambios tienen que estar directamente relacionados con la eficacia de la empresa, tanto en cantidad como en calidad. Las nuevas formas de organización del trabajo tratan de fomentar la participación de forma que la persona que trabaja pueda influir en el diseño de las tareas y establecer la comunicación necesaria para poder realizar el trabajo de forma que se compartan los problemas y se puedan buscar soluciones de forma conjunta. Entre las formas de incorporar estas variables tenemos la rotación de puestos de trabajo, la ampliación o agrupamiento de tareas, el enriquecimiento de las tareas o los grupos semiautónomos.

- **Cambios de estilo de dirección.** Lo que trata de conseguir es mejorar las políticas de control o supervisión, de información y comunicación y la mejora de la participación de los trabajadores. Si se trabaja diferente hay que controlar el trabajo de forma diferente. Si se desconfía del trabajador, se controla su actividad de cerca. Si se le deja un margen de libertad e iniciativa se puede llegar al sistema de control por objetivos de forma que se controle el producto final de una tarea y no cada parte de la misma. Han de existir canales de comunicación ascendente y descendente fluidos para que la información circule en todos los sentidos evitando ocultamientos que generan desconfianza y falta de eficacia.

- **Acciones sobre los propios individuos.** El comportamiento humano, en cualquier actividad, resulta complejo de analizar por las numerosas influencias que hacen que la conducta se encamine por una u otra dirección. Muchas de ellas son internas, propias de la propia personalidad y otras externas, provenientes del medio que rodea a cada individuo. En la realidad no tiene sentido separarlas, pues todas en su conjunto colaboran a que el comportamiento sea uno u otro.

- **Plan de formación en salud mental.** El diseño e implantación de un plan de formación dirigido a los trabajadores en temas de salud mental también supone una forma de poner en marcha estrategias para la prevención de riesgos psicosociales asociados al miedo a perder el empleo. Técnicas de autocontrol del estrés, control emocional o técnicas de relajación permitirán mejorar los estados mentales provocados par la incertidumbre y que afectan al organismo, beneficiando a todos los empleados, especialmente a los más vulnerables, del estrés, la ansiedad u otras alteraciones mentales.

- **Evaluación de riesgos psicosociales.** Se debe mantener actualizada la evaluación psicosocial en las empresas y organizaciones para conocer el nivel de estrés que padecen los trabajadores. Especialmente se identificarán y medirán todos aquellas condiciones de organización del trabajo relacionadas con la percepción de estabilidad en el empleo que pueden representar un riesgo para la salud y el bienestar de las personas trabajadoras y la consiguiente acción preventiva.

7.9.1.- Conclusiones

El liderazgo preventivo en las empresas debe tener las siguientes características:
- Aproximarse al tipo que se denomina transformacional.
- Consistir en un liderazgo más grupal que individual.

• El auténtico liderazgo, como motor de los cambios para una cultura de la prevención en la empresa, debe basarse además en una voluntad de saber, de querer y de querer saber.

• Apoyarse, desarrollar o entrenar las habilidades sociales más importantes, para él y su entorno, especialmente la asertividad. O lo que es lo mismo, ser un líder asertivo para desarrollar un liderazgo transformacional.

La asertividad es una de las habilidades sociales más potentes para el ejercicio del liderazgo con los menores efectos secundarios. Resume y compendia las principales habilidades sociales, tales como la empatía o capacidad de ponerse en el lugar del otro, la comunicación, la flexibilidad o la tolerancia. El entrenamiento y la práctica en estas habilidades sociales mejoran el liderazgo preventivo.

7.10.- La mediación en los conflictos

La negociación es la reunión directa entre las partes implicadas en un conflicto con el objetivo de llegar entre ellas a un acuerdo. La mediación es una negociación asistida, en la que las partes tienen un mediador que les ayuda a resolver el problema.

Uno de los aspectos positivos de la mediación es que las partes pueden transmitir al mediador información que entre ellas no se hubieran trasmitido antes, pero que sí se atreven a contar al mediador.

En la mediación se puede llegar a un acuerdo sobre algunas cuestiones, pero no sobre otras. Puede estudiarse la posibilidad de dar una solución a los problemas no resueltos por otras vías, como la de recurrir a una autoridad superior.

Antes de profundizar en este tema, distingamos entre medicación, arbitraje y la gestión judicial.

o **Mediación:** las partes comparten el control sobre el proceso y los resultados.

o **Arbitraje:** las partes tienen control sobre el proceso, pero la tercera parte tiene el control sobre los resultados.

o **Tribunales:** la tercera parte tiene el control sobre el proceso y los resultados.

7.10.1.- Procedimientos para la Negociación de Conflictos

Podemos subdividir el proceso de mediación en cinco pasos:

• **El primer contacto:** el mediador explica el procedimiento, las reglas y resuelve las posibles dudas de las partes. El primer contacto puede ser presencial o no. Antes de comenzar, es importante preparar el ambiente, de manera que se cree una atmósfera de equidad, respeto entre las partes y solución de problemas.

• **La reunión de apertura:** las partes son invitadas a una reunión para identificar cuáles son las cuestiones de la disputa. Se planifican las próximas reuniones. Se firma el acuerdo de mediación.

• **Reuniones privadas con las partes:** el mediador se reúne independientemente con cada parte (información confidencial), para conocer los intereses y otros datos importantes.

• **Reuniones conjuntas / visitas del mediador a las partes:** el mediador realiza reuniones conjuntas con las partes, para que alcancen un acuerdo. En este punto el mediador puede establecer consultas a expertos en determinadas materias, con el objetivo de conseguir el acuerdo.

• **Cierre:** el cierre podría incluir el pacto de un seguimiento del cumplimiento del acuerdo. En este seguimiento debería quedar claro la fecha en la que se volverá a tratar el tema, dónde tendrá lugar, ya que el seguimiento puede hacerse a través de una reunión o por teléfono. También es importante definir si se hará con todas las partes implicadas, o bien en un primer momento, serán reuniones privadas. Hay que asegurarse de que todos los acuerdos se cumplen; y si no fuese así, hay que alentar a las partes para que vuelvan a llegar a un entendimiento. También es posible que en este momento se observe que una de las soluciones planteadas tenía unos objetivos poco realistas y se haga necesario sustituirla por otra más práctica.

Durante la conversación interesa hablar de tres cuestiones clave:

• Atribuir a la persona los avances positivos logrados hasta ese momento. Esto, sin duda, fortalece su decisión de enfrentarse a cualquier otro problema que subsista.

• Ante dificultades o incumplimientos, hay que analizar los aspectos negativos en términos de conducta, no de intenciones. Veamos un ejemplo: "parece que no se han reunido en los últimos dos meses, tal y como planteaba el acuerdo".

• Traduzca cada problema que las partes identifiquen, en paso activo para el cambio, o en una definición más ajustada del acuerdo.

7.10.2.- El papel del mediador

A diferencia del abogado, el mediador no toma decisiones por las partes, sino que escucha, pregunta, sondea, y a veces provoca y confronta, para ayudar a las partes.

Ayuda a las partes a generar un proceso de comunicación y negociación, que les permita analizar el problema, generar soluciones y acordar una serie de pasos a seguir para solucionar el problema.

Es importante que el mediador:

- Tenga nociones de cómo desarrollar este proceso.
- Que sea alguien que inspire confianza a las partes.
- Se asegure de que todas partes entienden el proceso, y cuál es su papel.
- Se mantenga imparcial hacia las partes.
- Mantenga el compromiso de servir a ambas.

El mediador:

• No deberá tener conflicto de intereses, y si percibe que pudiera haberlos, debe notificarlo de inmediato a las partes, también tiene la obligación de revelar cualquier circunstancia que pueda plantear dudas razonables sobre este tema.

• Respetará la confidencialidad de la información que se le transmita por las partes, y si esta información tuviese que ser revelada, siempre se hará con consentimiento expreso de la parte o persona implicada. También se respetará el compromiso de confidencialidad del mediador.

• Ha de ser consciente de las limitaciones que tiene para ayudar a las partes. Son las partes las que tienen responsabilidad sobre los resultados.

• Debe estructurar un proceso justo y equitativo, que preserve la integridad y seguridad de las partes durante todo el proceso, y permita a las mismas centrarse en los resultados.

• Acordará algunas normas básicas de comunicación y conducta entre las partes, y liderará el proceso hacia soluciones constructivas.

7.11.- Organizaciones emocionalmente inteligentes como antídoto a los riesgos psicosociales

El uso y manejo de las emociones, lo que comúnmente se conoce como inteligencia emocional, se ha convertido en una de las herramientas más potentes para prevenir los riesgos psicosociales en el entorno laboral, al favorecer el bienestar y la salud de los empleados y evitar los conflictos. Los últimos estudios han demostrado que "dejarse llevar por los sentimientos" no sólo no entorpece las tareas, sino que mejora la gestión de los equipos y maximiza el rendimiento de los trabajadores.

Todos hemos aprendido qué es la inteligencia emocional a partir de la publicación en 1995 del *best-seller* escrito por Daniel Coleman, que define un modelo científico que pone de manifiesto la existencia y utilidad de una inteligencia, distinta del cociente intelectual, que se fundamentaba en las habilidades que los seres humanos tienen para percibir, entender, usar y manejar las emociones, así como las de los demás, y que les ayuda a ser más eficaces en su vida y en su trabajo.

Como veremos, la inteligencia emocional consiste en:

• Identificar cómo se siente un individuo así como la gente que le rodea.

• Usar las emociones para facilitar el pensamiento y toma de decisiones.

• Entender las causas y consecuencias de las emociones.

• Gestionarlas de forma adecuada para conseguir los objetivos marcados.

Cada una de estas habilidades puede ser evaluada y desarrollada por separado, pero únicamente se podrá decir que uno es emocionalmente inteligente cuando consiga desarrollar al máximo todas ellas.

7.11.1.- El estudio de la inteligencia emocional

Ya en el siglo XIX, Charles Darwin advertía de la utilidad del manejo de las emociones para el desarrollo y la supervivencia.

Con el libro de Coleman surge el auge de la "emoción" en contra de la "cognición", es decir, la pugna del poder predictivo del cociente intelectual y el cociente emocional.

Diferentes análisis han demostrado el poder y relevancia que la gestión de las emociones tiene en la efectividad de las empresas, y sus conclusiones son muy claras:

• La inteligencia emocional de los miembros de una organización está relacionada positivamente con su bienestar y desempeño laboral, así como negativamente con el conflicto laboral.

• Aquellos líderes emocionalmente inteligentes consiguen un mayor rendimiento en sus equipos y obtienen soluciones más adecuadas y óptimas.

La pregunta ahora es cómo conocer cuáles de nuestros supervisores, subordinados o incluso la organización en su conjunto son emocionalmente inteligentes. Y si no lo son cómo se puede desarrollar la inteligencia emocional propia, si se puede aprender a ser emocionalmente inteligente o si es una cualidad innata o aprendida.

7.11.2.- Medida de la inteligencia emocional

Un modo útil y comúnmente utilizado para medir las características psicosociales de los empleados es preguntarles a ellos mismos sobre esta característica usando cuestionarios de autoinforme. Estos autoinformes son duramente criticados ya que, en ocasiones, resulta complicado evaluarse en algunas competencias (sobre todo si no se tiene un marco de referencia claro).

Además, probablemente la mayoría de los trabajadores tienen la creencia sesgada de que son más emocionalmente inteligentes de lo que realmente son.

Para medir la inteligencia emocional tenemos que evaluar las habilidades prácticas y competencias a la hora de:

- **Percibir e identificar las emociones.** Habilidad y precisión a la hora de identificar adecuadamente emociones. Más que la percepción de la propia emoción, esta habilidad hace referencia a la precisión para percibir los matices.
- **Usar las emociones.** Habilidad para hacer uso de los estados emocionales para facilitar el pensamiento, la creatividad, etc.
- **Entender las emociones.** Habilidad para predecir las emociones, así como sus consecuencias en uno mismo y en otras personas
- **Gestionar las emociones.** Habilidad para utilizar adecuadamente las emociones y obtener resultados óptimos; uno es emocionalmente inteligente cuando consiga desarrollar al máximo todas ellas.

Un método también usado es la evaluación de las competencias emocionales del empleado a través de la percepción de sus compañeros de trabajo, sus subordinados y supervisores, así como sus clientes, en el caso de que existan. Este sistema de evaluación se conoce como "360 grados" ya que tiene en cuenta diversas perspectivas o puntos de vista de la misma variable.

7.11.3.- Salud ocupacional y eficacia grupal

Existe una relación entre la inteligencia emocional de los empleados y su bienestar y salud ocupacional.

Diversos estudios han mostrado la relación existente entre la inteligencia emocional y una de las variables más utilizadas en la evaluación del daño psicosocial de los trabajadores, como es el *burnout*. Así por ejemplo, se ha mostrado esta conexión en el colectivo de los docentes; a mayor inteligencia emocional, menor *burnout*. Además, altos grados de inteligencia emocional están relacionados con la felicidad y el liderazgo potencial, es decir, la capacidad que las personas tienen para desarrollar un liderazgo efectivo.

Por otro lado, una de las competencias básicas de la inteligencia emocional es la capacidad que los seres humanos tienen para relacionarse socialmente de forma adecuada. Por lo tanto, trabajadores emocionalmente inteligentes proporcionan relaciones sociales adecuadas y, por ello, ambientes de trabajo y organizaciones saludables. De este modo, la inteligencia emocional se convierte en un medio de conseguir organizaciones y ambientes laborales saludables.

Así, investigaciones recientes apuntan a la utilidad que la inteligencia emocional tiene para la prevención de riesgos laborales psicosociales, como por ejemplo el acoso laboral. Las personas emocionalmente más inteligentes son más resistentes al acoso y además, tienen una menor probabilidad de ser acosadoras en un futuro.

Por otro lado, el rendimiento de un grupo depende, en gran medida, del proceso interactivo que supone el trabajo en equipo, y no tanto de las competencias individuales de los miembros. En muchas ocasiones el nivel en que los miembros de un conjunto sean capaces de coordinarse condiciona su éxito en una tarea. Cuántas veces, por culpa de una discusión, se ha perdido una oportunidad excepcional para realizar un excelente trabajo con un compañero.

Ciertamente la gestión de las emociones es muy importante en el entorno laboral, donde, a diferencia del ámbito personal, las personas con las que se está en la mayor parte de los casos no se eligen, sino que vienen impuestas por el sistema organizativo.

Finalmente señalemos la relación entre liderazgo e inteligencia emocional. Sin duda, un líder inteligente emocionalmente motiva más y obtiene mejores resultados en sus equipos.

7.11.4.- Conclusiones

• No hay duda de que la inteligencia emocional es una herramienta muy potente a la hora de gestionar los equipos de trabajo y maximizar el bienestar y desempeño laboral.

• No se trata de una cualidad innata del ser humano; se puede aprender. Existen metodologías específicas para evaluar y mejorar la inteligencia emocional.

Desde un punto de vista meramente preventivo, líderes emocionalmente inteligentes promueven ambientes saludables, minimizan el conflicto y acoso laboral, además de maximizar el rendimiento y bienestar.

8.- Efectos ante situaciones de crisis económica

8.1.- La crisis económica y los factores psicosociales

Según las últimas encuestas del CIS (Centro de investigaciones sociológicas) el paro es el principal problema al que se enfrenta España, seguido de la economía y el terrorismo. Refleja por tanto un estado de amenaza constante.

En las páginas de los periódicos y en los informativos de radio y televisión hay unas siglas que se hacen cada vez más conocidas para la población en general, los ERE o Expedientes de Regulación de Empleo. Distintas investigaciones en Europa y EE. UU. muestran que las regulaciones de empleo y los despidos colectivos tienen consecuencias para la salud tanto de las personas que pierden su empleo como de las que lo conservan.

A estos despidos colectivos hay que añadir los individuales, generalmente la primera medida que adoptan las empresas pequeñas y medianas, menos pregonados pero mucho más numerosos y con peores efectos para quienes los padecen. En este apartado debemos incluir también a aquellos trabajadores a los que no se ha renovado su contrato temporal. Recordemos que en España uno de cada tres trabajadores asalariados tiene un contrato temporal.

Veamos algunas características de la situación económica que aumentan la posibilidad de que un trabajador sufra estrés:

• La crisis financiera y económica provoca una situación nueva en el mercado de las empresas que afecta al trabajador.

• La incertidumbre del entorno hace difícil predecir lo que ocurrirá, incluso la cuestión de si se mantiene o no el puesto de trabajo.

• La ambigüedad de la situación.

• El desequilibrio entre la gran cantidad de información sobre la crisis que aparece en los medios de comunicación que contrasta con la habitualmente escasa información y comunicación formal transmitida por la propia empresa.

• La inminencia de una posible pérdida del puesto de trabajo.

En resumen, cuanto más tiempo se mantenga la situación de crisis, provocadora del estrés, mayor será el desgaste para el individuo.

Este hecho da lugar a un descenso en la calidad y motivación del trabajador durante la jornada laboral, aumentando el riesgo de problemas psicosociales dentro del entorno laboral. Este tipo de estrés produce enfermedades cardiovasculares y lesiones músculo-esqueléticas.

A pesar de que en España no existe ningún estudio específico sobre ERE, tienen sobre la salud de la plantilla en general, sí hay evidencias en trabajos realizados en Europa y EE. UU. que muestran que las enfermedades laborales se incrementan entre las personas que han conservado su empleo después de un ERE.

Es evidente que existe cierta relación entre salud y procesos de reestructuración, tanto en lo que se refiere al propio proceso, como a los efectos posteriores (reestructuración, trabajo temporal, de inferior cualificación, fuera del sector de procedencia, los propios efectos en las condiciones de trabajo de aquellos trabajadores que permanecen en el sector o la empresa…).

8.1.1.- Los colectivos más vulnerables a los efectos de la crisis

Los colectivos más vulnerables a los efectos de la crisis son:
- **Los trabajadores jóvenes nacidos en las décadas de los 80 y los 90** del pasado siglo, que nunca han sufrido una coyuntura económica como la actual. No están acostumbrados a vivir bajo presión y son muy celosos de la conciliación de la vida laboral, social y familiar.
- **Los trabajadores inmigrantes,** generalmente personal de baja cualificación profesional, con contratos temporales o simplemente sin contrato, en paro principalmente por el parón de la construcción. Carecen de una red familiar y social, al estar lejos de su país, que les aporte apoyo emocional, ayuda y asistencia tanto en lo emocional como en lo no emocional.
- **Los trabajadores mayores de 45 años,** y en especial los que están cerca de la jubilación. La posibilidad de perder el empleo, anticiparse a las consecuencias de esta pérdida y las consecuencias derivadas en un descenso en las cotizaciones sociales y por tanto en la consiguiente pensión lo perciben como una realidad amenazante.

A corto plazo, los primeros síntomas del estrés laboral son los ansioso-depresivos. En un nivel más alto de malestar, se puede llegar al abuso de sustancias, alcohol, tabaco, café... Y por último, al suicidio. Podemos resumir en una sigla, SIN, el cuadro clínico de las personas que necesitan ayuda:

- La 'S' hace referencia al sufrimiento.
- La 'I' es la incapacidad, porque ya no puedes dormir, comer o divertirte.
- La 'N' es necesidad, de beber, de fumar, de pastillas.

Cuando se cumplen los tres requisitos, "esa persona está enferma".

Tabla 8.1.- Colectivos más vulnerables a los efectos de la crisis.

Colectivo	Características
Trabajadores jóvenes	• No han vivido con anterioridad situación de crisis similar • No están acostumbrados a trabajar bajo presión • Máxima importancia a la conciliación entre vida laboral y ocio
Trabajadores inmigrantes	• Personas con baja cualificación profesional • Contratación temporal • Reducida red social y familiar.
Trabajadores mayores de 45 anos	• Dificultades para encontrar trabajo en caso de desempleo • Situaciones próximas a la jubilación

8.1.2.- Efecto de la inseguridad en el empleo

Respecto del impacto de la inseguridad en el empleo sobre la empresa tenemos:

• **Aumento de la carga de trabajo derivada de la no renovación de contratos** parciales o de nuevas contrataciones que genera en los trabajadores que quedan que tengan que ampliar su carga de trabajo, alargando su jornada laboral. Esto genera un pérdida en la conciliación entre la vida laboral, familiar y social fundamental para afrontar y reducir el estrés.

• **Disminución de la carga de trabajo por la menor actividad y consumo general de las empresas.** Una carga de trabajo demasiado pequeña también causa estrés. El aburrimiento y la monotonía son igualmente nocivos para la salud de los trabajadores, afectando a su autoestima. A esto debemos añadir el descenso en el nivel de ingresos obtenidos a fin de mes debido al evidente descenso en horas extras o de las pagas variables por objetivos.

• **Estilos de liderazgo amenazantes** que utilizan la inestabilidad en el empleo o el despido para que los trabajadores se impliquen más y trabajen más. Esta estrategia conlleva que el trabajador vea sus tareas del día a día como especialmente estresantes, provocando estados de ansiedad o miedo crónico

8.1.3.- Estrategias de intervención psicosocial en épocas de crisis

Se pueden realizar:
- **Plan de comunicación interna.** Una comunicación clara de la situación y las acciones que se deben tomar ejerce un impacto tranquilizador. Estamos hablando de una comunicación de lo que se va a hacer en el corto plazo. Si se desea reducir plantilla se puede decir que la dirección está estudiando todas las opciones. Cuando llegue la reducción esta no será una sorpresa para los trabajadores. Se tiene que evitar en todo momento el rumor que tanto mal hace.
- **Mantener la calma.** Ante una situación de miedo como la que pueden vivir los trabajadores, la Dirección debe, sobre todo, mantener la calma y crear un entorno de estabilidad.
- **Reforzar la confianza**. La confianza en la Dirección en tiempos de incertidumbre como la que vivimos cobra un papel básico. La constancia, la comunicación y la coherencia son las mejores maneras de generar confianza.
- **Nuevas formas de organización del trabajo y contratación.** Se pueden ofrecer a los trabajadores formas para flexibilizar la jornada de trabajo con el fin de una mejor conciliación entre la vida laboral y familiar o de ocio y, por otro, ofrecer reducciones de jornada para así reducir el número de despidos en empresas con baja actividad comercial.

8.1.4.- Medidas preventivas ante situaciones de crisis

Es imprescindible aumentar la concienciación de cada uno de los miembros de la empresa en la importancia que tiene la identificación y el apoyo de los compañeros que por su situación o condición son especialmente vulnerables.

Veamos algunas medidas para mejorar esta concienciación:
- **Establecer una comunicación transparente** en ambos sentidos entre la Dirección y los colectivos especialmente vulnerables. Una comunicación clara de la situación y las acciones que se deben tomar ejerce un impacto tranquilizador. Esa es la clave para que la plantilla esté implicada en el proyecto de empresa y le sobre moral para acometerlo. Con ella se abordan los tres sentimientos que genera la crisis entre los trabajadores: su inseguridad en el puesto de trabajo, su frustración al ver truncado su plan de carrera y su culpabilidad. Estamos hablando de una comunicación de lo que se va a hacer en el corto plazo. Si se desea reducir plantilla se puede decir que la dirección está estudiando todas las opciones. Cuando llegue la reducción esta no será una sorpresa para los trabajadores. Se tiene que evitar en todo momento el

rumor que tanto mal hace. Debe ser coherente lo que se dice y lo que se hace. En caso contrario, prevalecerá el mensaje negativo.

• **Analizar la organización de la empresa** en cuanto a sus estilos de liderazgo, sobrecarga o infracarga de trabajo, comunicación… y sus efectos sobre la salud mental de los trabajadores. Un adecuado análisis de la organización del trabajo mejorará la satisfacción de los empleados y los resultados de la empresa. Entre otras cosas se ha de:

• Mantener la calma. Ante una situación de miedo como la que pueden vivir los trabajadores, la Dirección debe, sobre todo, mantener la calma y crear un entorno de estabilidad.

• Reforzar la confianza. La confianza en la Dirección en tiempos de incertidumbre como la que vivimos cobra un papel básico. La constancia, la comunicación y la coherencia son las mejores maneras de generar confianza.

• Estudiar nuevas formas de organización de trabajo y contratación. Se pueden ofrecer a los trabajadores formas para flexibilizar la jornada de trabajo con el fin de una mejor concialición entre la vida laboral y familizar o de ocio y, por otro, ofrecer reducciones de jornada para así reducir el número de despidos en empresas con baja actividad comercial.

• **Los servicios de Prevención,** ya sean propios o ajenos, deben estar involucrados con la Dirección de la empresa y las organizaciones para el análisis y puesta en marcha de acciones dirigidas a la prevención de riesgos psicosociales. Especial relevancia tiene que tener el servicio de vigilancia de la Salud en la identificación, apoyo y tratamiento de los empleados afectados por tal situación.

Aquellos trabajadores que sean capaces de mantener una actitud abierta y positiva ante la coyuntura económica y laboral así como ejercer un autocontrol emocional serán quienes saldrán indemnes de esta patología e incluso ver de la amenaza una oportunidad.

8.1.5.- El caso de France Télécom

El simple repaso de las noticias de la prensa diaria ofrece cada vez con mayor frecuencia titulares como los que siguen: "El 58% de las empresas en todo el mundo han incrementado el nivel de estrés en los dos últimos años", "Más del 89% de los empleados no se sienten motivados", o que "Un 63% de la población encuestada afirman que el mal funcionamiento del ordenador les genera estrés".

Los grandes cambios experimentados en las últimas décadas han provocado que tanto trabajadores como empresas sufran un entorno de profundos cambios demográficos, tecnológicos y económicos, que han generado la aparición de riesgos relacionados con la salud mental. El estrés, el acoso o el malestar psíquico que sufren muchos trabajadores y trabajadoras son resultado de una mala organización del trabajo y no de un problema individual, de personalidad o que responda a circunstancias personales o familiares concretas de cada trabajador.

A pesar de ello, son aún muchos los que no quieren reconocer que los riesgos psicosociales suponen en el ámbito laboral una de las grandes lacras del último tercio del siglo XX y de principios del presente. Los efectos negativos para la salud de estos riesgos pueden resultar irreparables si no se previenen con la suficiente antelación.

El caso francés de los empleados de France Télécom, con más de 25 suicidios entre su personal entre abril de 2008 y noviembre del 2009, motivados, al parecer, por la aplicación de planes de reestructuración interna de la plantilla, debe ser objeto de reflexión.

En sus cartas de despedida se podían leer cosas como "surcharge de travail" y "management par la terreur", es decir, "sobrecarga de trabajo" y "gestión por el terror", palabras que cada uno tendrá que interpretar por sí mismo.

El caso de esta empresa francesa no es un hecho aislado, por más que no existan estadísticas o estudios oficiales que lo puedan refrendar, en atención al documento aprobado en abril de 2009 por el Consejo de Europa en el que se instaba a preservar el anonimato de las cifras de defunción por suicidio para no incidir precisamente en su repetición. Sin embargo, estudios alternativos han puesto de manifiesto que el suicido de etiología laboral se está extendido en muchas empresas, y que afecta a la mayoría de los sectores, desde las telecomunicaciones hasta la industria minerometalúrgica, pasando por banca y el sector servicios, y sin distinción de categorías profesionales.

La situación concreta de nuestro país queda reflejada en los tres vendedores de cupones asturianos y uno de Badajoz que se han suicidado en los últimos seis meses. Desde el ámbito familiar de los trabajadores fallecidos se sostiene que estos suicidios podrían ser debidos a las presiones, mediante amenazas de despido, retirada del quiosco u otra sanción disciplinaria, recibidas por los trabajadores por no alcanzar la productividad fijada como consecuencia del descenso de ventas experimentado como consecuencia directa de la crisis que nos afecta. A fecha de hoy la empresa ni siquiera se ha dignado a investigarlos.

Ciertamente en un mercado laboral de rigidez normativa, el deseado equilibrio entre la generación de beneficios empresariales y unas razonables y óptimas condiciones de trabajo, se rompe con frecuencia. De ahí, la aparición del enfrentamiento en la relación laboral. Si se tiene un pésimo ambiente de trabajo y se va muy a disgusto al trabajo, si el ambiente es estresante e indigno, surgirá la crisis sin gritos, sin consignas, sin insultos. Podemos estar en la antesala del suicidio del afectado.

La conclusión entonces es doblemente obvia:

• por un lado, las transformaciones forzadas que se ven obligadas a realizar las empresas en muchas ocasiones para su subsistencia, vienen impuestas por el rigor de una normativa laboral que impide la flexiseguridad bien entendida,

• por otro, es evidente también que existe una relación de causalidad entre la lesión producida en el trabajador –suicidio, por ejemplo– y la causa desencadenante (presión al empleado, incertidumbre laboral, traslados fulminantes, reestructuraciones de un día para otro, ambiente depresivo, intensidad horaria, carga emocional y de tensión).

Será interesante comprobar si habían recogido adecuadamente en su evaluación de riesgos sus riesgos psicosociales, cosa que, ciertamente, ni se realiza ni se tiene en cuenta, aun cuando es obligatorio llevarla a cabo.

De nada sirve remitir cuestionarios a los trabajadores o las ayudas psicológicas de urgencia si previamente no se han realizado las evaluaciones que objetiven posibles cuadros de angustia o ansiedad y temor a enfrentarse al trabajo.

8.2.- Absentismo laboral y crisis

Cuando existe inseguridad económica, los trabajadores pueden experimentar un incremento general del estrés laboral motivado por la incertidumbre, el miedo al despido o a peores resultados. Se observan cambios en el funcionamiento interno de muchas empresas que han visto cómo aumentaba la productividad de sus empleados, al tiempo que disminuía su índice de absentismo laboral.

A pesar de que las dificultades generan inquietud entre los trabajadores, en situaciones complicadas los propios trabajadores reaccionan de forma comprometida, empezando a buscar las soluciones en ellos mismos. Esto explica que no solo redoblen su esfuerzo por ser más productivos y eficaces, sino que opten por reciclarse, aun cuando el sector empresarial se inclina por congelar o recortar el presupuesto destinado a la formación.

Así, por ejemplo, entre los años 2000 y 2007, coincidiendo con el periodo de bonanza económica que vivió España, el absentismo laboral aumentó en un 50%, en el año 2009, el miedo a formar parte de un expediente de regulación está impulsando a los trabajadores a cuidar sus bajas y evitar las ausencias sin causa justificada.

De esta forma, se cumple la tendencia que confirma que cuando la economía funciona bien el absentismo aumenta, mientras que disminuye en tiempos de crisis. Tener un trabajo es en sí mismo un lujo y lo de quejarse por ir a trabajar es casi un insulto.

8.2.1.- Cambio de actitud

Si bien nadie discute que es bueno modificar hábitos que sirvan, por ejemplo, para derribar tópicos como el de que España es el país donde la producción es más baja, conviene recordar que los extremos nunca son buenos. Así, un temor excesivo podría confundir la responsabilidad con la obligación de acudir al puesto de trabajo aun estando incapacitados por enfermedad; o de trabajar más horas pensando que uno se convertirá en "el empleado imprescindible", con los riesgos para la salud física y mental que esto comporta.

En tiempos revueltos, y ante la amenaza de perder un puesto de trabajo, se hace necesario recordar que la solución no pasa tanto por pensar que hay que hacer muchas más cosas, sino por hacerlas mejor, aumentando la concentración y evitando tareas innecesarias que distraen de las actividades propuestas para cada día.

Si en lugar de establecer prioridades, se cae en la tentación de querer resolver varios asuntos pendientes al mismo tiempo, pensando que así se obtendrán mejores resultados, la consecuencia será, casi con toda seguridad, un mayor índice de estrés y tensión que, como es bien sabido, se traduce en malestar general, irritación y dolores de cabeza y espalda.

Aunque la crisis sea un revulsivo eficaz para erradicar hábitos perjudiciales como el absentismo laboral, no parece justo que sus previsibles consecuencias recaigan únicamente en el trabajador, ya que son las organizaciones las que sin duda también están obligadas a hacer ahora un examen de conciencia para valorar lo que han hecho bien y en qué han fallado.

Es cierto que el absentismo laboral supone ya unas pérdidas superiores a un 1% del PIB nacional. Pero también se corre el riesgo de que la crisis haga olvidar a los empresarios la necesidad de buscar soluciones para paliar al absentismo y garantizar la retención de talento, confiados en que nadie se marchará ante la coyuntura actual. Pero ¿y pasada la crisis? Es importante concienciar a las empresas de la necesidad de poner más medios. Diferentes encuestas ya han mostrado el contraste entre la importancia que estas otorgan al absentismo y la poca atención que le dedican en su gestión. Sobre el 30% de las empresas consultadas respondieron que no poseen mecanismos de control ni políticas definidas para reducir las ausencias de la plantilla, mientras que aquellas que sí los tienen prefieren las sanciones en lugar de mejorar el clima laboral.

Tampoco se debería olvidar el riesgo que corren los trabajadores de sufrir otro tipo de absentismo, el mental, que les impide desarrollar con pleno interés y dedicación su trabajo, y que sólo parece tener solución si las compañías consiguen poner en marcha buenas y efectivas políticas de recursos humanos que favorezcan la implicación personal de cada uno de sus empleados.

Hemos de aprovechar este momento de crisis, de cambio, para poner los medios que aseguren, por una parte, políticas de corrección del absentismo, justas y eficaces; y, por otra, un compromiso firme del empleado con la organización para la que trabaja.

Sólo así lograremos la confianza de inversores extranjeros que ahora obvian España y escalar puestos en la clasificación de productividad.

8.3.- Despidos en tiempos de crisis: impacto psicológico y comunicación de la mala noticia

Cualquier crisis económica supone la ejecución de expedientes de regulación de empleo y el despido de cientos de profesionales.

La característica fundamental de esta finalización forzosa de la relación laboral es que no obedece a motivos disciplinarios o de rendimiento del profesional, sino a la necesidad de ajustar los gastos asociados al salario de los trabajadores, los expedientes de producción, etc.

Comunicar la mala noticia del despido puede tener un impacto psicológico importante sobre el responsable que toma la decisión o que es designado para comunicar la noticia, e indudablemente sobre el trabajador que la recibe. Para el primero, va a ser una situación estresante; para el segundo, además de estresante puede resultar traumática. El supuesto subyacente es: "Tengo que despedir a alguien que es un buen profesional" o "me despiden pese a que cumplo como trabajador competente". Por ello, el proceso de comunicación que se establezca es fundamental.

8.3.1.- La noticia del despido

Comunicar adecuadamente la noticia del despido no deja de ser un proceso en el que el trabajador acaba recibiendo la mala noticia. Sin embargo, la comunicación adecuada de esta, puede prevenir y minimizar efectos contraproducentes para el profesional que la recibe, aunque también para el profesional que la transmite y para la organización. Una mala noticia bien dada y nada cambia. Una mala noticia mal dada y todo cambia.

Veamos algunos de los principios para lo que se podría llamar "comunicar bien la mala noticia del despido":

• Una mala noticia es siempre eso: una mala noticia, a pesar de que se comunique adecuadamente.

• El objetivo de comunicar adecuadamente la noticia de despido consecuente con la situación de crisis, ha de contemplar el respeto y la dignidad del trabajador. Se está despidiendo a una persona que cumple.

No hay recetas para comunicar el despido, sino orientaciones de apoyo que aumenten la probabilidad de que el responsable de la comunicación perciba y sienta que ha llevado a cabo la desagradable tarea de la mejor manera posible, en esa situación concreta.

8.3.2.- Preparar la comunicación del despido. Variables relevantes

Comunicar el despido implica un encuentro interpersonal que no ocurre en el vacío. Se van a encontrar dos profesionales, con sus respectivas historias biográficas personales y profesionales, y lo van a hacer en un contexto concreto que conviene que gestione en la medida de lo posible quien comunica el despido.

• **El momento.** Nunca parece ser buen momento para comunicar la noticia del despido. El mejor momento podría ser cuando el trabajador deje o termine de trabajar. De esta forma podría contar de manera inmediata y continuada con uno de los mayores elementos de apoyo psicológico: el apoyo social que encontramos en todas aquellas personas que nos proporcionan actos de escucha, consuelo, orientación... que actúan como un apoyo en la gestión del estrés asociado a una situación crítica concreta. Cada uno sabe quiénes son sus mejores agentes de apoyo social (familiares, amigos, compañeros, etc.). Es muy importante poder permanecer el tiempo adecuado atendiendo al profesional afectado si este lo necesita.

• **El lugar.** Esta noticia debe ser comunicada en la intimidad. El momento en que se recibe y la reacción del profesional merece el espacio adecuado y la actitud de respeto y "validación" de sus reacciones por parte del responsable. Algunos profesionales pueden tener reacciones inmediatas "intensas" que pueden querer evitar mostrar al resto de compañeros. Por ello se deben evitar contextos y momentos "informales" como la cafetería o el restaurante.

- **Las habilidades para comunicar.** Es importante cuidar lo que se dice y cómo se dice. Respecto al contenido de la noticia es conveniente tener en cuenta una serie de aspectos:
  - o Centrarse lo antes posible en la noticia.
  - o Contextualizar la noticia en un marco situacional y evolutivo. Por ejemplo referirse a la evolución de la compañía en los últimos meses, con alguna especificación que lleve inmediatamente a centrarse en la necesidad de reducir plantilla.
  - o Comunicar de manera clara y explícita la decisión adoptada respecto al profesional, garantizando que la entienda.
  - o Utilizar de manera discreta palabras de pesar por la decisión.
  - o Respetar y tolerar momentos de silencio durante el diálogo.

También se debe tener cuidado con la forma:
  - o Mostrar una actitud y una expresión acorde con la trascendencia que para la persona tiene la noticia.
  - o Acompaña el gesto serio con uno de seguridad en la decisión y calma en la transmisión de la noticia.
  - o Mostrar una actitud corporal de interés y gestos de escucha activa y empática ante los comentarios y preguntas de la persona.

8.3.3.- El impacto de la noticia en el profesional afectado

Veamos algunas consideraciones sobre el profesional afectado:
- Las personas tienen más recursos y resistencia psicológica de lo que aparentan.
- Las personas raramente se encuentran "destrozadas" por la situación crítica. Las reacciones de estrés son esperables y, en la mayoría de los casos, temporales.
- Las personas afectadas responden a la consideración y el interés de los agentes que ofrecen ayuda.
- Casi toda persona que se ve envuelta en una situación crítica, y un despido inesperado lo es, experimentará algún tipo de alteración emocional con diferente grado de ajuste funcional a la situación.

- Nadie elige estar alterado emocionalmente en una situación crítica. Además, todos tenemos un "punto de ruptura" a partir del cual se entra en crisis, en la que los recursos personales de afrontamiento se ven desbordados.

- Las personas afectadas pueden mostrar emociones y actitudes ambivalentes. Por ejemplo, no querer recibir ayuda, pero no saber cómo afrontar la situación. La comprensión y la actitud de respeto pueden ayudar a ir colocando estos estados.

- Cada una tiene derecho a sentirse como se siente.

8.3.4.- Afrontar las respuestas emocionales del profesional afectado

En la mayoría de los encuentros de notificación de despido, el profesional afectado va a ser capaz de realizar un ejercicio de contención. Las normas sociales autoimpuestas o sus propias creencias respecto a cómo comportarse en estas situaciones, junto al autocontrol necesario, les va a llevar a mantener reguladas las manifestaciones de estrés agudo.

Aunque son más frecuentes las reacciones naturales de disgusto, preocupación y pesar, en ocasiones, este ejercicio de autorregulación no se elige o no se consigue y surgen dinámicas que el responsable de comunicar el despido debe gestionar:

- **Ansiedad.** Manifestada en forma de hiperventilación, sensación de ahogo, sudor, palidez, etc. El responsable ha de proporcionar a la persona la posibilidad de beber un vaso de agua. Facilitar que hable de cómo se siente, o validar su llanto.

- *Shock* **emocional / estupor.** La persona puede entrar en un estado de *shock* y aturdimiento, en el que de alguna manera "pierde el contacto con la realidad".

- **Negación.** Con negación hablamos de la minimización del impacto o veracidad otorgada a la situación crítica. La persona va tomando conciencia de la realidad a veces más progresivamente. Si el responsable percibe que ser claro e insistente no tiene éxito, estamos ante una persona afectada que, inconscientemente, aún no está preparada para integrar el hecho real traumático.

- **Culpabilidad.** En ocasiones, las personas buscan en sus comportamientos el origen de la situación. Si la decisión de despido no tiene que ver con el comportamiento del profesional y el "porqué" de haber sido elegido no podía predecirse o no está bajo su control, el responsable le ayudará dándole elementos objetivos. Esto es importante pues podría llevarle a dinámicas de inseguridad, disminución de la percepción de autoestima, e incluso a estados de depresión.

- **Culpabilización y reproche.** El profesional afectado puede, consciente o inconscientemente, tratar de canalizar su desahogo culpando a la organización, e incluso al responsable que comunica el despido, de la situación a la que se ve abocado. Si la hostilidad del trabajador no implica actitudes de insulto o amenaza inaceptables, la actitud de escucha activa empática, junto al estilo de comunicación asertivo, son recomendables en esta dinámica.

El responsable de comunicar el despido tiene derecho a que la posible inadmisión de la noticia por parte del profesional despedido, se dirima en los tribunales y, en ningún caso, a través de dinámicas de agresión o amenaza.

8.3.5.- El equipo que se queda

El refranero popular dice que "cuando veas las barbas de tu vecino pelar, pon las tuyas a remojar". Si un grupo de trabajadores observa que se están produciendo despidos a su alrededor, la preocupación y la ansiedad van a ser reacciones lógicas. Además del estrés y el malestar vivido por el profesional afectado, el rendimiento organizacional se puede ver resentido. Todo lo anterior puede exacerbarse si entra en juego la devastadora dinámica de la rumorología.

Respecto a la actitud recomendable a adoptar con las personas que se quedan, se debe afrontar su preocupación, estrés y ansiedad ya que estos no saben si serán "los siguientes" en abandonar la organización. Ello conlleva acciones como:

- Evitar ambigüedades e incertidumbres innecesarias. La ambigüedad es un poderoso "combustible" de la preocupación en estas situaciones. Si la persona cree que va a ocurrir con gran probabilidad, se prepara para ello. Si percibe baja probabilidad de ocurrencia, se "relaja".
- Ser claros y explícitos hasta donde sea posible, evitando dejar ideas a la interpretación.
- Ofrecer la información relevante con celeridad y sin retrasos.
- Transmitir la información al mismo tiempo a todos los grupos de la organización.

Dar coherencia a lo que se dice y se hace. En caso contrario, prevalecerá el mensaje negativo.

8.4.- La motivación como método de gestión del conocimiento y retención del talento

La crisis económica, desde luego, no ayuda a la ilusión de unas plantillas que se están reduciendo, se ven sobrecargadas de tareas y con la incertidumbre del futuro sobre sus espaldas. Por ello no es de extrañar que, según varias encuestas sólo la mitad de los directivos considera que su equipo está motivado.

Pero lo más preocupante, cerca del 70% de los jefes no sabe qué hacer para infundir moral a sus subordinados. Entre las posibles medidas tenemos:

• Mejora de la transparencia, la intensidad en la comunicación y la medición de cada herramienta o política que se pone en marcha. Esa es la clave para que la plantilla esté implicada en el proyecto de empresa y le sobre moral para acometerlo. Tenemos que saber generar confianza y orgullo de pertenencia. Para ello es imprescindible involucrar a los mandos intermedios. Entre otros métodos tenemos:

o Poner en valor o divulgar los beneficios sociales que ofrecen a la plantilla (seguro de vida, servicio médico...).

o Cambiar tiempo por sueldo, programas de conciliación laboral, programas de acción social o de sostenibilidad.

• Dotar de mayor transparencia a los planes individuales de desarrollo. Los empleados necesitan ahora más claridad. Necesitamos erradicar la frustración de unas personas que han visto cómo la inversión en el desarrollo de sus planes de carrera se corta mediante soluciones que no supongan un aumento de sueldo, porque no hay dinero, pero sí un reconocimiento a la labor del empleado. Entre ellas tenemos:

o Crear categorías profesionales nuevas o progresiones horizontales.

o Fomentar la movilidad interna, ya sea a otro departamento o a otro país.

o La formación en el puesto de trabajo.

Figura 8.2.- Cómo generar moral sin dinero

- Generar nuevas categorías profesionales.
- Fomentar la movilidad.
- Comunicar exhaustivamente los beneficios sociales.
- Introducir nuevas fórmulas de recompensa. Suplir el descenso de la remuneración variable con vacaciones pagadas, entradas para eventos, cenas especiales.
- Formación fuera del horario laboral.
- Formación en el puesto de trabajo para compensar el descenso de recursos dedicados al aprendizaje y mediante programas de rotación por diferentes puestos y países.
- Cambiar tiempo por sueldo y mejorar la conciliación.
- Involucrar a los mandos intermedios para la mejora de la comunicación interna.
- Gestionar el talento que permanece en la compañía.
- Minimizar el sentimiento de culpabilidad de los que se quedan y mejorar el compromiso con comunicación y respeto a los despedidos.
- Promover la RSC y sostenibilidad en la compañía para aumentar la fidelización de los empleados mediante su participación en estos programas.

Figura 8.3.- Cómo mejorar la felicidad en el trabajo para aumentar la competitividad

- Escuchar la diversidad de cada empleado
- Fomentar que cada persona evalúe su potencial.
- Potenciar el talento personal y profesional.
- Otorgar autonomía y responsabilidad en el desempeño profesional.
- Garantizar la tolerancia y la colaboración en todos los equipos profesionales.
- Acordar flexibilidad individual y colectiva.
- Promover el trabajo digno y la protección social.
- Vincular la productividad a objetivos medibles que añadan competitividad.
- Recompensar a mandos y directivos comprometidos con la felicidad en el trabajo.

9.- Riegos psicosociológicos derivados de la inmigración

Fruto de la globalización económica nos estamos encontrando con un fenómeno creciente, la emigración económica o con fines laborales. Cierto es que estamos ante un fenómeno al que, aunque inicialmente puede caer fuera del ámbito de la prevención de riesgos laborales, nos estamos enfrentando en nuestros centros de trabajo.

Esta incorporación de trabajadores inmigrantes al mercado laboral está representando un gran impacto social en los países europeos. España ha visto cómo paralelamente al crecimiento económico desarrollado durantes estos últimos años ha necesitado la incorporación de trabajadores en las actividades donde no existía mano de obra autóctona.

La inmigración tiene un carácter económico con procedencia de países con condiciones económicas y sociales muy desfavorables y han convertido a España en uno de los destinos preferentes de los flujos migratorios, pasando los extranjeros no europeos dados de alta en la Seguridad Social de 92.186, en enero del 2004, a 289.578 en enero del 2007.

Según datos de la Secretaría de Estado de Inmigración y Emigración Española, el número de extranjeros con certificado de registro o tarjeta de residencia a 31.12.2007 es de 4 millones, con un crecimiento del 25% respecto al año precedente.

En la década de los noventa, los cambios más destacados son la creciente flexibilización laboral y el progresivo aumento de la temporalidad y la precariedad laboral, la gradual incorporación de la mujer al trabajo remunerado y el incremento de trabajadores inmigrantes. Son precisamente estos últimos los que tienden a ocupar las ocupaciones con peores condiciones de trabajo, como son la construcción y la agricultura en los hombres, y el servicio doméstico y la hostelería en las mujeres.

El colectivo de inmigrantes procedentes del África subsahariana es uno de los que tiene más dificultad para encontrar un puesto de trabajo. Su desconocimiento del idioma, bajo nivel educativo y forma de entrada al país les llevan a su alto grado de ilegalidad. Se ha visto cómo el trabajo temporal y no disponer de un puesto de trabajo garantizado determina un mayor riesgo de tener accidentes.

Su percepción sobre riesgo laboral y actividad preventiva es muy baja, lo ven como algo inevitable o inseparable de su actividad laboral. Y está centrada sobre todo en cuestiones de seguridad e higiene quedando los riesgos ergonómicos y psicosociales en un segundo plano, relacionado este último sobre todo con la inestabilidad en el empleo y la situación de irregularidad que les condiciona la permanencia en un puesto con malas condiciones, anteponiendo este a la salud.

Como se ha indicado, uno de los focos de riesgo psicosocial es el fenómeno de socialización a través del trabajo, es decir, el conjunto de relaciones sociales que se entablan en el trabajo y la obligada convivencia laboral.

9.1.- Factores de riesgo psicosocial ligados a la inmigración

La emigración económica lanza al trabajador a un escenario desconocido que opera como fuente de inquietud y desorientación personal que le puede conducir a un aislamiento social y personal.

Estamos recibiendo a personas que abandonan una cultura y un país, generalmente, bajo condiciones de precariedad extrema y llegan a un entorno laboral que les puede resultar hostil debido, entre otros, a:

• Razones de inadaptación personal ante un nuevo entorno social del país receptor.

• La falta de un entorno familiar y las diferencias culturales, incluyendo un posible desconocimiento del idioma castellano.

• Por enfrentarse a un clima social discriminatorio como consecuencia de su origen, nacionalidad y/o etnia.

Ante estos hechos, valoraremos en primera instancia los factores que pueden generar este riesgo y posibles mecanismos preventivos.

Estamos ante personas desubicada cultural, lingüística y espacialmente, con unos métodos laborales nuevos o desconocidos donde en ocasiones prima el trabajo intelectual derivado del manejo de máquinas sobre el puramente físico.

Si a esto unimos unas condiciones de precariedad en cuanto a contratación laboral mediante unos contratos de duración ínfima, a la prestación de trabajos socialmente minusvalorados o condiciones de trabajo menos favorables (sueldos, escasa formación en prevención de riesgos laborales o jornadas más prolongadas) así como su propio miedo a la pérdida del empleo o situaciones de ilegalidad tanto en la contratación como en propia estancia del trabajador.

9.2.- El trabajador inmigrante y la Ley de Prevención de Riesgos Laborales

Varios son los preceptos de la ley de prevención de riesgos laborales que afectan al trabajador inmigrante:

- El artículo 15.1 señala que el empresario tiene que evaluar y reducir, en lo posible, los riesgos que no se puedan evitar. Y aquí tenemos un nuevo factor de riesgo derivado, entre otros, de factores lingüísticos y culturales. Por tanto, conllevará una evaluación de riesgo específica.

- El apartado 1d del artículo 15 señala la necesidad de adaptar el trabajo a la persona, considerando (artículo 15.2) las capacidades de los trabajadores antes de asignarles las tareas.

Por otro lado, tanto el Derecho de la UE como el nacional establecen el deber de los empresarios de proteger a los trabajadores contra el acoso y la violencia en el lugar de trabajo, entre otras, con las siguientes Directivas:

- Directiva 2000/43/CE del Consejo, de 29 de junio de 2000, relativa a la aplicación del principio de igualdad de trato de las personas independientemente de su origen racial o étnico.

- Directiva 2000/78/CE del Consejo, de 27 de noviembre de 2000, relativa al establecimiento de un marco general para la igualdad de trato en el empleo y la ocupación.

- Directiva 2002/73/CE del Parlamento Europeo y del Consejo, de 23 de septiembre de 2002, que modifica la Directiva 76/207/CEE del Consejo relativa a la aplicación del principio de igualdad de trato entre hombres y mujeres en lo que se refiere al acceso al empleo, a la formación y a la promoción profesionales, y a las condiciones de trabajo.

- Directiva 89/391/CEE del Consejo, de 12 de junio de 1989, relativa a la aplicación de medidas para promover la mejora de la seguridad y de la salud de los trabajadores en el trabajo.

Todas estas medidas deberán:

- Integrarse en el plan de prevención de la empresa como un capítulo dedicado a este colectivo de trabajadores especialmente sensibles al riesgo psicosocial.

- Ser adecuadamente tratadas por el servicio de Prevención de la empresa.

9.3.- Otras medidas preventivas

- **Generación de políticas o planes de acogida en la empresa.** Las empresas deben redactar una declaración de que no tolerarán el acoso y la violencia. En ella se especificarán los procedimientos a seguir en caso de incidentes.
- **Existencia de un manual de conducta** o de buenas prácticas en la empresa.
- **Conocimiento de las exigencias de la empresa frente a su trabajo** e información sobre las expectativas de estabilidad en el empleo.
- **Formación específica dirigida a la integración social,** que incluya aspectos culturales y conocimiento del idioma del país.
- **Puesta a disposición sobre formación profesional** vinculada a puesto de trabajo para mejorar su idoneidad para el mismo y el estrés derivado de su inadaptación.
- **Inclusión en la formación de la empresa de la cultura de la igualdad,** ya sea de forma autónoma o con ocasión de la elaboración y aplicación de los planes de igualdad.

10.- La situación de los riesgos psicosociales en España

La V Encuesta Nacional de Condiciones de Trabajo (2007) dedica dos apartados al análisis de los Riesgos Psicosociales:

- **La Carga Mental de Trabajo,** donde se incluyen indicadores que hacen referencia a las exigencias de la propia tarea, como son: mantener un nivel de atención elevado, tener que realizar tareas muy repetitivas o tareas muy complejas y tener que atender a personas ajenas a la empresa como un caso especial de requerimiento de esfuerzo de atención. Asimismo, se han tenido en cuenta factores que se refieren a aspectos organizativos (realizar varias tareas al mismo tiempo), demandas temporales (trabajar con plazos estrictos y cortos) o la utilización de un equipo determinado (ordenadores).

- **Los Factores Psicosociales propiamente dichos,** donde se describen aquellos datos más significativos que se han obtenido con la encuesta en relación con aspectos como: el apoyo social, el desarrollo y la autorrealización profesional, la autonomía, la estabilidad en el empleo, el salario, la promoción y las relaciones personales.

10.1.- La carga mental del trabajo

En general, se obtienen elevados porcentajes de afectación de las variables relacionadas con la Carga Mental. Las tareas desarrolladas en los puestos de trabajo requieren en gran medida tener que mantener con la misma frecuencia un nivel de atención alto o muy alto (41%) o realizar tareas muy repetitivas y de corta duración (22,1%).

Figura 10.1.- Necesidad de mantener un nivel de atención muy alto.

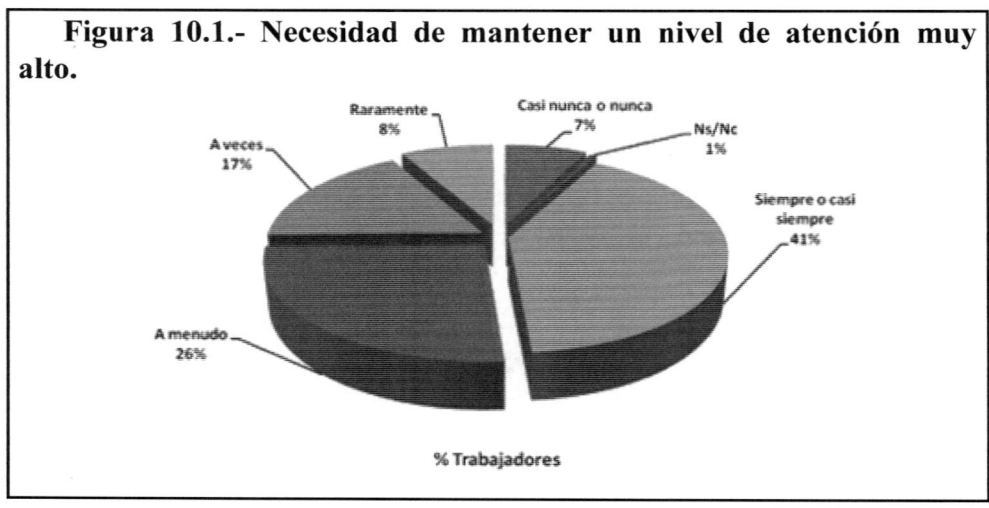

% Trabajadores

Los trabajadores del sector Industria y Agrarios son los que señalan en mayor medida la realización de tareas repetitivas y de corta duración (25%) y es también en Industria donde se debe tener que mantener, siempre o casi siempre, un nivel de atención alto o muy alto (44,2%).

El sector Servicios es el que tiene mayores exigencias en cuanto a la realización de tareas complejas (9,4%), trato con personas ajenas a la propia empresa (57,4%), trabajar muy rápido (20,2%) o tener que atender a varias tareas al mismo tiempo (23,8%).

En el análisis realizado por sexos:

• Los hombres refieren mayores exigencias de atención (43,8%), complejidad de las tareas (10,5%) y tener que cumplir plazos estrictos (15,1%).

• Las mujeres obtienen mayores porcentajes en cuanto a la realización de tareas muy repetitivas y de muy corta duración (23,4%), trato con personas ajenas a la propia empresa (51,6%) y tener que atender a varias tareas al mismo tiempo (21,8%).

Figura 10.2.- Porcentaje de realización de tareas muy repetitivas y de muy corta duración.

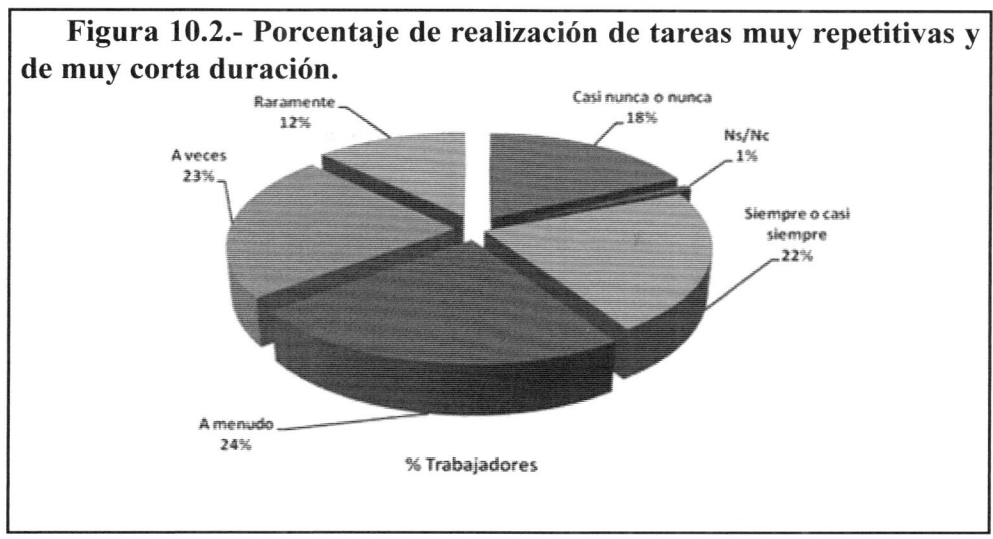

Los trabajadores expuestos a elevadas exigencias de atención y repetitividad o de atención y complejidad tienen porcentajes de respuesta significativamente mayores que los no expuestos, en un conjunto de síntomas psicosomáticos (cansancio, alteraciones del sueño, dolores de cabeza, alteraciones del apetito o digestivas, etc.).

10.2.- Los factores Psicosociales

Dentro de este apartado, al analizar el apoyo social en la empresa hay que señalar que cuando el trabajador pretende obtener ayuda lo más frecuente es encontrarla entre los compañeros (67,3%).

Por otra parte, más de la mitad de los encuestados (54,9%) dice tener **oportunidades de aprender y prosperar en su trabajo** frente al 21,8% de los trabajadores que manifiestan no tenerlas.

Figura 10.3.- Provisión de apoyo social por parte de compañeros, superiores u ayuda externa.

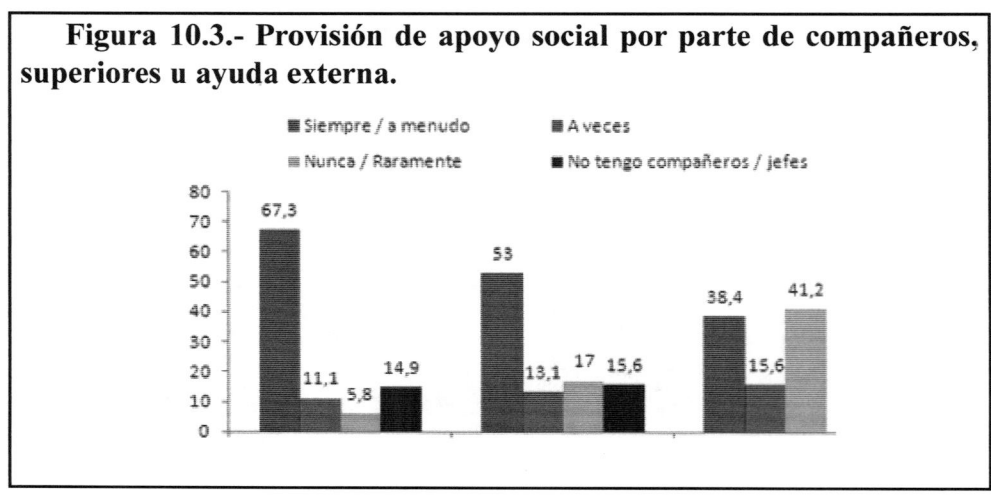

Figura 10.4.- Desarrollo de habilidades y autorrealización profesional del trabajador.

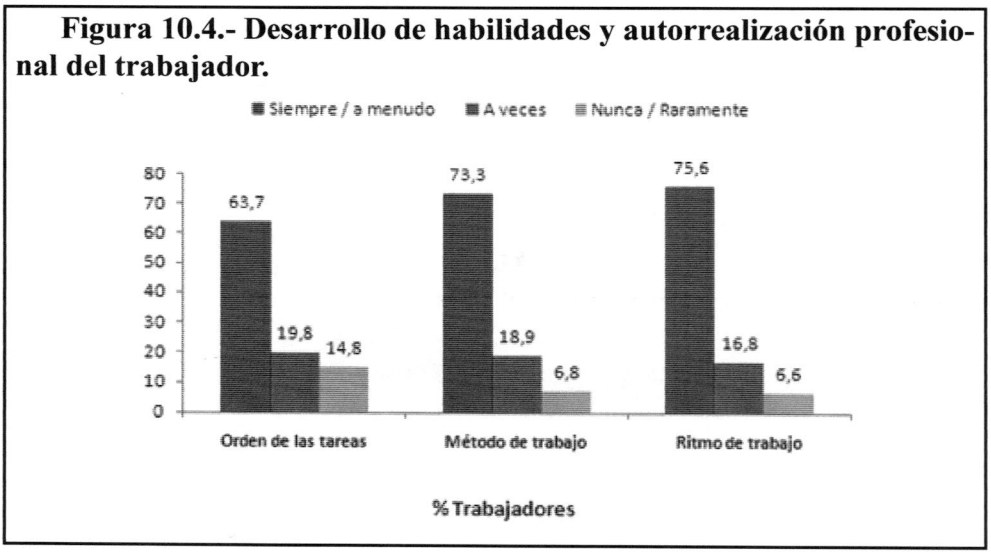

En general, respecto a poder elegir o modificar diversos aspectos del trabajo, hay que destacar lo siguiente: el 24,1% no puede decidir cuándo coger las vacaciones o días libres, el 11,7% no tiene libertad para poner en práctica sus propias ideas en su trabajo, el 23,8% no puede variar el método de trabajo, el 23,1% no puede modificar el ritmo de su trabajo, el 23,5% no puede modificar la distribución o duración de las pausas y el 21,9% no puede modificar el orden de las tareas.

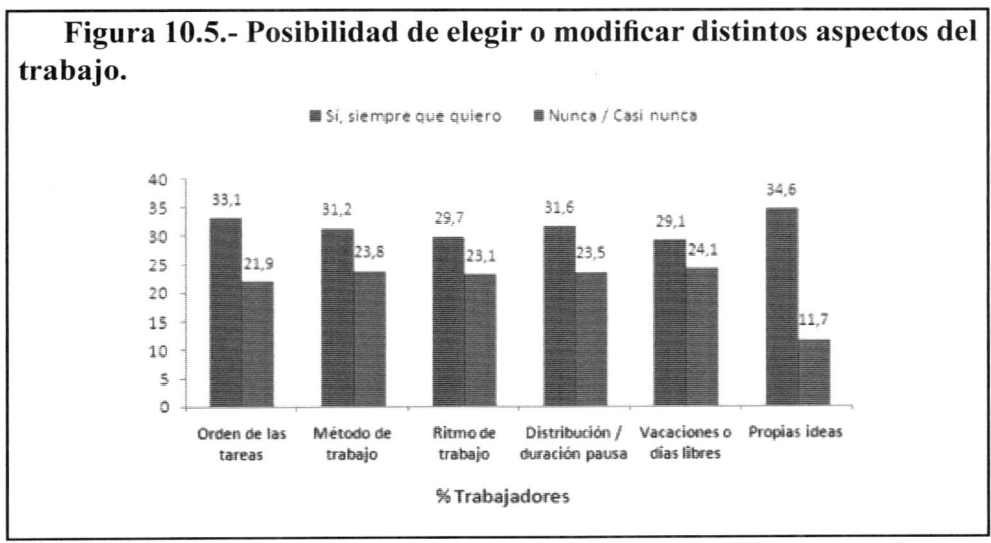

Figura 10.5.- Posibilidad de elegir o modificar distintos aspectos del trabajo.

Las demandas directas de personas (66,9%) se muestran como el elemento que con mayor frecuencia determina el ritmo de trabajo, seguida de la existencia de plazos de tiempo que hay que cumplir (51,5%).

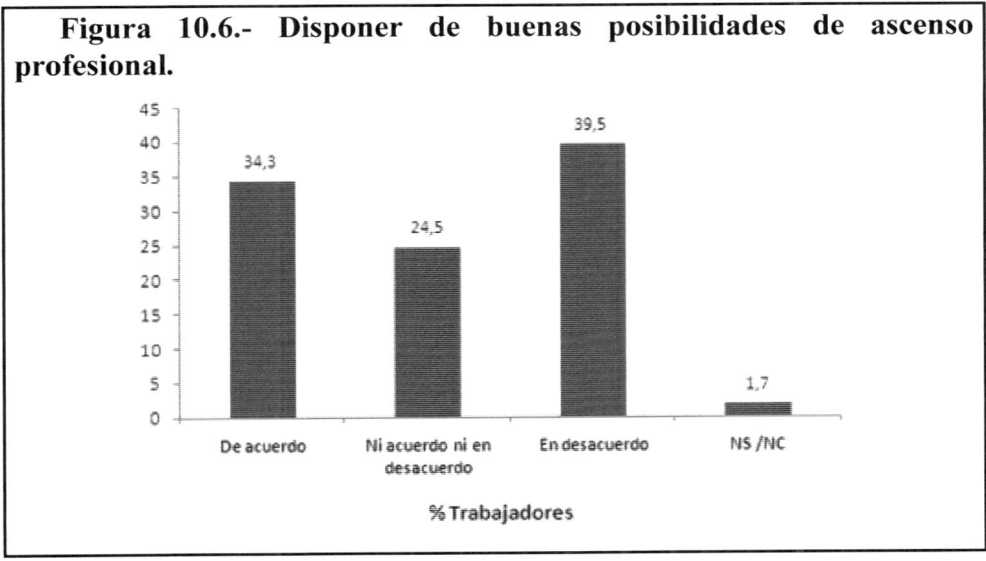

Figura 10.6.- Disponer de buenas posibilidades de ascenso profesional.

Los trabajadores que manifiestan menor estabilidad en el empleo, que lo pueden perder en breve, presentan un porcentaje más elevado de síntomas de orden psicosomático (alteraciones del sueño, cansancio, dolores de cabeza, mareos, dificultades de concentración, problemas de memoria, etc.) que aquellos trabajadores que creen que no lo van a perder.

En el sector Agrario (41,1%) y en la Industria (33,3%) es donde se presentan los mayores porcentajes de insatisfechos con su salario. Hay que destacar también que el 39,5% de los encuestados considera que su trabajo no le ofrece buenas posibilidades de ascenso profesional.

En cuanto a las relaciones personales, si se compara la opinión sobre las mismas con la aparición de efectos en la salud en términos de sintomatología, las personas que dicen no disponer de relaciones positivas manifiestan un mayor grado de afectación en su salud en todos los aspectos sintomáticos que se preguntan (le cuesta dormir o duerme mal, tiene sensación continua de cansancio, se nota tenso, irritable, etc.) que quienes dicen disponer de relaciones positivas.

En el total de la muestra, la media de horas trabajadas por semana es de 39,9 horas, si bien superan esta media los trabajadores del sector Agrario (44,6 horas), Construcción (42,5 horas) e Industria (41,2 horas).

Hay diferencias estadísticamente significativas entre la media de horas trabajadas por los hombres (42,1 horas) y las trabajadas por las mujeres (36,7 horas); lo mismo ocurre si se tiene un contrato indefinido (40,3 horas) y otro tipo de contrato (37,6 horas).

La mayor parte de los trabajadores, el 42,9%, tiene una jornada partida con horario de mañana y tarde. Del total de los trabajadores encuestados, un 22,5% trabaja a turnos y un 8,6% trabaja de noche.

Por sexo, los hombres ocupan con mayor frecuencia que las mujeres puestos con jornada partida (48,7% y 35,2%, respectivamente), mientras que las mujeres ocupan en mayor porcentaje que los hombres puestos con jornada fija de mañana (32,4% y 20,7%, respectivamente).

Figura 10.7.- situación general respecto a la violencia.

Conductas violentas en el trabajo	% Trabajadores
Amenazas de violencia física	3,8
Violencia física cometida por personas no pertenecientes a su lugar de trabajo	1,1
Discriminación por la nacionalidad	0,9
Discriminación sexual	0,8
Violencia física cometida por personas pertenecientes a su lugar de trabajo	0,8
Discriminación por la edad	0,8
Discriminación por raza o etnia	0,7
Pretensiones sexuales no deseadas (Acoso sexual)	0,7
Discriminación por religión	0,2
Discriminación por una discapacidad	0,1
Discriminación por la orientación sexual	0,1

En el sector de la Construcción es más frecuente la jornada partida (65,2%) que en los demás sectores de actividad. El trabajo fijo de noche se da con mayor frecuencia en los sectores de Industria y Servicios.

Una tercera parte de los entrevistados (35,5%) afirma trabajar los sábados siempre o frecuentemente. Un 17,2% lo hace los domingos y días festivos.

Casi la mitad de los trabajadores (45,3%) suele prolongar su jornada laboral. Un 26,8% recibe por ello una compensación, bien sea económica o en tiempo libre y un 18,5% lo hace sin compensación alguna.

El tiempo de desplazamiento de casa al trabajo en la mayoría de los casos (77,6%) es de treinta minutos o inferior.

Un 23,8% de los entrevistados manifiesta que su horario de trabajo se adapta muy bien a los compromisos familiares y sociales, mientras que un 7% declara que no se adapta nada bien.

La situación global con respecto a la violencia se presenta en la figura 7.

Los trabajadores que con más frecuencia señalan estar expuestos a conductas de acoso psicológico son mujeres, trabajadores de menos de 45 años y trabajadores de empresas con plantillas grandes. Quienes manifiestan ser objeto de comportamientos de acoso presentan una sintomatología de corte psicosomático significativamente mayor que los trabajadores que no están expuestos a comportamientos de este tipo.

10.3.- Conclusiones

Como resumen, puede servir de base lo enunciado por el Observatorio Permanente de Riesgos Psicosociales de UGT en una reciente radiografía de la situación en España realizada en el 2006, a partir de más de 5.000 encuestas en 11 sectores de actividad.

Según UGT, en España, el 68% de los trabajadores manifiesta alta carga mental, resultado de tener que trabajar con plazos y fechas ajustados, mantener un nivel de atención muy alto durante toda la jornada, tener que trabajar a ritmo muy rápido y realizar tareas complejas. El 23% considera que sus condiciones ambientales no son las adecuadas (mala iluminación, excesivo ruido, altas o bajas temperaturas...) y el 65% declara que no dispone de autonomía ni participa en la toma de decisiones que afectan a la planificación de tareas y la organización del trabajo.

El resultado es que el 81% de los trabajadores españoles presenta un alto riesgo de sufrir estrés.

Además se presentan otros datos de interés, surgidos de las entrevistas:

- **Desconocimiento del concepto de riesgos psicosociales por parte de los participantes de los grupos y de las entrevistas**: Al nombrar uno a uno los riesgos: estrés, violencia, *burnout*, acoso sexual, acoso moral; los trabajadores tienen una idea aproximada de lo que significan, pero no saben reconocer las situaciones en que se producen estos riesgos.

- **La presión a los trabajadores, el incremento del ritmo de trabajo, el incremento de la carga mental de trabajo, son factores que incrementan el estrés laboral:** Presión para la consecución de objetivos económicos, de calidad y satisfacción al cliente.

- **Conflictos con la estructura jerárquica**, que se concreta en:
  - Un estilo de mando autoritario.
  - En una falta de canales de comunicación e información.
  - En las relaciones insatisfactorias entre trabajadores y entre la empresa y los trabajadores, la consecuencia es un mal clima laboral.

- **La violencia, el acoso sexual, acoso moral:** No se identifican como riesgos por los trabajadores, se consideran herramientas utilizadas por la organización como método de control.

- **La promoción de la carrera profesional:** No contemplada dentro de la organización de la empresa.
- **Falta de formación e información en riesgos psicosociales.**
- **Falta de Apoyo:** Falta de apoyo de los compañeros, esta es una de las consecuencias del mal clima laboral, de las relaciones deficitarias interpersonales, de la presión en el trabajo, de no fomentar el diálogo y la comunicación.
- **Carga mental de trabajo:** Es uno de los factores de riesgo de estrés que más se evidencian en el discurso, debido a la sobrecarga de trabajo, a la presión sobre los trabajadores de sus propios compañeros, Jefes de Equipo, a la acumulación de tareas, a la falta de tiempo para realizar bien el trabajo, a la presión por parte de la empresa para cubrir los puestos asignados.
- **Conflictividad en las relaciones con los jefes intermedios o encargados.**
- **Relaciones interpersonales deficitarias entre compañeros:** En la mayoría de los sectores predomina el trabajo en solitario, lo que supone una mala relación con los compañeros porque al no saber lo que hace el otro, no se puede ofrecer apoyos y se crea un mal clima.

Anexo 1.- Principales características del método COPSOQ (ISTAS21, PSQCAT21) de evaluación de riesgos psicosociales

A1.1.- Principales características

- Su marco conceptual basado en la Teoría General de Estrés, el uso de cuestionarios estandarizados y el método epidemiológico. Integra las dimensiones de los modelos demanda-control-apoyo social, de Karasek y Therorell, y esfuerzo-recompensa (ERI), de Siegrist, y asume también la teoría de la doble presencia.

- Identifica y mide factores de riesgo psicosocial, es decir, aquellas características de la organización del trabajo para las que hay evidencia científica suficiente de que pueden perjudicar la salud.

- Diseñado para cualquier tipo de trabajo. Incluye 21 dimensiones psicosociales, que cubren el mayor espectro posible de la diversidad de exposiciones psicosociales que puedan existir en el mundo del empleo actual. Supone una buena base de información para la priorización de problemas y actividades preventivas en las empresas como unidades integrales, en las que coexisten distintas actividades y ocupaciones distribuidas en departamentos y puestos de trabajo diversos, pero todos y cada uno de ellos igualmente tributarios de la prevención de riesgos.

- La identificación de los riesgos se realiza al nivel de menor complejidad conceptual posible, lo que facilita la comprensión de los resultados y la búsqueda de alternativas organizativas más saludables.

- Tiene dos versiones que se adecuan al tamaño de la empresa, institución o centro de trabajo: una para centros de 25 o más trabajadores, y otra para centros de menos de 25 trabajadores. (Existe una tercera versión, más exhaustiva, para su uso por personal investigador).

- Ofrece garantías razonables para la protección de la confidencialidad de la información (el cuestionario es anónimo y voluntario, permite la modificación de las preguntas que pudieran identificar a trabajadores, y su licencia de uso requiere explícitamente el mantenimiento del secreto y la garantía de confidencialidad).

- Combina técnicas cuantitativas (análisis epidemiológico de información obtenida mediante cuestionarios estandarizados y anónimos) y cualitativas en varias fases y de forma altamente participativa (grupo de trabajo tripartito para la organización de la evaluación y la interpretación de los datos; y círculos de prevención para la concreción de las propuestas preventivas). Esto permite triangular los resultados, mejorando su objetividad y el conocimiento menos sesgado de la realidad, y facilita la consecución de acuerdos entre todos los agentes (directivos, técnicos y trabajadores) para la puesta en marcha de las medidas preventivas propuestas.

- El análisis de los datos está estandarizado y se realiza en dos fases. La primera, descriptiva, a través de una aplicación informática de uso sencillo. La segunda, interpretativa, a través de la presentación de los resultados descriptivos en forma gráfica y comprensible para todos los agentes en la empresa para que éstos, en el seno del Grupo de Trabajo, los interpreten.

- Los indicadores de resultados se expresan en términos de Áreas de Mejora y Prevalencia de Exposición a cada dimensión.

- Presenta los resultados para una serie de unidades de análisis previamente decididas y adaptadas a la realidad concreta de la empresa objeto de evaluación (centros, departamentos, ocupaciones/puestos, sexo, tipo de relación laboral, horario y antigüedad). Ello permite la localización del problema y facilita la elección y el diseño de la solución adecuada.

- Usa niveles de referencia poblacionales para la totalidad de sus dimensiones, lo que permite superar la inexistencia de valores límite de exposición y puede ser en este sentido un importante avance. Estos valores, en tanto que obtenidos mediante una encuesta representativa de la población ocupada, representan un objetivo de exposición razonablemente asumible por las empresas.

- La metodología original danesa ha sido adaptada y validada en España, presentando buenos niveles de validez y fiabilidad.

- Es un instrumento internacional: de origen danés, en estos momentos hay adaptaciones del método en España, Reino Unido, Bélgica, Alemania, Brasil, Países Bajos y Suecia. Su adaptación a España siguió rigurosamente la metodología habitual en adaptación de instrumentos, está publicada y mereció el Premio al Mejor Trabajo de Investigación en Salud Laboral concedido por la Societat Catalana de Seguretat i Medicina del Treball en 2003.

- Es una metodología de utilización pública y gratuita.

A1.2.- Proceso de intervención para la evaluación de riesgos

El método ha sido diseñado partiendo de la base de la metodología epidemiológica y el uso de cuestionarios estandarizados, la participación de los agentes de prevención en la empresa y la triangulación de los resultados.

La metodología se basa en el funcionamiento de un grupo de trabajo tripartito compuesto por representantes de la dirección de la empresa, de los trabajadores (delegados de prevención) y de los técnicos de prevención. Se considera que el conocimiento técnico y el conocimiento fundamentado en la experiencia son complementarios y ambos necesarios en el proceso de intervención preventiva. Este grupo se constituye como el verdadero motor del proceso de evaluación y tiene importantes funciones en la preparación y realización del trabajo de campo y de la información de la plantilla a evaluar, determinar las unidades de análisis, la adaptación del cuestionario a la empresa, las estrategias de protección de la confidencialidad, de distribución y recogida de los cuestionarios, de sensibilización y en la interpretación de los resultados y realización de las propuestas de medidas preventivas.

La organización del trabajo de campo, la redacción del informe preliminar del análisis así como el informe final de todo el proceso de evaluación corren a cargo del Servicio de Prevención de la empresa, que incluirá las diferentes aportaciones que hayan sido discutidas en el seno del Grupo de Trabajo (GT).

La metodología propone también una forma de priorizar objetivos y proponer intervenciones concretas sobre los riesgos evaluados, combinando criterios de importancia de las exposiciones y de oportunidad de las intervenciones. El cuadro 1 muestra el proceso de intervención y puede utilizarse como una lista de control (o *check list*).

Este proceso de evaluación e intervención psicosocial consta de las siguientes fases:

1. Presentación del método a dirección de la empresa y representantes de los trabajadores.

2. Firma del acuerdo entre la dirección de la empresa y la representación de los trabajadores para la utilización del método COPSOQ y el alcance de la evaluación.

3. Designación del Grupo de Trabajo (GT): representantes de trabajadores, de la dirección empresa, Servicio de Prevención y/o técnicos externos.

4. Decisión de las unidades de análisis teniendo en cuenta los objetivos preventivos y la preservación de anonimato: GT.

5. Adaptación del cuestionario teniendo en cuenta el alcance y las unidades de análisis y la preservación del anonimato: GT.

6. Generación del cuestionario desde la aplicación informática: técnicos sujetos a secreto.

7. Diseño de mecanismos de distribución, respuesta y recogida que preserven la confidencialidad y anonimato: GT.

8. Preparación de proceso de información-sensibilización (circulares, reuniones informativas u otros a trabajadores y mandos intermedios): GT.

9. Difusión de los materiales y celebración de reuniones informativas con la dirección de la empresa, representantes de los trabajadores, trabajadores y mandos intermedios: GT.

10. Distribución y recogida del cuestionario: GT.

11. Informatización de datos: técnicos sujetos a secreto.

12. Análisis datos: técnicos sujetos a secreto.

13. Realización informe preliminar: técnicos sujetos a secreto.

14. Interpretación de resultados: GT.

15. Redacción informe de interpretación de resultados: GT.

16. Presentación y *feedback* informe de interpretación de resultados a dirección de la empresa, representantes de los trabajadores, trabajadores y mandos intermedios: GT.

17. Importancia de las exposiciones problemáticas: GT.

18. Propuesta de medidas preventivas: GT.

19. Oportunidad de las intervenciones: GT.

20. Propuesta de prioridades: GT.

21. Presentación y *feedback* de propuestas de medidas preventivas y priorización con dirección de la empresa, representantes de los trabajadores, trabajadores y mandos intermedios: GT.

22. Aprobación de las medidas preventivas y priorización.

23. Informe final de evaluación de riesgos psicosociales y planificación de la acción preventiva: GT.

24. Aplicación y seguimiento medidas preventivas.

25. Evaluación de la eficacia medidas preventivas.

A1.3.- Estructura del cuestionario

El cuestionario de evaluación consta de cuatro secciones:
• Datos sociodemográficos y exigencias del trabajo doméstico y familiar.
• Condiciones de empleo y de trabajo.
• Daños y efectos en la salud.
• Dimensiones psicosociales.

Las dos primeras secciones permiten la caracterización de las condiciones sociales, incluyendo las exigencias del trabajo doméstico y familiar, y de las condiciones de empleo y de trabajo (ocupación, relación laboral, contratación, horario, jornada, salario). Algunas preguntas pueden ser adaptadas a la realidad de la unidad objeto de evaluación y/o suprimidas atendiendo a la garantía de anonimato.

Las otras dos secciones, daños y efectos en la salud y dimensiones psicosociales, son preguntas universales para todo tipo de ocupaciones y actividades, y ninguna de ellas puede ni debe ser modificada o suprimida.

A1.4.- Análisis de datos y presentación de resultados

El análisis de los datos está estandarizado y se realiza en dos fases:
- La primera, descriptiva, a través de una aplicación informática de uso sencillo.
- La segunda, interpretativa, a través de la presentación de los resultados descriptivos en forma gráfica y comprensible para todos los agentes en la empresa para que éstos, en el seno del Grupo de Trabajo, los interpreten.

Se calculan tres tipos de resultados: las puntuaciones, la prevalencia de la exposición y la distribución de frecuencias de las respuestas.

La puntuación expresa la mediana para cada una de las 21 dimensiones psicosociales (estandarizada de 0 a 100) en el centro de trabajo (o unidad menor) objeto de evaluación. Las dimensiones psicosociales se dividen en positivas (aquellas para las que la situación más favorable para la salud se da en puntuaciones altas: cuanto más cerca de 100 mejor) y negativas (aquellas para las que la situación más favorable para la salud se da en puntuaciones bajas: cuanto más cerca de 0 mejor). Se analiza tanto la distancia hasta la puntuación ideal (100 o 0 respectivamente) como la distancia hasta la puntuación obtenida por la población ocupada de referencia, lo que permite definir las áreas de mejora.

Así mismo, se presentan las prevalencias de exposición para cada factor de riesgo y unidad de análisis. A través de los resultados puede observarse el porcentaje de trabajadores expuesto a cada factor en todo el centro de trabajo, por cada sección, por cada puesto de trabajo, por tipo de contrato, por turno o por otra unidad de análisis previamente consensuada, en cada uno de los tres niveles de exposición:
- rojo (nivel de exposición más desfavorable para la salud);
- amarillo (nivel de exposición intermedio);
- verde (nivel de exposición más favorable para la salud).

Bibliografía.

• Despidos en tiempos de crisis: impacto psicológico y comunicación de la mala noticia. Enrique Parada Torres. Gestión práctica de riesgos laborales, n.º 62, julio-agosto 2009.

• Breaking bad news; a six-step protocol. Buckman, R., Kanson, Y. (1992).

• How to break bad news. A guide for heath care professionals. R. Buckman (Ed.). Baltimore: The Johns Hopkins University Press.

• Ley de Prevención de Riesgos Laborales. Efecto de la temporalidad y la experiencia sobre la accidentabilidad. Dr. Ricardo Fernández García. Química e Industria vol. 49 (11) 2002, diciembre 2002, pág. 36-39.

• Evaluación de riesgos y planificación de la actividad preventiva. Dr. Ricardo Fernández García. Ingeniería química, n.º 416, septiembre 2004, 174-182.

• Visión general de la normativa de Seguridad y Salud en el Trabajo en la Unión Europea. Dr. Ricardo Fernández García. Revista PW Magazine. Número 10, octubre 2005.

• Los jóvenes y la prevención de riesgos laborales. Dr. Ricardo Fernández García. Revista PW Magazine, n.º 17, julio-septiembre 2007.

• Productividad y prevención, dos caras de la misma moneda. Dr. Ricardo Fernández García. Revista PW Magazine, n.º 20, abril-junio 2008, 44 - 51.

• La gestión del riesgo y su evaluación. Dr. Ricardo Fernández García. Gestión Práctica de Riesgos Laborales n.º 53, octubre 2008.

• Prevención de Riesgos Laborales. Derechos, Obligaciones y Responsabilidades. Dr. Ricardo Fernández García. Revista PW Magazine n.º 21, julio-septiembre 2008.

• La jornada laboral en la Unión Europea. Dr. Ricardo Fernández García. Revista PW Magazine, n.º 22, octubre-diciembre 2008.

• La crisis económica y el riesgo psicosocial. Dr. Ricardo Fernández García. Prevention world magazine n.º 25, mayo-junio 2009.

• Manual de prevención de riesgos laborales para no iniciados. Dr. Ricardo Fernández García. Editorial Club Universitario. ISBN 10: 84-8454-503-2; ISBN 13: 978-84-8454-503-3. 2006.

- Obligaciones de la empresa con la sociedad. Dr. Ricardo Fernández García. Editorial Club Universitario. ISBN 13: 978-84-8454-604-7. 2008.
- Manual de prevención de riesgos laborales para no iniciados. 2.ª Edición revisada y ampliada. Dr. Ricardo Fernández García. Editorial Club Universitario. ISBN 13: 978-84-8454-697-9. 2008.
- Responsabilidad Social Corporativa. Una nueva cultura empresarial. Dr. Ricardo Fernández García. Editorial Club Universitario. ISBN 13: 978-84-8454-777-8. 2009.
- Comunicación de malas noticias. Gómez, M. (2008).
- Parada, E. (2008): Psicología y Emergencia: Habilidades psicológicas en profesiones de socorro y emergencia. Enrique Parada Torres Bilbao: Desclee de Brouwer.
- Comunicación de malas noticias. Munoz, E. A., Femández, S., Parada, E., Martínez de Aramayona, M. J., López, A., y García, A. (2001). Rev. Psiquiatría Fac Med. Barcelona, 28, 350-356.
- Relación entre capacidad de comunicación asertiva y acoso moral en el trabajo. Josefa Durán Iniesta, M.ª Ángeles Villanueva Río y Lourdes García Sánchez, Gestión práctica de riesgos laborales, n.º 27, mayo 2006.
- Factores de riesgo laboral derivados de la emigración. Pilar Rivas Vallejo. Gestión práctica de riesgos laborales, n.º 63, septiembre 2009.
- Acuerdo marco europeo sobre el acoso y la violencia en el trabajo, de 26 de abril de 2007 firmado por la ETUC / CES (European Trade Union Confederation), BUSINESSEUROPE (the Confederation of European Bussiness) UEAPME (European Asociation of craft small and medium sized enterprised) y CEEP (European centre of enterprises with public participation).
- Comunicación de la Comisión al Consejo y al Parlamento Europeo por la que se transmite el acuerdo marco europeo sobre el acoso y la violencia en el trabajo. Comisión de las comunidades europeas. Bruselas, 8.11.2007. Com(2007) 686 final.
- NTP 704: Síndrome de *estar quemado* por el trabajo o *burnout* (I): definición y proceso de generación. Fidalgo Vega, Manuel.
- NTP 701: Síndrome de estar quemado por el trabajo o *burnout* (II): consecuencias, evaluación y prevención. Fidalgo Vega Manuel.
- NIP 732: Síndrome de estar quemado por el trabajo o *burnout* (III): Instrumento de medición. Bresó Esteve Edgar; Salanova, Marisa; Schaufeli, Wilmar.
- Artículo ¿Por qué se están quemando tos Profesores? (número 28-2003 páginas 16 a 20). Revista INSHT. Salanova, Marisa; LIorens, Susana; García-Renedo, Mónica. Universitat Jaume I Castellón.

- Desgaste psíquico en el trabajo: el síndrome de quemarse. Editorial Síntesis Madrid GIL Monte, Pedro; Peiró, José María 1997.
- France Télécom: ¿suicidio o accidente laboral? Daniel Cernuda. http://www.prevention-world.com. 01.12.09.
- Una escapatoria sin retorno. 04/01/2010 - Secretaría de Salud Laboral de Castilla y León - Boletín BOICCOOT n.º 63. http://www.prevention-world.com/articulos_de_prevencion/articulo.asp?ID=780
- NTP 704: Síndrome de estar quemado por el trabajo o "burnout" (I): definición y proceso de generación. Manuel Fidalgo Vega. Centro Nacional de Condiciones de Trabajo.
- NTP 507: Acoso sexual en el trabajo. Jesús Pérez Bilbao y Tomás Sancho Figueroa. Centro Nacional de Condiciones de Trabajo.
- Curso de Técnico Superior de Prevención de Riesgos Laborales. Especialidad "Ergonomía y Psicosociología aplicada". INSHT.
- Organizaciones emocionalmente inteligentes como antídoto a los riesgos psicosociales. Bresó Exteve Edgar; y Salanova Soria, Marisa. Gestión Práctica de Riesgos Laborales; n° 67. Enero de 2010.
- Trastornos adaptativos y crisis económica. Susana Amadeo Escribano y Francisca José Perales Soler. Gestión Práctica de Riesgos Laborales; n.º 67. Enero de 2010.
- Un liderazgo asertivo para una prevención persuasiva. José Niño Escalante. Seguridad y medio ambiente, n.º 110 Segundo Trimestre 2008.
- Reflexiones para un director. Peter Drucker. Editorial Asociación para el Progreso de la Dirección. Madrid, 1977.
- NTP 450 Factores psicosociales: fases para su evaluación. Margarita Oncins de Frutos. Antonia Almodóvar Molina. Centro Nacional de Condiciones de Trabajo.
- NTP 703: El método COPSOQ (ISTAS21, PSQCAT21) de evaluación de riesgos psicosociales. Salvador Moncada i Lluís, Clara Llorens Serrano, Instituto Sindical de Trabajo, Ambiente y Salud (ISTAS). Tage S Kristensen. Arbeitmiljoinstituttet (Instituto Nacional de Salud Ocupacional de Dinamarca). Sofía Vega Martínez, Centro Nacional de Condiciones de Trabajo
- Condiciones de trabajo, precariedad laboral y salud en los trabajadores inmigrantes de Huelva (España). Ruiz-Frutos, Carlos, Paramio, Gema; Garrido, José Antonio; Velazquez, Ignacio; Castiñeira, Ramón. Prevención Integral. 04.2010.
- Herzberg satisfecho. Juan Manuel Gutiérrez. Gestión Práctica de Riesgos Laborales, n.º 30, septiembre de 2006.

- No trate a su capital humano como un recurso. Luís Adolfo Meneses Romero. Gestión del talento. Gestiopolis.com 29-01-2010.
- Evaluación de Factores Presentes en el Estrés Laboral. Luis López-Mena y Javier Campos Álvarez. Revista de Psicología de la Universidad de Chile, Vol. XI, N.°1.
- ¿Tiene usted un jefe tóxico? José Antonio Sáinz y Juan Carlos Cubeiro.
- Neomanagement: jefes tóxicos y sus víctimas, de Iñaki Piñuel. Editorial Aguilar y Grijalbo.
- Mobbing. ¿Cómo sobrevivir al acoso psicológico en el trabajo?. "La Mutua" n.° 9 15.12.2003.
- Mobbing: ¿Cómo podemos afrontarlo? Yojana Pavón, Boletín Electrónico Prevention World 355.
- Su pantilla lo agradecerá. Motivación en el trabajo, ¿realidad o utopía? Las empresas toman medidas para elevar la motivación de sus empleados ante la crisis. Carmen Sánchez-Silva. Diario "El País", domingo 18.04.2010.

Dr. RICARDO FERNANDEZ GARCÍA

- Doctor en Ciencias Químicas.
- Máster en Administración de Empresas.
- Máster en Derecho de la Unión Europea.
- Técnico Superior en Prevención de Riesgos Laborales.
- Consejero de Seguridad para el transporte por carretera.